4·2

Chunjae Makes Chunjae

[수학 단원평가]

기획총괄 박금옥
편집개발 지유경, 정소현, 조선영
최윤석, 김장미, 유혜지
디자인총괄 김희정
표지디자인 윤순미, 여화경
내지디자인 박희춘
제작 황성진, 조규영

발행일 2022년 4월 15일 3판 2023년 4월 15일 2쇄
발행인 (주)천재교육
주소 서울시 금천구 가산로9길 54
신고번호 제2001-000018호
고객센터 1577-0902

※ 정답 분실 시에는 천재교육 교재 홈페이지에서 내려받으세요.
※ KC 마크는 이 제품이 공통안전기준에 적합하였음을 의미합니다.
※ 주의
책 모서리에 다칠 수 있으니 주의하시기 바랍니다.
부주의로 인한 사고의 경우 책임지지 않습니다.
8세 미만의 어린이는 부모님의 관리가 필요합니다.

1

분수의 덧셈과 뺄셈

1 단원 개념정리

분수의 덧셈과 뺄셈

개념 1 진분수의 덧셈

- $\frac{3}{5}+\frac{4}{5}$의 계산

$$\frac{3}{5}+\frac{4}{5}=\frac{3+4}{5}=\frac{❶\square}{5}=1\frac{2}{5}$$

가분수를 대분수로 바꾸기

⇨ 분모는 그대로 두고 분자끼리 더한 후 가분수이면 대분수로 바꿉니다.

개념 2 진분수의 뺄셈, 1과 진분수의 차

- $\frac{5}{8}-\frac{3}{8}$의 계산

$$\frac{5}{8}-\frac{3}{8}=\frac{5-3}{8}=\frac{2}{8}$$

⇨ 분모는 그대로 두고 분자끼리 뺍니다.

- $1-\frac{1}{4}$의 계산

$$1-\frac{1}{4}=\frac{4}{4}-\frac{1}{4}=\frac{4-1}{4}=\frac{❷\square}{4}$$

⇨ 1을 $\frac{4}{4}$로 바꾸어 진분수의 뺄셈과 같이 계산합니다.

개념 3 대분수의 덧셈

- $2\frac{2}{3}+1\frac{2}{3}$의 계산

방법 1 $2\frac{2}{3}+1\frac{2}{3}=(2+1)+(\frac{2}{3}+\frac{2}{3})$

$=❸\square+1\frac{1}{3}=4\frac{1}{3}$

⇨ 자연수 부분과 진분수 부분으로 나누어 더합니다.

방법 2 $2\frac{2}{3}+1\frac{2}{3}=\frac{8}{3}+\frac{5}{3}=\frac{13}{3}=4\frac{1}{3}$

⇨ 대분수를 가분수로 바꾸어 더합니다.

개념 4 대분수의 뺄셈

- $3\frac{4}{5}-2\frac{2}{5}$의 계산

방법 1 $3\frac{4}{5}-2\frac{2}{5}=(3-2)+(\frac{4}{5}-\frac{2}{5})$

$=1+\frac{2}{5}=1\frac{2}{5}$

⇨ 자연수 부분과 진분수 부분으로 나누어 뺍니다.

방법 2 $3\frac{4}{5}-2\frac{2}{5}=\frac{19}{5}-\frac{12}{5}=\frac{❹\square}{5}=1\frac{2}{5}$

⇨ 대분수를 가분수로 바꾸어 뺍니다.

개념 5 자연수와 분수의 차

- $4-1\frac{2}{3}$의 계산

방법 1 $4-1\frac{2}{3}=3\frac{3}{3}-1\frac{2}{3}=2\frac{1}{3}$

$3+1=3+\frac{3}{3}=3\frac{3}{3}$

⇨ 자연수에서 1만큼을 가분수로 바꾸어 뺍니다.

방법 2 $4-1\frac{2}{3}=\frac{12}{3}-\frac{5}{3}=\frac{❺\square}{3}=2\frac{1}{3}$

⇨ 자연수와 대분수를 가분수로 바꾸어 뺍니다.

개념 6 받아내림이 있는 대분수의 뺄셈

- $3\frac{1}{3}-1\frac{2}{3}$의 계산

방법 1 $3\frac{1}{3}-1\frac{2}{3}=2\frac{4}{3}-1\frac{2}{3}=1\frac{2}{3}$

$2+1\frac{1}{3}=2+\frac{4}{3}=2\frac{4}{3}$

⇨ 빼지는 분수의 자연수에서 1만큼을 가분수로 바꾸어 뺍니다.

방법 2 $3\frac{1}{3}-1\frac{2}{3}=\frac{10}{3}-\frac{5}{3}=\frac{5}{3}=1\frac{2}{3}$

⇨ 대분수를 가분수로 바꾸어 뺍니다.

| 정답 | ❶ 7 ❷ 3 ❸ 3 ❹ 7 ❺ 7

점수

▶ 진분수의 덧셈
~ 진분수의 뺄셈, 1과 진분수의 차

스피드 정답표 1쪽, 정답 및 풀이 16쪽

[01 ~ 02] □ 안에 알맞은 수를 써넣으세요.

01 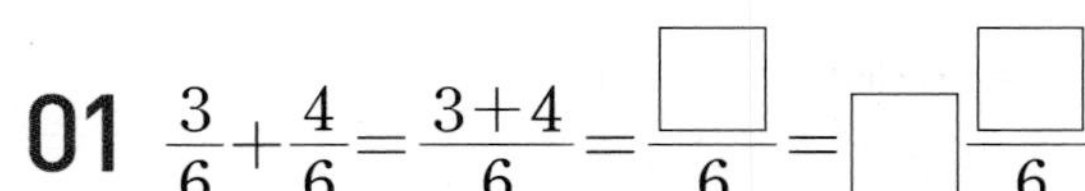
$\frac{3}{6}+\frac{4}{6}=\frac{3+4}{6}=\frac{\square}{6}=\square\frac{\square}{6}$

02 $\frac{5}{7}-\frac{3}{7}=\frac{5-\square}{7}=\frac{\square}{7}$

[03 ~ 05] 계산해 보세요.

03 $\frac{4}{9}+\frac{3}{9}$

04 $\frac{5}{8}+\frac{6}{8}$

05 $\frac{7}{10}-\frac{4}{10}$

06 두 수의 차를 구하세요.

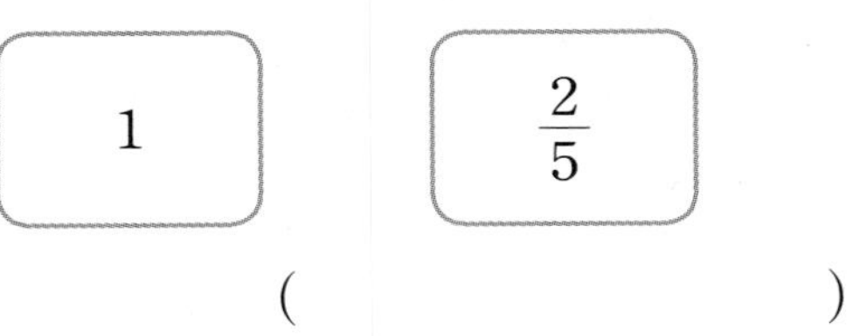

( )

07 빈 곳에 알맞은 수를 써넣으세요.

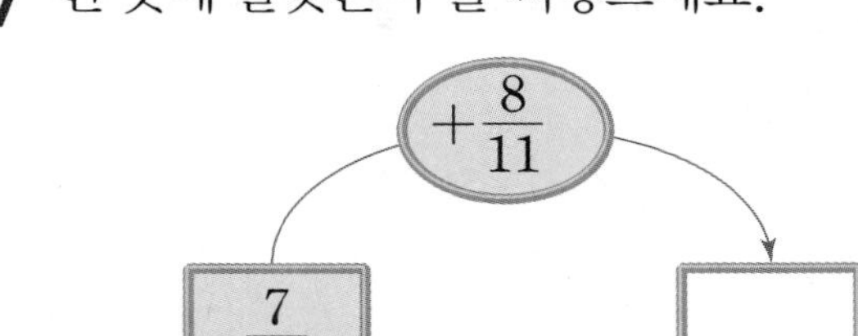

08 계산 결과를 찾아 선으로 이으세요.

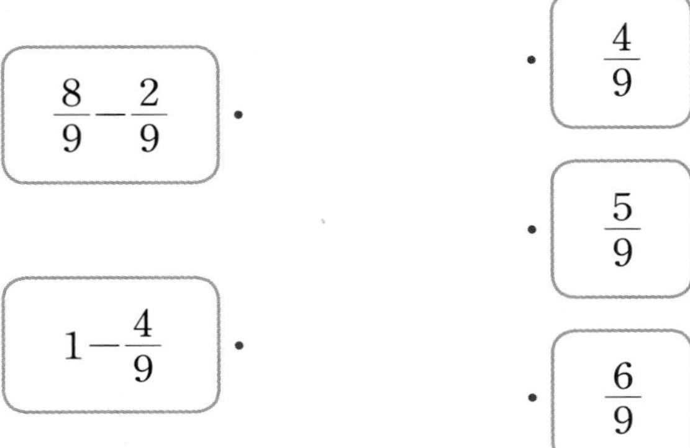

09 계산 결과를 비교하여 ○ 안에 >, =, <를 알맞게 써넣으세요.

$\frac{2}{7}+\frac{2}{7}$ ○ $\frac{6}{7}-\frac{3}{7}$

10 가장 큰 수와 가장 작은 수의 합을 구하세요.

$\frac{5}{8}$ $\frac{7}{8}$ $\frac{6}{8}$

( )

쪽지시험 2회

분수의 덧셈과 뺄셈

점수

▶ 대분수의 덧셈 ~ 대분수의 뺄셈

스피드 정답표 1쪽, 정답 및 풀이 16쪽

[01 ~ 02] □ 안에 알맞은 수를 써넣으세요.

01 $1\frac{2}{5}+2\frac{1}{5}=(1+\square)+(\frac{2}{5}+\frac{\square}{5})$

$=\square+\frac{\square}{5}=\square\frac{\square}{5}$

02 $4\frac{5}{7}-2\frac{3}{7}=(4-\square)+(\frac{5}{7}-\frac{\square}{7})$

$=\square+\frac{\square}{7}=\square\frac{\square}{7}$

[03 ~ 04] 계산해 보세요.

03 $2\frac{3}{6}+4\frac{5}{6}$

04 $5\frac{6}{9}-4\frac{3}{9}$

05 보기 와 같은 방법으로 계산해 보세요.

보기

$1\frac{2}{4}+1\frac{1}{4}=\frac{6}{4}+\frac{5}{4}=\frac{11}{4}=2\frac{3}{4}$

$1\frac{2}{8}+2\frac{3}{8}$

[06 ~ 07] 빈 곳에 알맞은 수를 써넣으세요.

06

$1\frac{7}{10}$	$+2\frac{5}{10}$	

07

$5\frac{7}{8}$	$-2\frac{4}{8}$	

08 계산 결과가 더 큰 것에 ○표 하세요.

$3\frac{5}{11}+1\frac{8}{11}$ ( )

$7\frac{9}{11}-2\frac{5}{11}$ ( )

09 가장 큰 수와 가장 작은 수의 차를 구하세요.

$5\frac{7}{13}$ $2\frac{4}{13}$ $3\frac{9}{13}$

( )

10 다음이 나타내는 수를 구하세요.

$1\frac{3}{7}$보다 $2\frac{5}{7}$ 큰 수

( )

쪽지시험 3회

분수의 덧셈과 뺄셈

점수

▶ 자연수와 분수의 차

스피드 정답표 1쪽, 정답 및 풀이 16쪽

01 그림을 보고 □ 안에 알맞은 수를 써넣으세요.

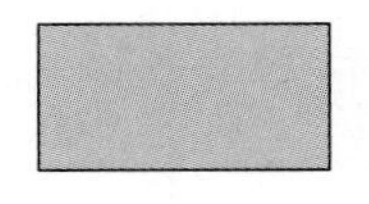

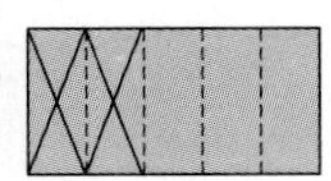

$3-1\frac{2}{5}=2\frac{\square}{5}-1\frac{2}{5}=\square\frac{\square}{5}$

[02 ~ 04] 계산해 보세요.

02 $5-\frac{4}{7}$

03 $6-5\frac{7}{8}$

04 $4-1\frac{2}{9}$

05 보기와 같은 방법으로 계산해 보세요.

보기

$3-1\frac{2}{6}=\frac{18}{6}-\frac{8}{6}=\frac{10}{6}=1\frac{4}{6}$

$5-2\frac{5}{8}$

06 두 수의 차를 구하세요.

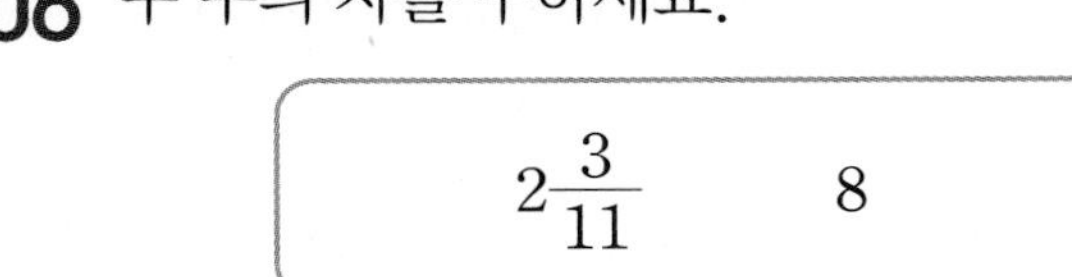

$2\frac{3}{11}$　　8

(　　　　　　)

07 계산 결과를 찾아 선으로 이으세요.

$7-2\frac{4}{6}$　　$9-5\frac{3}{6}$

$3\frac{2}{6}$　　$3\frac{3}{6}$　　$4\frac{2}{6}$

08 계산 결과를 비교하여 ○ 안에 >, =, <를 알맞게 써넣으세요.

$6-2\frac{5}{8}$ ○ $10\frac{7}{8}-6\frac{6}{8}$

09 빈 곳에 알맞은 수를 써넣으세요.

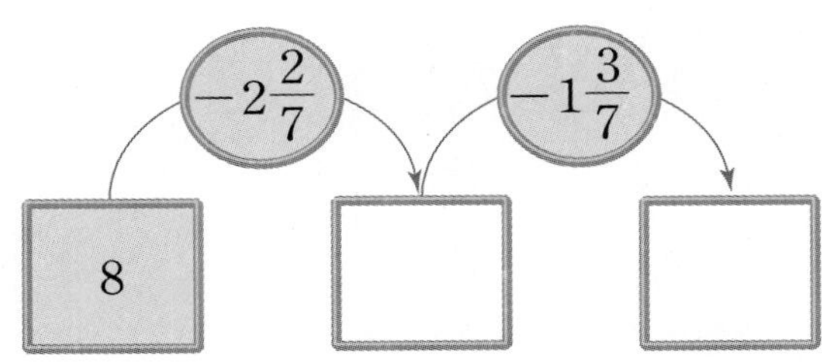

10 잘못 계산한 것에 ×표 하세요.

$5-3\frac{7}{13}=2\frac{6}{13}$　　$10-8\frac{5}{9}=1\frac{4}{9}$

(　　　)　　(　　　)

쪽지시험 4회

분수의 덧셈과 뺄셈

점수

▶ 받아내림이 있는 대분수의 뺄셈

스피드 정답표 1쪽, 정답 및 풀이 16쪽

01 수직선을 보고 □ 안에 알맞은 수를 써넣으세요.

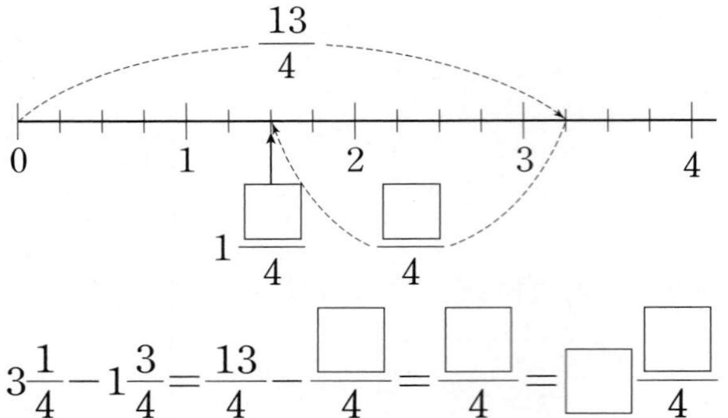

$3\frac{1}{4}-1\frac{3}{4}=\frac{13}{4}-\frac{\square}{4}=\frac{\square}{4}=\square\frac{\square}{4}$

[02 ~ 04] 계산해 보세요.

02 $5\frac{1}{3}-2\frac{2}{3}$

03 $7\frac{4}{9}-3\frac{6}{9}$

04 $6\frac{2}{10}-1\frac{5}{10}$

[05 ~ 06] 빈 곳에 두 수의 차를 써넣으세요.

05

$4\frac{8}{11}$	$7\frac{2}{11}$

06

$5\frac{4}{7}$	$2\frac{6}{7}$

07 보기 와 같은 방법으로 계산해 보세요.

보기

$3\frac{2}{5}-1\frac{4}{5}=\frac{17}{5}-\frac{9}{5}=\frac{8}{5}=1\frac{3}{5}$

$4\frac{3}{8}-2\frac{7}{8}$

08 계산 결과가 더 작은 쪽에 ○표 하세요.

$8\frac{7}{13}-4\frac{9}{13}$	$9\frac{4}{13}-5\frac{7}{13}$
(　　　)	(　　　)

09 가장 큰 수와 가장 작은 수의 차를 구하세요.

$5\frac{4}{9}$　　$2\frac{8}{9}$　　$4\frac{2}{9}$　　$7\frac{2}{9}$

(　　　　　　)

10 밀가루와 설탕의 무게의 차를 구하세요.

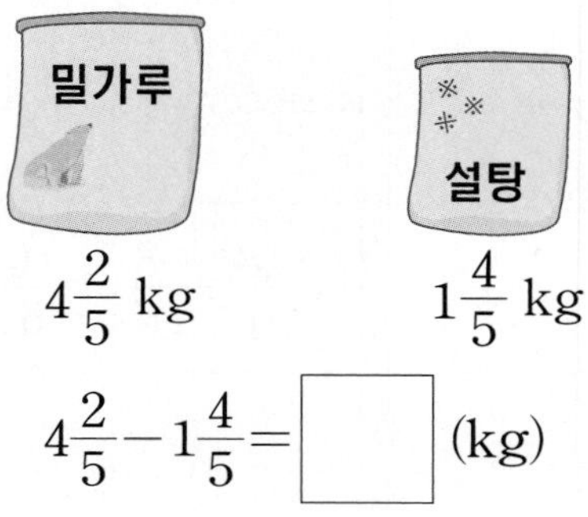

$4\frac{2}{5}$ kg　　$1\frac{4}{5}$ kg

$4\frac{2}{5}-1\frac{4}{5}=\square$ (kg)

난이도 A B C

단원평가 1회

분수의 덧셈과 뺄셈

점수

스피드 정답표 1쪽, 정답 및 풀이 17쪽

01 그림을 보고 □ 안에 알맞은 수를 써넣으세요.

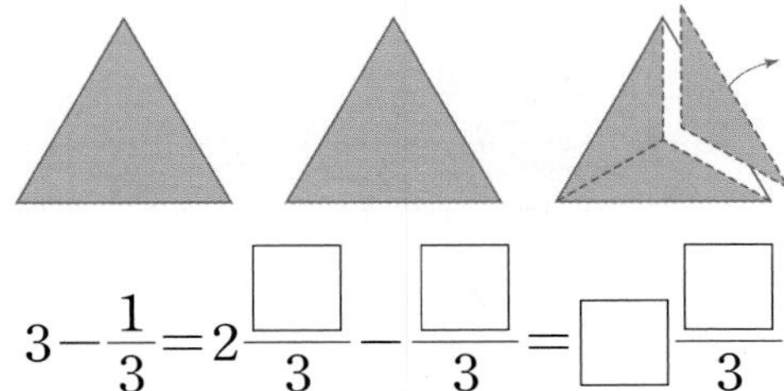

$3-\frac{1}{3}=2\frac{\square}{3}-\frac{\square}{3}=\square\frac{\square}{3}$

[02 ~ 03] □ 안에 알맞은 수를 써넣으세요.

02 $4\frac{3}{4}-1\frac{2}{4}=(4-1)+(\frac{3}{4}-\frac{\square}{4})$

$=3+\frac{\square}{4}=\square\frac{\square}{4}$

03 $1\frac{8}{12}+2\frac{3}{12}=(1+2)+(\frac{8}{12}+\frac{\square}{12})$

$=3+\frac{\square}{12}=\square\frac{\square}{12}$

04 수직선을 보고 $3\frac{2}{3}+\frac{2}{3}$를 계산해 보세요.

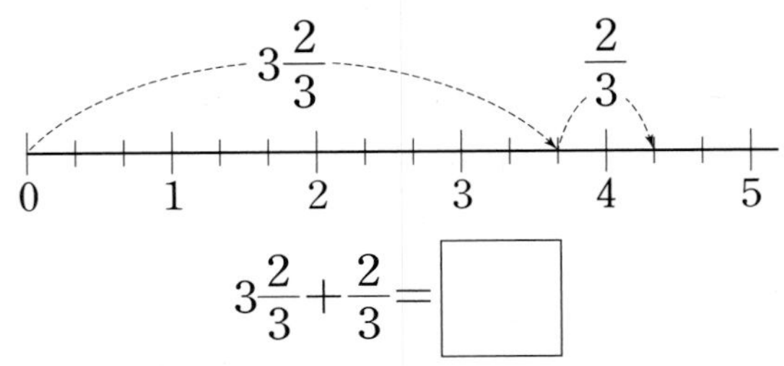

$3\frac{2}{3}+\frac{2}{3}=\square$

[05 ~ 06] 계산해 보세요.

05 $\frac{1}{7}+\frac{4}{7}$

06 $1-\frac{5}{12}$

[07 ~ 08] 빈 곳에 알맞은 수를 써넣으세요.

07

$4\frac{7}{13}$	$+1\frac{2}{13}$	

08

$5\frac{1}{6}$	$-3\frac{5}{6}$	

단원평가 1회

09 □ 안에 알맞은 수를 써넣으세요.

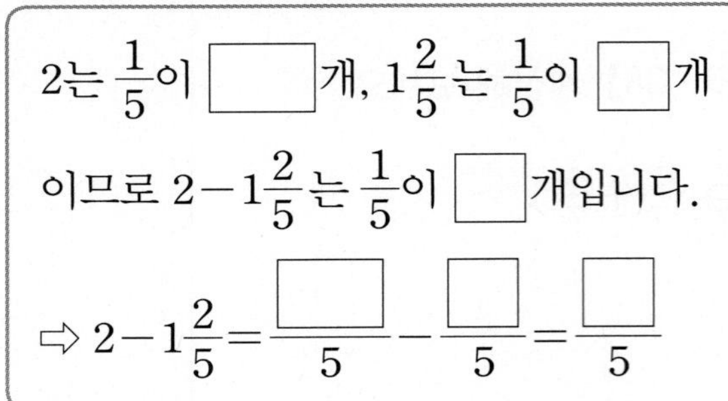

10 두 수의 합을 구하세요.

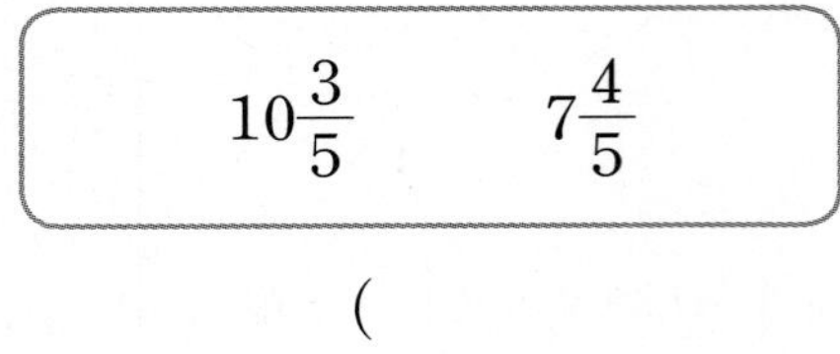

( )

11 빈 곳에 두 수의 차를 써넣으세요.

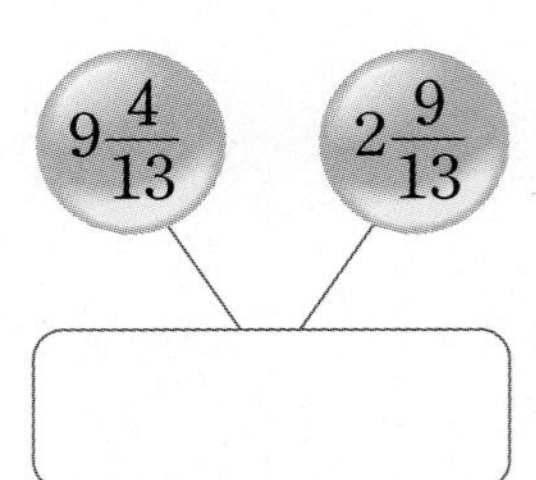

12 다음 중 ㉠과 ㉡에 알맞은 수의 합은 어느 것일까요? ·························· ( )

$$1\frac{4}{8}+1\frac{6}{8}=\frac{㉠}{8}+\frac{14}{8}=3\frac{㉡}{8}$$

① 14 ② 16 ③ 20
④ 24 ⑤ 25

13 계산 결과를 비교하여 ○ 안에 >, =, <를 알맞게 써넣으세요.

$\frac{3}{9}+\frac{6}{9}$ ○ $\frac{4}{9}+\frac{5}{9}$

14 빈 곳에 알맞은 수를 써넣으세요.

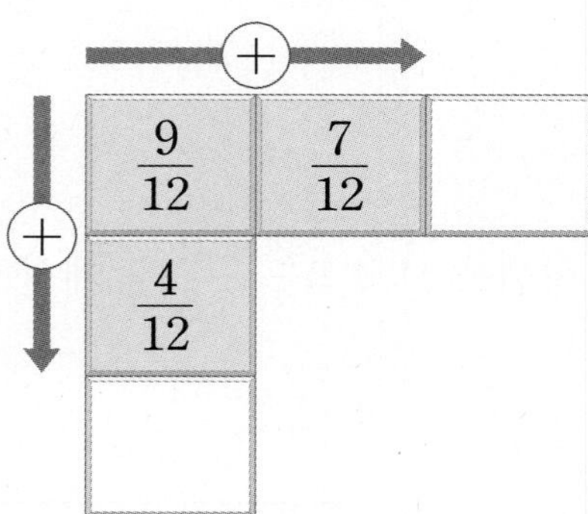

15 빈 곳에 알맞은 수를 써넣으세요.

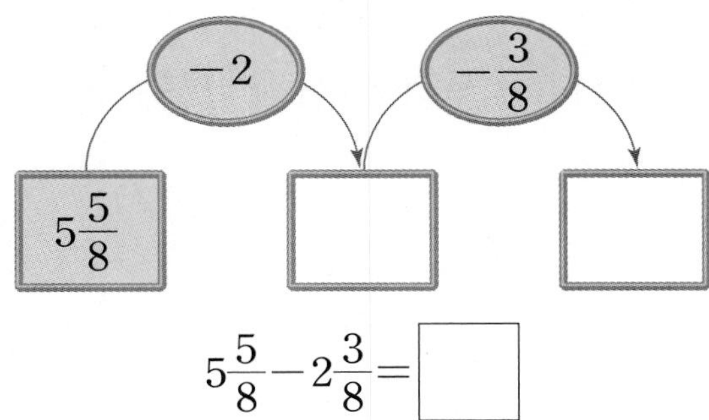

$5\frac{5}{8}-2\frac{3}{8}=\square$

16 □ 안에 알맞은 수를 써넣으세요.

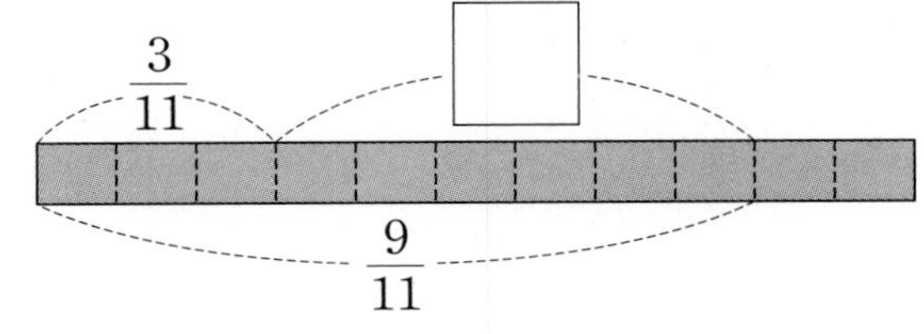

17 가장 큰 수와 가장 작은 수의 차를 구하세요.

$3\frac{2}{9}$	4	$2\frac{4}{9}$	3

( )

18 □ 안에 알맞은 수를 써넣으세요.

$10\frac{3}{12}-\square=4\frac{4}{12}$

19 예란이와 진호는 밭에서 고구마를 캤습니다. 대화를 읽고 진호가 캔 고구마는 몇 kg인지 구하세요.

( )

20 광호는 수학을 $2\frac{1}{3}$시간, 국어를 $1\frac{2}{3}$시간 동안 공부했습니다. 광호는 수학을 국어보다 몇 시간 더 많이 공부했을까요?

( )

1 단원 난이도 A B C

단원평가 2회

분수의 덧셈과 뺄셈

점수

스피드 정답표 1쪽, 정답 및 풀이 17쪽

01 그림을 보고 □ 안에 알맞은 수를 써넣으세요.

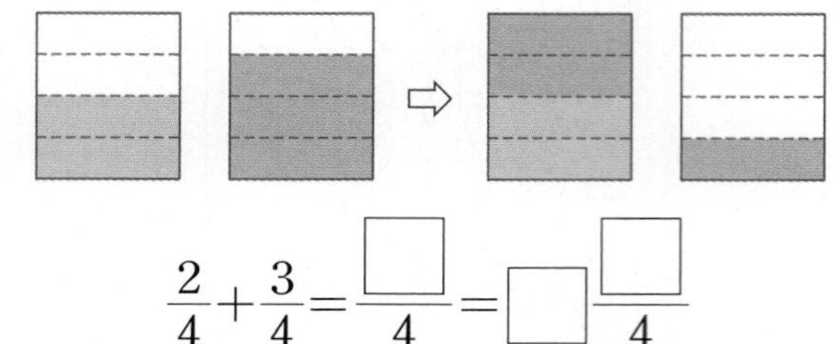

$\frac{2}{4}+\frac{3}{4}=\frac{\square}{4}=\square\frac{\square}{4}$

[02~03] □ 안에 알맞은 수를 써넣으세요.

02 $6\frac{1}{10}-2\frac{5}{10}=5\frac{\square}{10}-2\frac{5}{10}$

$=(5-2)+(\frac{\square}{10}-\frac{5}{10})$

$=\square+\frac{\square}{10}=\square\frac{\square}{10}$

03 $2\frac{2}{3}+5\frac{2}{3}=(2+5)+(\frac{2}{3}+\frac{\square}{3})$

$=7+\square\frac{\square}{3}=\square\frac{\square}{3}$

04 수직선을 보고 □ 안에 알맞은 수를 써넣으세요.

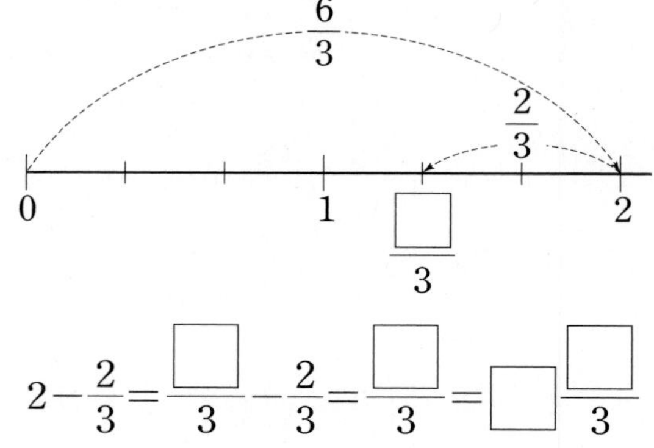

$2-\frac{2}{3}=\frac{\square}{3}-\frac{2}{3}=\frac{\square}{3}=\square\frac{\square}{3}$

[05~06] 계산해 보세요.

05 $\frac{5}{6}-\frac{4}{6}$

06 $3\frac{6}{8}-1\frac{2}{8}$

07 □ 안에 알맞은 수를 써넣으세요.

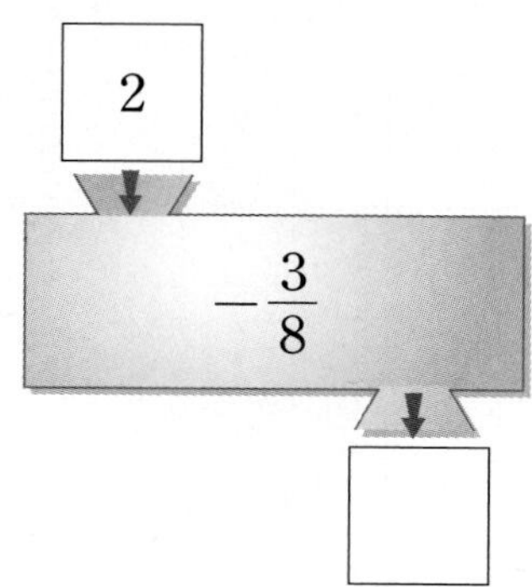

08 □ 안에 알맞은 수를 써넣으세요.

$\frac{2}{7}$는 $\frac{1}{7}$이 □개, $\frac{3}{7}$은 $\frac{1}{7}$이 □개

이므로 $\frac{2}{7}+\frac{3}{7}$은 $\frac{1}{7}$이 □개입니다.

⇨ $\frac{2}{7}+\frac{3}{7}=\frac{2+\square}{7}=\frac{\square}{7}$

09 두 수의 합을 구하세요.

$\frac{3}{6}$　　$\frac{5}{6}$

(　　　　　　)

10 빈 곳에 알맞은 수를 써넣으세요.

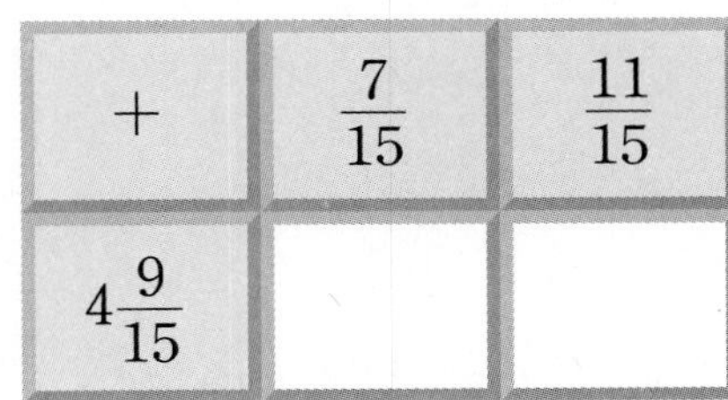

$+$	$\frac{7}{15}$	$\frac{11}{15}$
$4\frac{9}{15}$		

11 계산 결과가 더 큰 것에 ○표 하세요.

$\frac{5}{15}+\frac{12}{15}$　　$3\frac{5}{15}-1\frac{7}{15}$

(　　　)　　(　　　)

12 계산 결과를 찾아 선으로 이으세요.

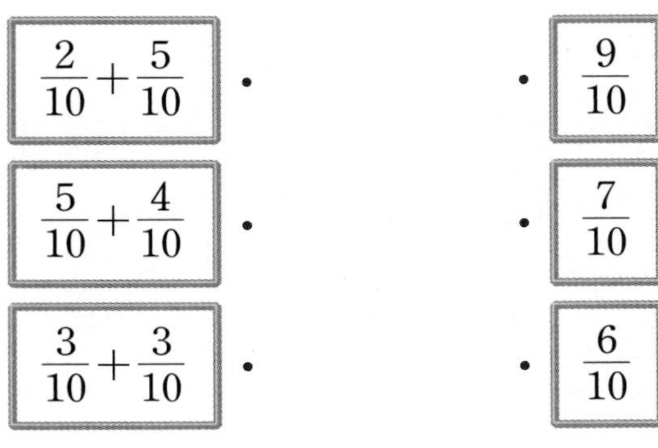

13 다음이 나타내는 수를 구하세요.

$5\frac{3}{8}$보다 $2\frac{5}{8}$ 작은 수

(　　　　　　)

14 □ 안에 알맞은 수를 써넣으세요.

$\frac{3}{9}+\frac{\square}{9}=\frac{8}{9}$

15 빈 곳에 알맞은 수를 써넣으세요.

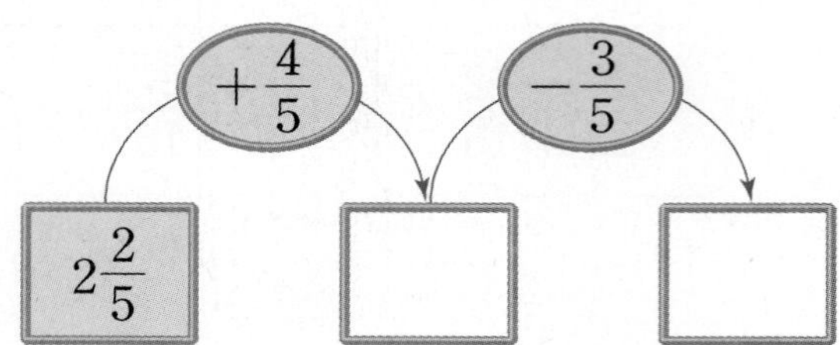

16 어림한 결과가 2와 3 사이인 덧셈식에 ◯표 하세요.

$1\frac{3}{5}+1\frac{4}{5}$	$2\frac{3}{7}+\frac{2}{7}$
(　　　　)	(　　　　)

17 바르게 계산한 사람의 이름을 쓰세요.

영진

$\frac{4}{7}+\frac{2}{7}=\frac{4+2}{7+7}=\frac{6}{14}$

은혜

$3-\frac{4}{5}=2\frac{5}{5}-\frac{4}{5}=2\frac{1}{5}$

(　　　　　　　　)

18 분수 카드 2장을 골라 계산 결과가 가장 큰 덧셈식을 만들고 답을 구하세요.

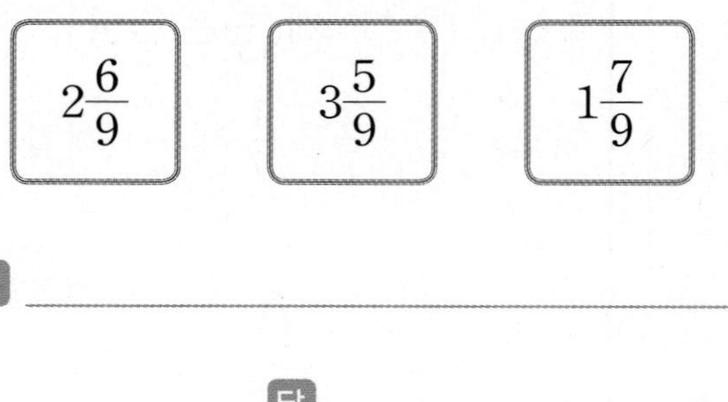

식 ____________________

답 ____________________

19 윤아는 정육점에서 쇠고기 $3\frac{3}{5}$ kg과 돼지고기 $2\frac{4}{5}$ kg을 샀습니다. 고기를 모두 몇 kg 샀을까요?

(　　　　　　　　)

20 주영이는 철사 $5\frac{3}{8}$ m 중에서 $2\frac{7}{8}$ m를 잘라 동물 모형을 만드는 데 사용하였습니다. 남은 철사의 길이는 몇 m일까요?

(　　　　　　　　)

분수의 덧셈과 뺄셈

점수

스피드 정답표 2쪽, 정답 및 풀이 18쪽

01 그림을 보고 □ 안에 알맞은 수를 써넣으세요.

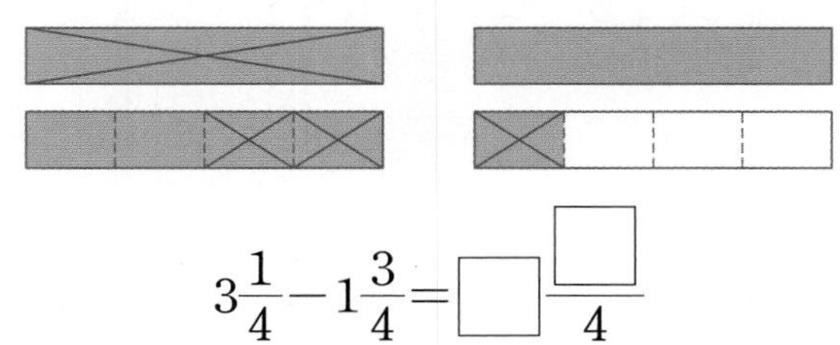

$3\frac{1}{4}-1\frac{3}{4}=\square\frac{\square}{4}$

02 □ 안에 알맞은 수를 써넣으세요.

$3\frac{6}{7}-2\frac{3}{7}=(3-\square)+(\frac{6}{7}-\frac{\square}{7})$

$=\square+\frac{\square}{7}=\square\frac{\square}{7}$

[03 ~ 04] 계산해 보세요.

03 $5\frac{5}{8}+2\frac{2}{8}$

04 $8\frac{2}{4}-3\frac{3}{4}$

05 빈 곳에 알맞은 수를 써넣으세요.

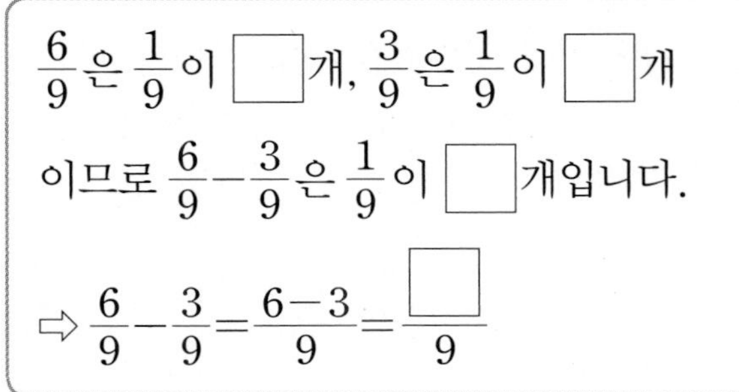

06 □ 안에 알맞은 수를 써넣으세요.

$\frac{6}{9}$은 $\frac{1}{9}$이 □개, $\frac{3}{9}$은 $\frac{1}{9}$이 □개

이므로 $\frac{6}{9}-\frac{3}{9}$은 $\frac{1}{9}$이 □개입니다.

⇨ $\frac{6}{9}-\frac{3}{9}=\frac{6-3}{9}=\frac{\square}{9}$

07 계산 결과를 비교하여 ○ 안에 >, =, < 를 알맞게 써넣으세요.

$1\frac{3}{8}+2\frac{7}{8}$ ○ 4

08 빈 곳에 두 수의 합을 써넣으세요.

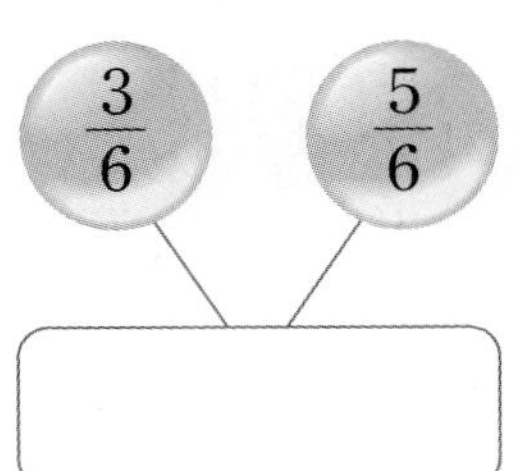

09 |보기|와 같은 방법으로 계산해 보세요.

|보기|

$$1\frac{2}{3}+2\frac{2}{3}=\frac{5}{3}+\frac{8}{3}=\frac{13}{3}=4\frac{1}{3}$$

$1\frac{4}{6}+3\frac{5}{6}$

10 주스가 2 L 있었습니다. 민수가 마시고 남은 주스의 양만큼 계량컵에 색칠해 보세요.

11 $4-2\frac{3}{7}$은 $\frac{1}{7}$이 몇 개인 수인지 고르세요. ( )

① 9개 ② 10개 ③ 11개
④ 12개 ⑤ 13개

12 계산 결과가 가장 작은 것을 찾아 기호를 쓰세요.

㉠ $1\frac{2}{8}+\frac{3}{8}$ ㉡ $\frac{6}{8}+\frac{4}{8}$ ㉢ $1\frac{5}{8}+1\frac{1}{8}$

( )

13 빈 곳에 알맞은 수를 써넣으세요.

+	$\frac{2}{16}$	$\frac{8}{16}$
$\frac{4}{16}$		
$\frac{7}{16}$		

14 빈 곳에 알맞은 수를 써넣으세요.

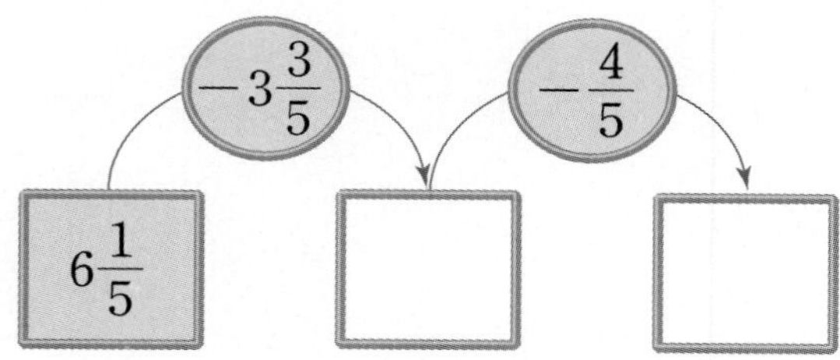

15 어림한 결과가 1과 2 사이인 식을 모두 찾아 기호를 쓰세요.

㉠ $3\frac{2}{4}-1\frac{1}{4}$　㉡ $4\frac{1}{7}-2\frac{3}{7}$
㉢ $\frac{4}{5}+\frac{3}{5}$　㉣ $1\frac{5}{6}+1\frac{2}{6}$

(　　　　　　　　)

16 □ 안에 알맞은 수를 써넣으세요.

$2\frac{3}{5}+\square=4\frac{1}{5}$

서술형

17 현경이가 가지고 있는 빨간색 끈은 $\frac{8}{22}$ m이고, 파란색 끈은 $\frac{5}{22}$ m입니다. 현경이가 가지고 있는 끈은 모두 몇 m인지 풀이 과정을 쓰고 답을 구하세요.

풀이

답 ________________

18 보기에서 두 수를 골라 □ 안에 써넣어 계산 결과가 가장 큰 뺄셈식을 만들고 답을 구하세요.

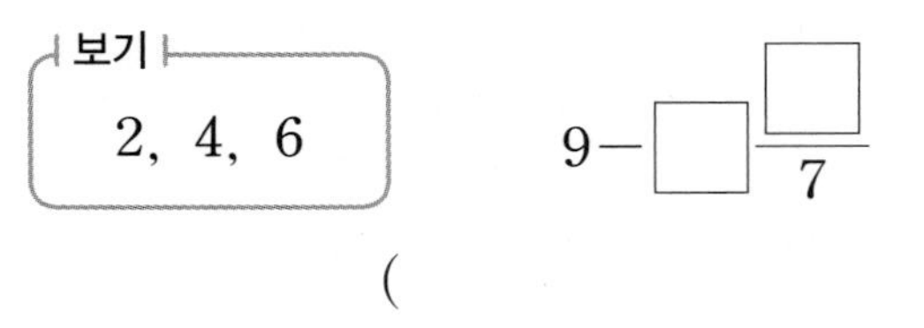

(　　　　　　　　)

19 민정이는 말라뮤트와 그레이트 피레니즈를 키우고 있습니다. 말라뮤트는 그레이트 피레니즈보다 몇 kg 더 가벼울까요?

말라뮤트 $32\frac{2}{5}$ kg　그레이트 피레니즈 $56\frac{4}{5}$ kg

(　　　　　　　　)

20 길이가 7 cm인 색 테이프 2장을 그림과 같이 $2\frac{2}{3}$ cm만큼 겹쳐서 이어 붙였습니다. 이어 붙인 색 테이프의 전체 길이는 몇 cm일까요?

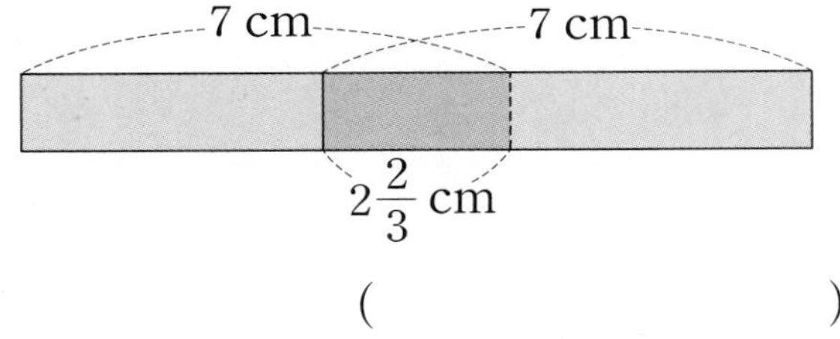

(　　　　　　　　)

1 분수의 덧셈과 뺄셈

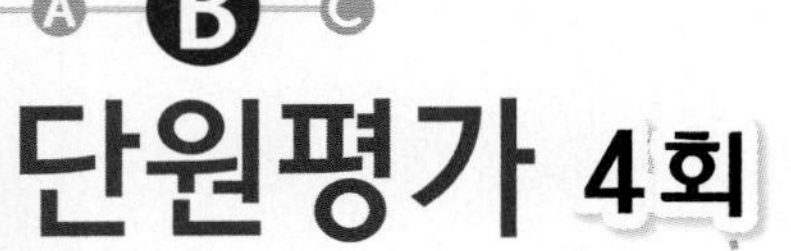

단원평가 4회

분수의 덧셈과 뺄셈

점수

스피드 정답표 2쪽, 정답 및 풀이 18쪽

01 그림을 보고 □ 안에 알맞은 수를 써넣으세요.

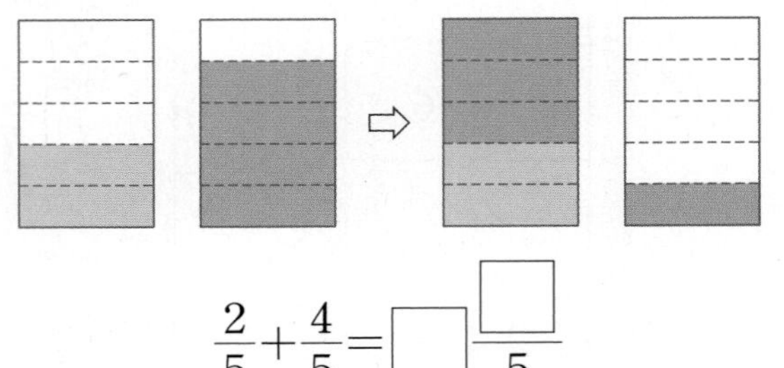

$\frac{2}{5}+\frac{4}{5}=\square\frac{\square}{5}$

02 □ 안에 알맞은 수를 써넣으세요.

$5\frac{1}{4}+2\frac{2}{4}=(5+\square)+(\frac{1}{4}+\frac{\square}{4})$

$=\square+\frac{\square}{4}=\square\frac{\square}{4}$

03 수직선을 보고 $3\frac{4}{5}-1\frac{2}{5}$를 계산해 보세요.

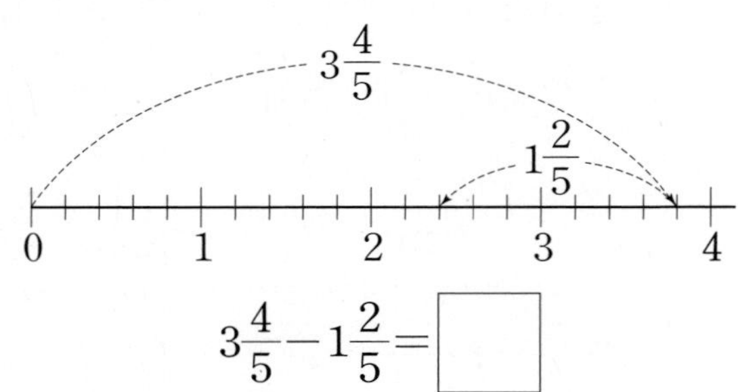

$3\frac{4}{5}-1\frac{2}{5}=\square$

[04~05] 계산해 보세요.

04 $\frac{13}{15}-\frac{7}{15}$

05 $5-2\frac{7}{11}$

06 빈 곳에 두 수의 합을 써넣으세요.

$3\frac{4}{15}$	$1\frac{9}{15}$

07 □ 안에 알맞은 수를 써넣으세요.

$\frac{4}{9}$는 $\frac{1}{9}$이 □개
$\frac{2}{9}$는 $\frac{1}{9}$이 □개
⇨ $\frac{4}{9}+\frac{2}{9}$는 $\frac{1}{9}$이 □개

⇨ $\frac{4}{9}+\frac{2}{9}=\frac{\square}{9}$

08 계산 결과가 더 큰 것의 기호를 쓰세요.

㉠ $1\frac{3}{17}+1\frac{12}{17}$	㉡ $3\frac{1}{17}-\frac{7}{17}$

(　　　　　　　　　　)

09 다음 그림을 식으로 바르게 나타낸 것은 어느 것일까요? ···················· (　　　　)

① $\frac{8}{9}-\frac{6}{9}=\frac{2}{9}$　② $1\frac{8}{9}-1\frac{6}{9}=\frac{2}{9}$

③ $2\frac{8}{9}-\frac{6}{9}=2\frac{6}{9}$　④ $2\frac{8}{9}-1\frac{6}{9}=1\frac{2}{9}$

⑤ $2\frac{8}{9}-1\frac{2}{9}=1\frac{6}{9}$

10 두 수의 합과 차를 각각 구하세요.

$2\frac{7}{12}$	$4\frac{5}{12}$

합 (　　　　　　　　　　)

차 (　　　　　　　　　　)

11 $3\frac{3}{17}-2\frac{8}{17}$은 $\frac{1}{17}$이 몇 개인 수일까요?

(　　　　　　　　　　)

12 □ 안에 알맞은 수의 합을 구하세요.

$$1\frac{4}{6}+3\frac{5}{6}=\frac{\square}{6}+\frac{23}{6}=5\frac{\square}{6}$$

(　　　　　　　　　　)

13 빈 곳에 알맞은 수를 써넣으세요.

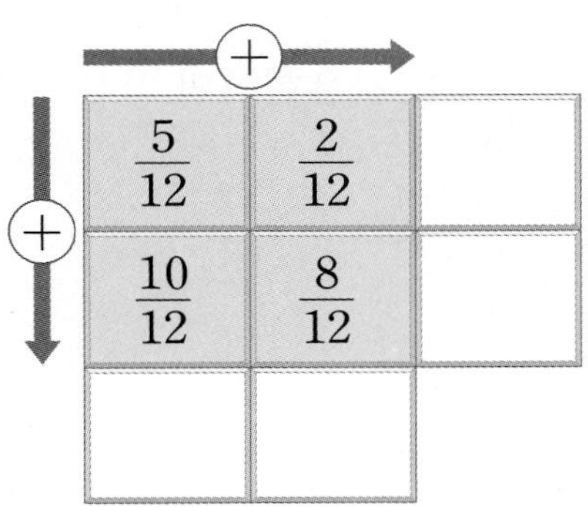

14 □ 안에 알맞은 수를 써넣으세요.

$$\frac{2}{10}+\frac{\square}{10}=\frac{8}{10}$$

15 빈 곳에 알맞은 수를 써넣으세요.

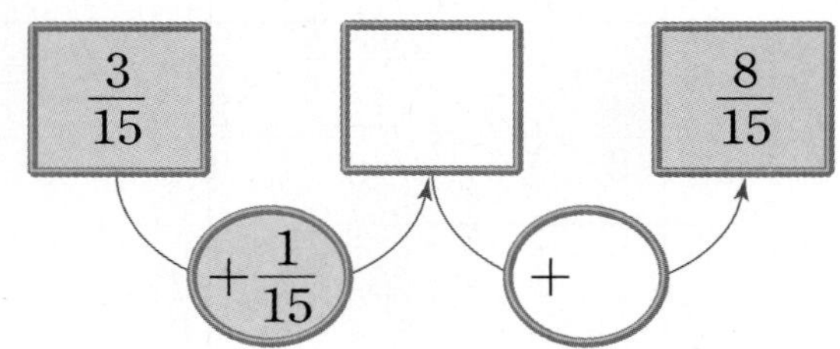

16 상미는 식용유 3 L를 사서 엄마와 함께 튀김을 만들었습니다. 튀김을 만드는 데 식용유 $1\frac{3}{4}$ L를 사용했다면 남은 식용유는 몇 L일까요?

(　　　　　　)

서술형

17 집에서 학교까지의 거리는 $1\frac{3}{4}$ km이고, 집에서 공원까지의 거리는 $2\frac{1}{4}$ km입니다. 집에서 학교와 공원 중 어느 곳이 몇 km 더 먼지 풀이 과정을 쓰고 답을 구하세요.

풀이

답 ______________, ______________

18 희수네 가족은 쌀을 1월에 $22\frac{3}{8}$ kg, 2월에 $25\frac{1}{8}$ kg 먹었습니다. 희수네 가족이 두 달 동안 먹은 쌀은 모두 몇 kg일까요?

(　　　　　　)

19 계산이 잘못된 이유를 은주가 설명한 것입니다. □ 안에 알맞은 수를 써넣으세요.

$$5\frac{1}{4}-2\frac{2}{4}=3\frac{3}{4}$$

$5-2=3$이지만 $\frac{1}{4}$이 $\frac{2}{4}$보다 작으므로 계산 결과는 □보다 작아야 합니다.

20 계산 결과가 0이 아닌 가장 작은 값을 만들려고 합니다. □ 안에 알맞은 수를 써넣고, 계산 결과를 구하세요.

$$5\frac{4}{6}-\square\frac{\square}{6}$$

(　　　　　　)

단원평가 5회

분수의 덧셈과 뺄셈

점수

스피드 정답표 2쪽, 정답 및 풀이 19쪽

[01 ~ 02] 그림을 보고 □ 안에 알맞은 수를 써넣으세요.

01

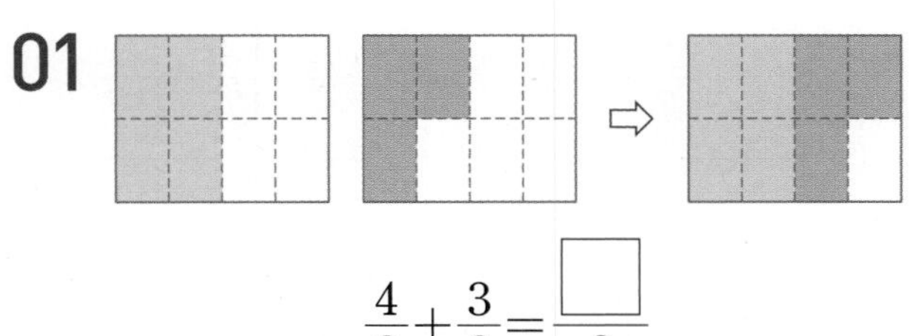

$\frac{4}{8}+\frac{3}{8}=\frac{\square}{8}$

02

$1\frac{1}{5}+2\frac{3}{5}=\square\frac{\square}{5}$

[03 ~ 04] 계산해 보세요.

03 $6\frac{8}{14}+1\frac{9}{14}$

04 $4-2\frac{4}{8}$

05 두 수의 차를 구하세요.

$\frac{8}{11}$ $\frac{4}{11}$

(　　　　　　　　　)

06 빈 곳에 알맞은 수를 써넣으세요.

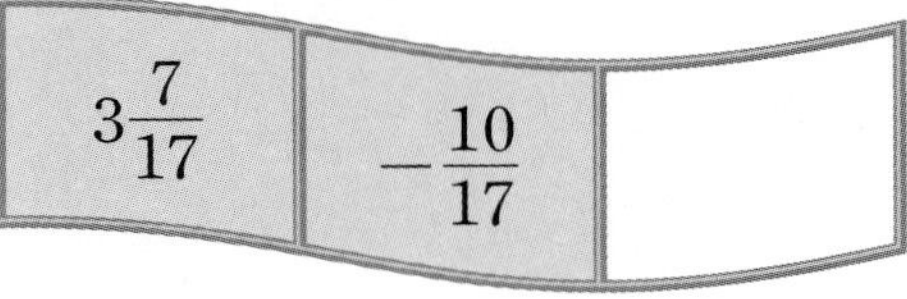

$3\frac{7}{17}$ $-\frac{10}{17}$

07 □ 안에 알맞은 수를 써넣으세요.

$\frac{3}{6}$은 $\frac{1}{6}$이 □개, $\frac{4}{6}$는 $\frac{1}{6}$이 □개

이므로 $\frac{3}{6}+\frac{4}{6}$는 $\frac{1}{6}$이 □개입니다.

⇨ $\frac{3}{6}+\frac{4}{6}=\frac{\square}{6}=\square\frac{\square}{6}$

08 다음이 나타내는 수를 구하세요.

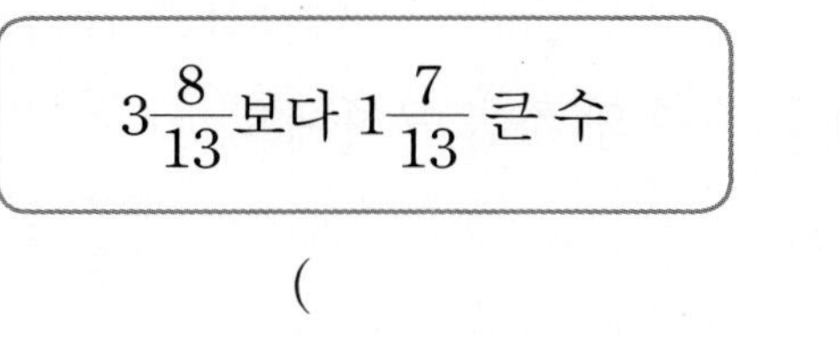

$3\frac{8}{13}$보다 $1\frac{7}{13}$ 큰 수

( )

09 그림을 보고 ㉠과 ㉡에 알맞은 수의 합을 구하세요.

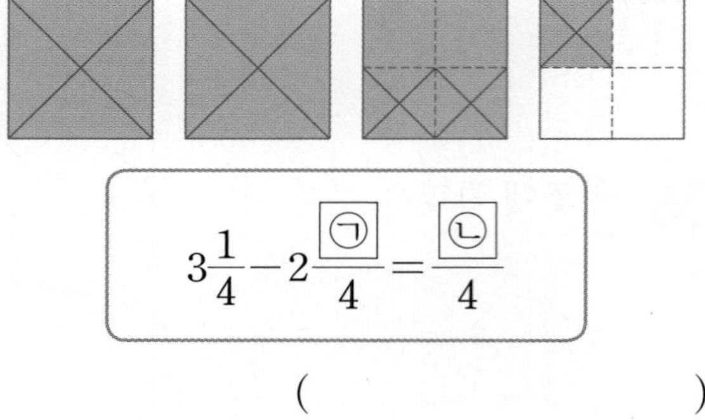

$3\frac{1}{4}-2\frac{㉠}{4}=\frac{㉡}{4}$

( )

10 □ 안에 알맞은 수를 써넣으세요.

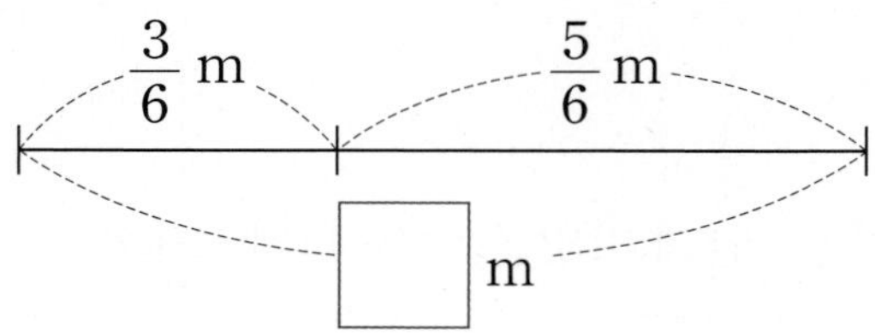

11 빈 곳에 알맞은 수를 써넣으세요.

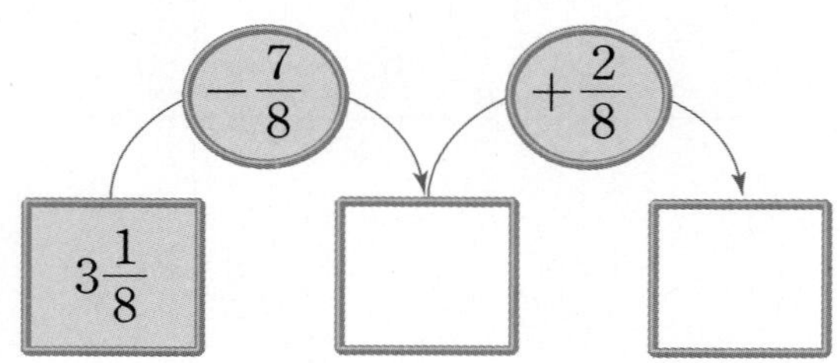

12 계산 결과가 가장 큰 것을 찾아 기호를 쓰세요.

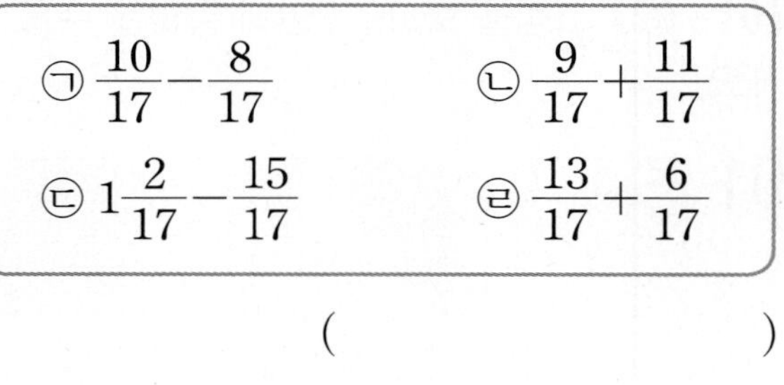

㉠ $\frac{10}{17}-\frac{8}{17}$ ㉡ $\frac{9}{17}+\frac{11}{17}$

㉢ $1\frac{2}{17}-\frac{15}{17}$ ㉣ $\frac{13}{17}+\frac{6}{17}$

( )

13 □ 안에 알맞은 수를 써넣으세요.

$6\frac{11}{18}-\square=4\frac{2}{18}$

14 직사각형에서 가로는 세로보다 몇 cm 더 긴지 구하세요.

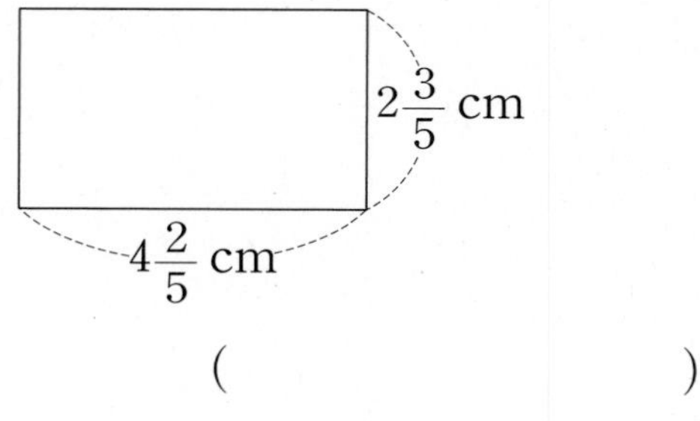

( )

15 주희는 매일 식혜를 $\frac{2}{9}$ L씩 마셨습니다. 주희가 2일 동안 마신 식혜는 모두 몇 L일까요?

(　　　　　　　　)

16 예림이는 길이가 각각 $1\frac{2}{8}$ m, $\frac{6}{8}$ m인 색 테이프를 $\frac{3}{8}$ m만큼 겹쳐서 이어 붙였습니다. 이어 붙인 색 테이프의 전체 길이는 몇 m일까요?

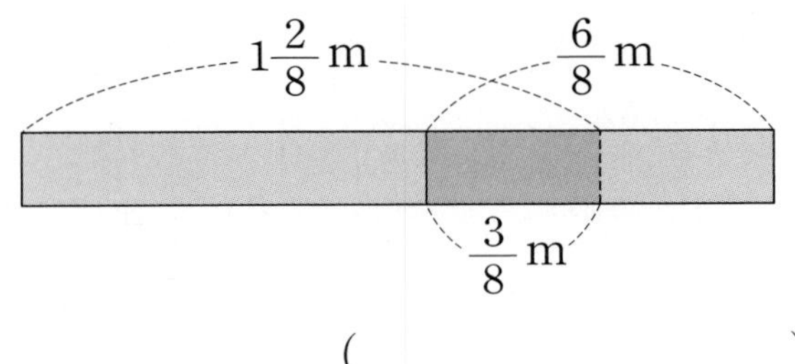

(　　　　　　　　)

서술형

17 진영이네 집에서 버스 정류장까지의 거리는 $\frac{3}{5}$ km이고, 버스 정류장에서 우체국까지의 거리는 $1\frac{4}{5}$ km입니다. 진영이네 집에서 버스 정류장을 지나 우체국까지의 거리는 몇 km인지 풀이 과정을 쓰고 답을 구하세요.

풀이

답 ______________

18 분모가 7인 진분수가 2개 있습니다. 합이 $\frac{5}{7}$, 차가 $\frac{3}{7}$인 두 진분수를 구하세요.

(　　　　　,　　　　　)

19 □ 안에 들어갈 수 있는 자연수 중에서 가장 큰 수를 구하세요.

$$\frac{4}{7}+1\frac{\square}{7}<2\frac{1}{7}$$

(　　　　　　　　)

서술형

20 어떤 수보다 $2\frac{3}{5}$ 큰 수는 4입니다. 어떤 수는 얼마인지 풀이 과정을 쓰고 답을 구하세요.

풀이

답 ______________

1 분수의 덧셈과 뺄셈

단계별로 연습하는

서술형평가

분수의 덧셈과 뺄셈

점수

01 혜수와 승민이는 멀리뛰기를 하였습니다. 혜수는 $1\frac{4}{7}$ m, 승민이는 $1\frac{2}{7}$ m를 뛰었습니다. 혜수와 승민이 중 누가 몇 m 더 멀리 뛰었는지 구하세요.

❶ $1\frac{4}{7}$와 $1\frac{2}{7}$ 중 더 큰 수를 구하세요.

( )

❷ 혜수와 승민이 중 누가 몇 m 더 멀리 뛰었을까요?

(,)

02 집에서 학교까지의 거리는 몇 km인지 구하세요.

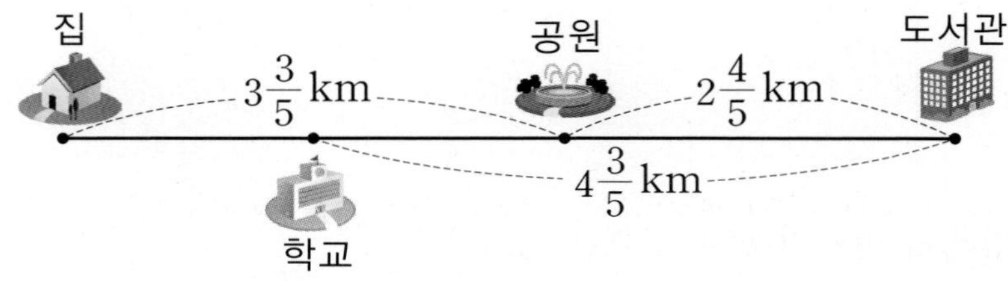

❶ 집에서 도서관까지의 거리는 몇 km일까요?

$$3\frac{3}{5}+2\frac{4}{5}=(3+2)+(\frac{\square}{5}+\frac{4}{5})$$

$$=\square+\square\frac{\square}{5}=\square\frac{\square}{5}\ (\text{km})$$

❷ 집에서 학교까지의 거리는 몇 km일까요?

( )

03 그림과 같이 길이가 $4\frac{4}{8}$ m인 색 테이프 2장을 $\frac{5}{8}$ m만큼 겹쳐서 이어 붙였습니다. 이어 붙인 색 테이프의 전체 길이는 몇 m인지 구하세요.

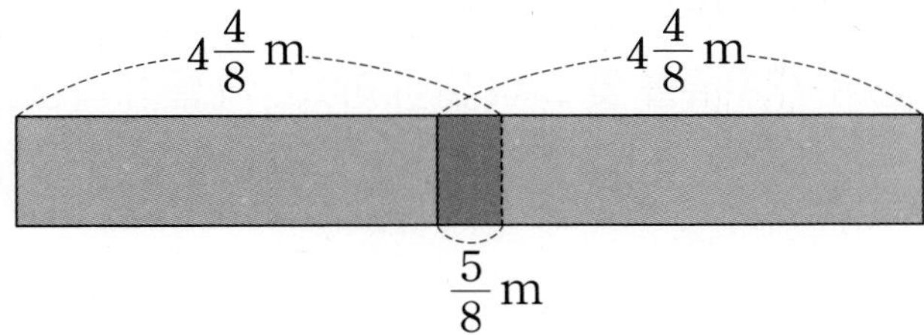

❶ 길이가 $4\frac{4}{8}$ m인 색 테이프 2장의 길이의 합은 몇 m일까요?

$$4\frac{4}{8}+4\frac{4}{8}=(4+\square)+(\frac{4}{8}+\frac{\square}{8})$$
$$=\square+\square=\square\,(\text{m})$$

❷ 이어 붙인 색 테이프의 전체 길이는 몇 m일까요?

( )

04 어떤 수에서 $1\frac{7}{13}$을 빼야 할 것을 잘못하여 더했더니 $5\frac{2}{13}$가 되었습니다. 바르게 계산하면 얼마인지 구하세요.

❶ 어떤 수를 □라 하고 잘못 계산한 식을 세워 보세요.

❷ 어떤 수를 구하세요.

( )

❸ 바르게 계산하면 얼마일까요?

( )

1 단원 풀이 과정을 직접 쓰는 서술형평가 분수의 덧셈과 뺄셈

점수

01 일주일 동안 우유를 유미는 $2\frac{3}{8}$ L, 주원이는 $3\frac{1}{8}$ L 마셨습니다. 유미와 주원이 중 누가 우유를 몇 L 더 많이 마셨는지 풀이 과정을 쓰고 답을 구하세요.

풀이

답 ______________ , ______________

어떻게 풀까요?

마신 우유의 양을 비교하여 더 많이 마신 사람은 누구인지 찾고 분수의 뺄셈을 하여 더 마신 양을 구합니다.

02 민혁이네 집에서 공원까지의 거리는 몇 km인지 풀이 과정을 쓰고 답을 구하세요.

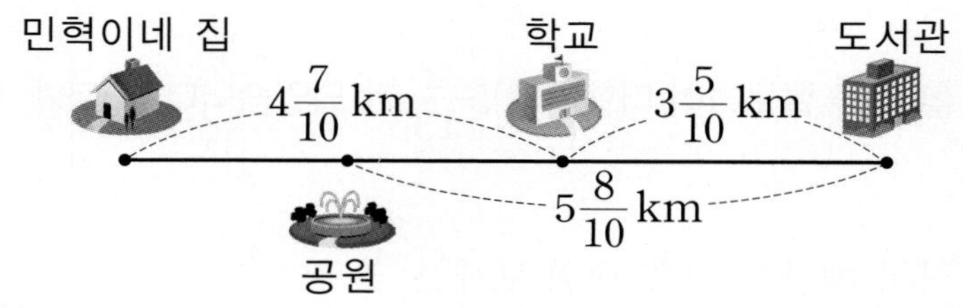

풀이

답 ______________

어떻게 풀까요?

(민혁이네 집~공원)
=(민혁이네 집~학교)
+(학교~도서관)
−(공원~도서관)

스피드 정답표 3쪽, 정답 및 풀이 20쪽

03 길이가 $5\frac{3}{6}$ m인 색 테이프 2장을 $\frac{4}{6}$ m만큼 겹쳐서 이어 붙였습니다. 이어 붙인 색 테이프의 전체 길이는 몇 m인지 풀이 과정을 쓰고 답을 구하세요.

풀이

답 ________________

어떻게 풀까요?

이어 붙인 색 테이프의 전체 길이는 색 테이프 2장의 길이의 합에서 겹친 부분의 길이를 빼어 구합니다.

04 어떤 수에 $2\frac{5}{11}$를 더해야 할 것을 잘못하여 뺐더니 $1\frac{8}{11}$이 되었습니다. 바르게 계산하면 얼마인지 풀이 과정을 쓰고 답을 구하세요.

풀이

답 ________________

어떻게 풀까요?

어떤 수를 □라 하고 잘못 계산한 식을 세워 어떤 수를 먼저 구합니다.

⇨ $\square-2\frac{5}{11}=1\frac{8}{11}$

05 수 카드 중에서 2장을 사용하여 분모가 9인 진분수를 만들려고 합니다. 만들 수 있는 가장 큰 진분수와 가장 작은 진분수의 합은 얼마인지 풀이 과정을 쓰고 답을 구하세요.

3	5	6	8	9

풀이

답 ________________

어떻게 풀까요?

분모가 9인 가장 큰 진분수는 분자에 가장 큰 수를 놓고, 가장 작은 진분수는 분자에 가장 작은 수를 놓아 만듭니다.

분수의 덧셈과 뺄셈

• 스피드 정답표 **3쪽**, 정답 및 풀이 **21쪽**

오답률 47%

01 어떤 수에서 $\frac{11}{7}$을 빼었더니 $4\frac{5}{7}$가 되었습니다. 어떤 수는 얼마일까요?

( )

오답률 48%

02 □ 안에 들어갈 수 있는 가장 작은 자연수를 고르세요. ························· ( )

$$\frac{8}{12}-\frac{\square}{12}<\frac{5}{12}$$

① 2 ② 3 ③ 4
④ 5 ⑤ 6

오답률 48%

03 □ 안에 들어갈 수 있는 자연수는 모두 몇 개일까요?

$$\frac{4}{5}+\frac{3}{5}<1\frac{\square}{5}<2$$

( )

오답률 56%

04 크기를 비교하여 ○ 안에 $>$, $=$, $<$를 알맞게 써넣으세요.

$$2\frac{9}{10}+1\frac{3}{10} \bigcirc 3\frac{1}{10}$$

오답률 75%

05 길이가 3 cm인 색 테이프 3장을 그림과 같이 $\frac{1}{5}$ cm씩 겹쳐서 이어 붙였습니다. 이어 붙인 색 테이프 전체의 길이는 몇 cm일까요?

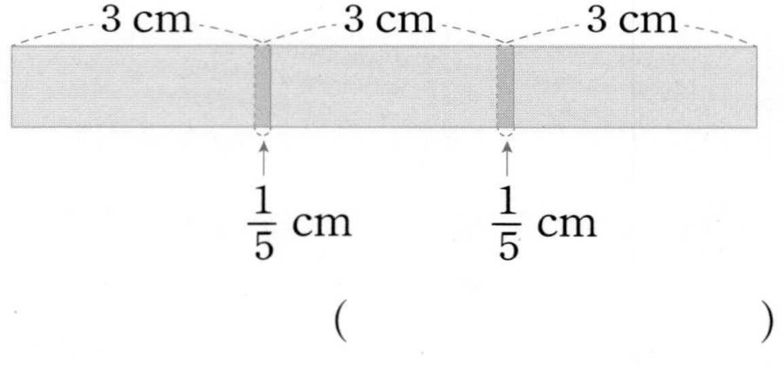

( )

2

삼각형

개념정리

개념 1 삼각형 분류하기 (1)

- 삼각형을 변의 길이에 따라 분류하기
  - 이등변삼각형: 두 변의 길이가 같은 삼각형
  - 정삼각형: 세 변의 길이가 같은 삼각형

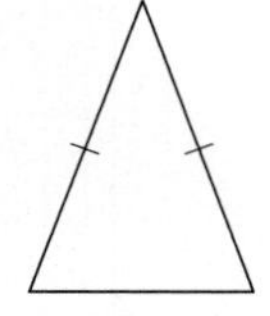

이등변삼각형

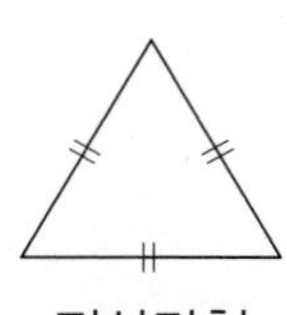

정삼각형

개념 2 이등변삼각형의 성질

- 이등변삼각형의 성질 알아보기

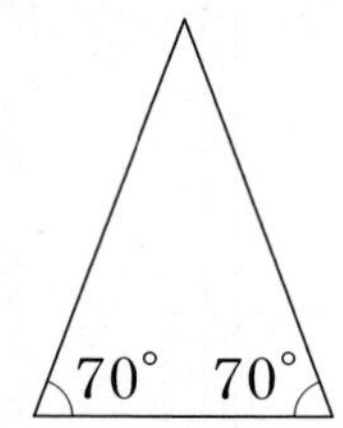

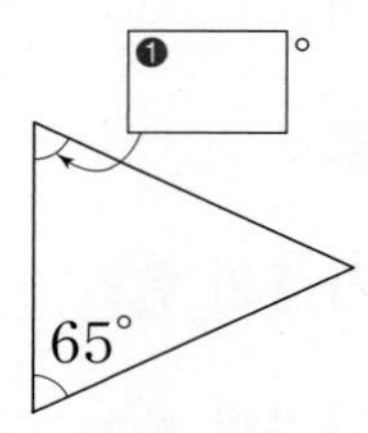

⇨ 이등변삼각형에서 길이가 같은 두 변에 있는 두 각의 크기가 같습니다.

개념 3 정삼각형의 성질

- 정삼각형의 성질 알아보기

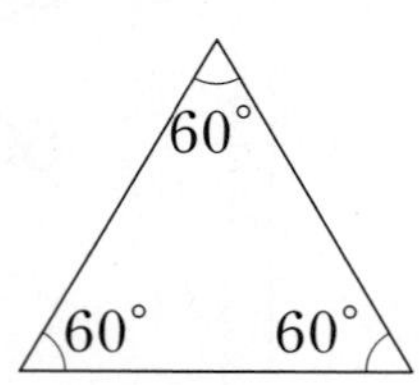

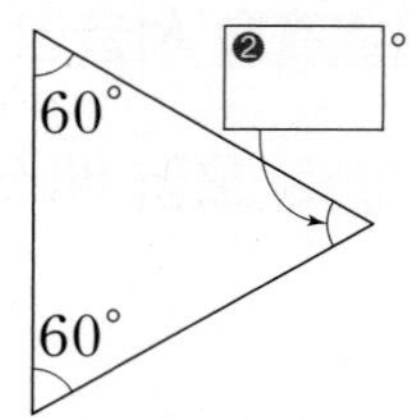

⇨ 정삼각형은 세 각의 크기가 모두 같습니다.
→ 세 각의 크기는 모두 60°입니다.

참고

정삼각형의 세 각의 크기가 모두 같고 삼각형의 세 각의 크기의 합은 180°이기 때문에 한 각의 크기는 $180° \div 3 = 60°$입니다.

개념 4 삼각형 분류하기 (2)

- 삼각형을 각의 크기에 따라 분류하기
  - 예각삼각형: 세 각이 모두 예각인 삼각형
  - 둔각삼각형: 한 각이 둔각인 삼각형

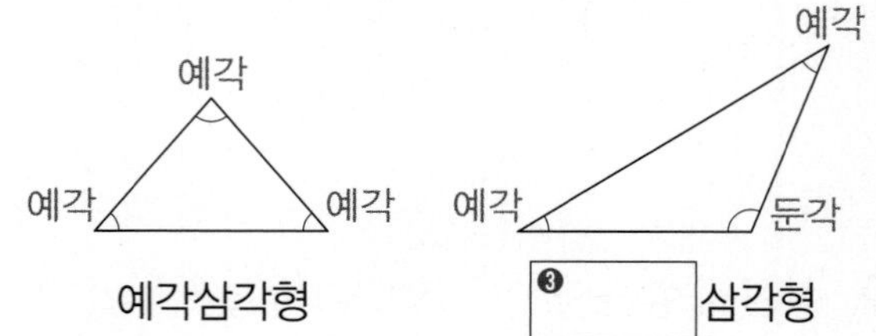

예각삼각형 ❸ □삼각형

참고

- 직각삼각형: 한 각이 직각인 삼각형

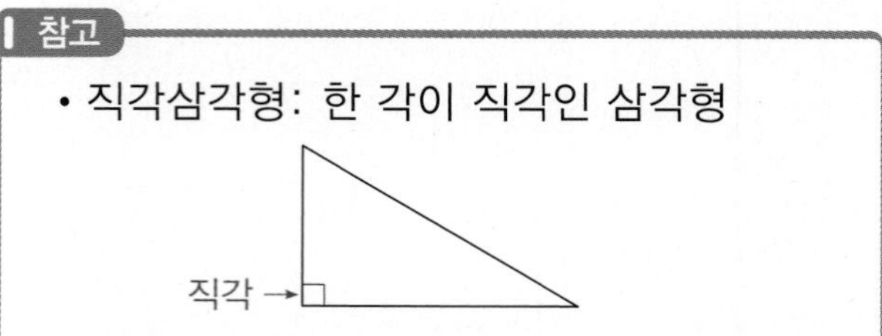

개념 5 삼각형을 두 가지 기준으로 분류하기

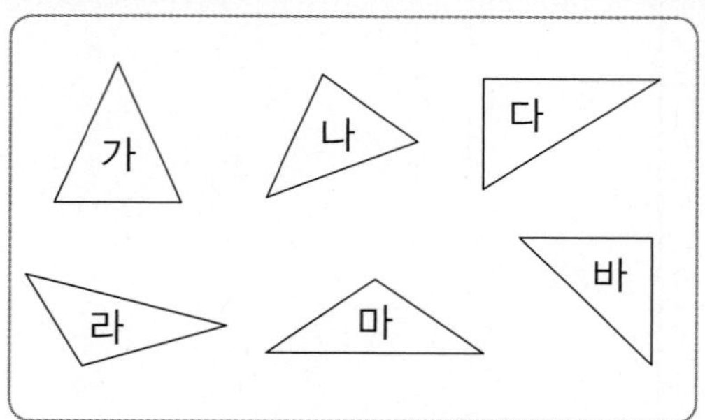

	예각삼각형	직각삼각형	둔각삼각형
이등변삼각형	가	바	❹ □
세 변의 길이가 모두 다른 삼각형	나	❺ □	라

| 정답 | ❶ 65 ❷ 60 ❸ 둔각 ❹ 마 ❺ 다

쪽지시험 1회

삼각형

점수

▶ 삼각형 분류하기 (1) ~ 정삼각형의 성질

스피드 정답표 3쪽, 정답 및 풀이 22쪽

01 이등변삼각형을 찾아 ○표 하세요.

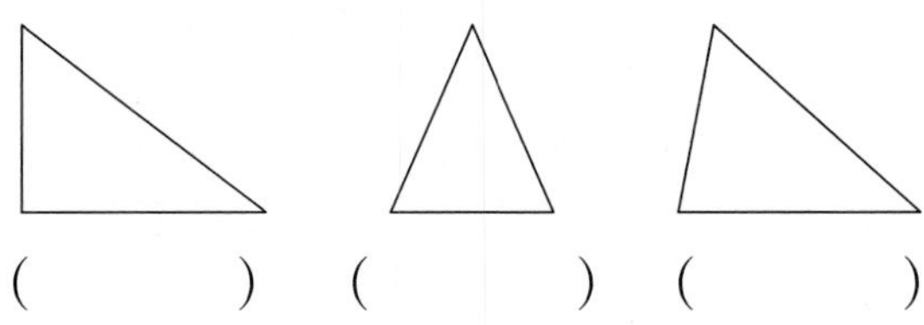

( ) ( ) ( )

02 정삼각형을 찾아 ○표 하세요.

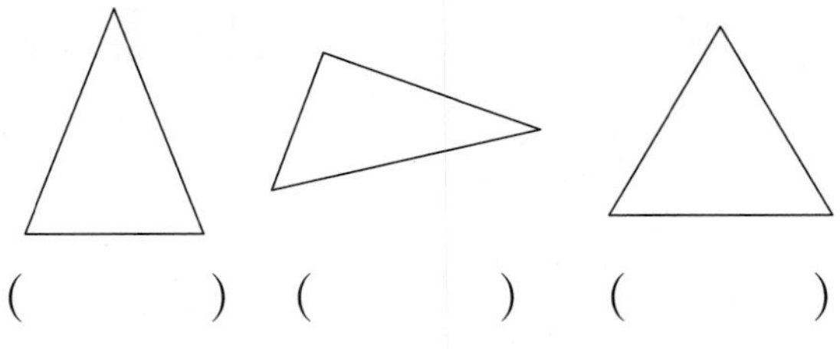

( ) ( ) ( )

[03 ~ 04] □ 안에 알맞은 수를 써넣으세요.

03 정삼각형

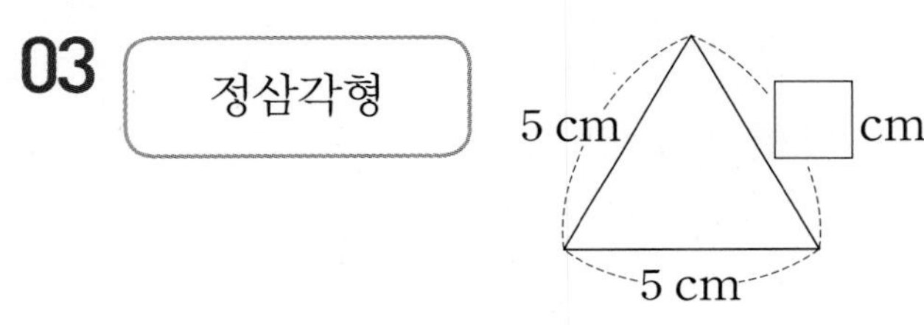

04 이등변삼각형

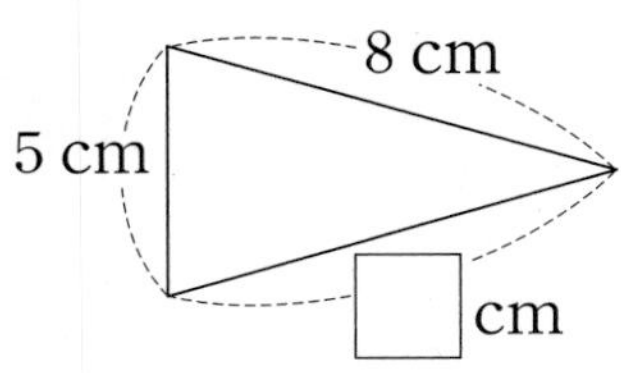

05 이등변삼각형입니다. □ 안에 알맞은 수를 써넣으세요.

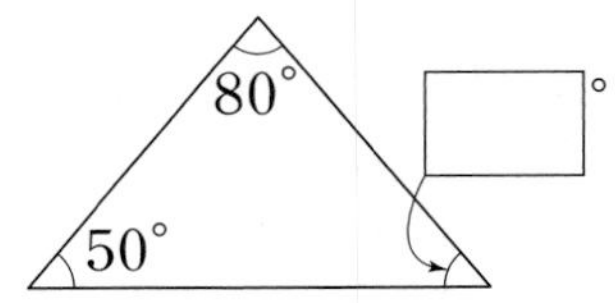

06 정삼각형입니다. □ 안에 알맞은 수를 써넣으세요.

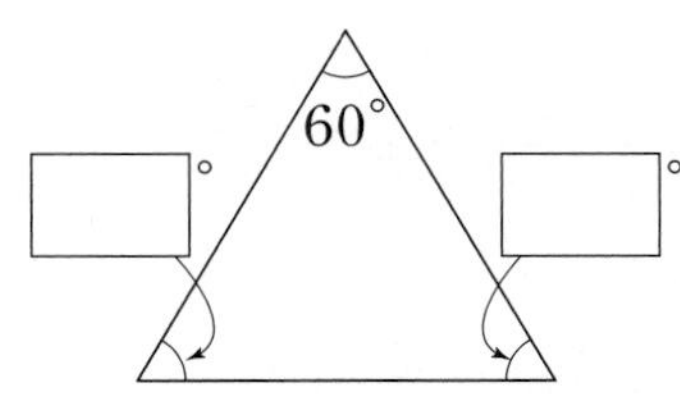

07 주어진 선분을 한 변으로 하는 이등변삼각형을 그려 보세요.

08 이등변삼각형입니다. ㉠이 30°일 때 ㉡의 각도를 구하세요.

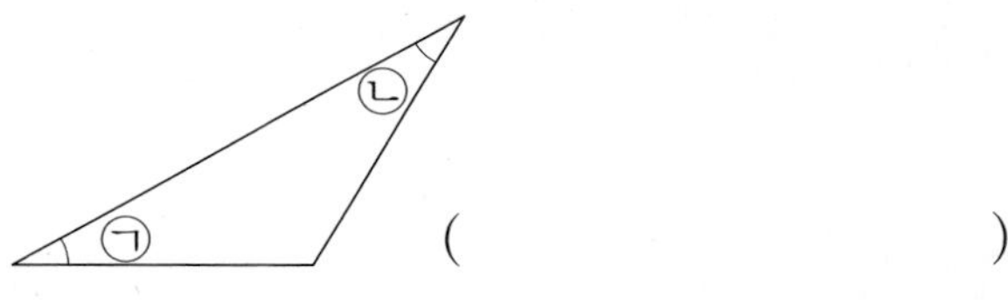

( )

09 정삼각형입니다. ㉠과 ㉡의 각도의 합을 구하세요.

( )

10 이등변삼각형입니다. ㉠의 각도를 구하세요.

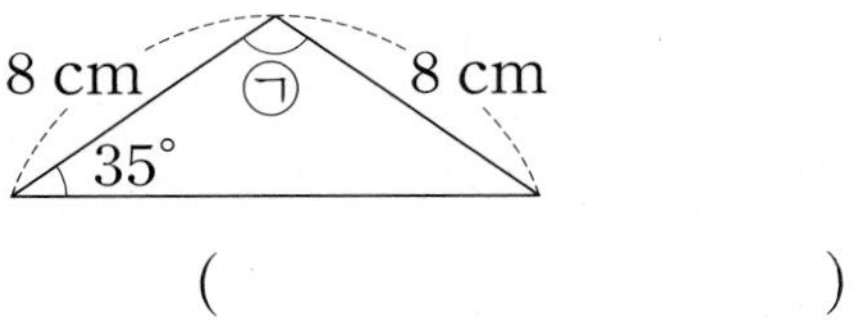

( )

2 삼각형

쪽지시험 2회

삼각형

점수

▶ 삼각형 분류하기 (2)
~ 삼각형을 두 가지 기준으로 분류하기

스피드 정답표 4쪽, 정답 및 풀이 22쪽

01 예각삼각형을 찾아 ○표 하세요.

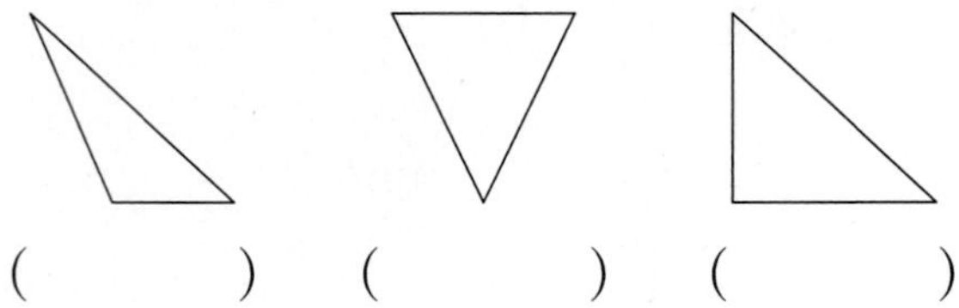

( ) ( ) ( )

02 둔각삼각형을 찾아 ○표 하세요.

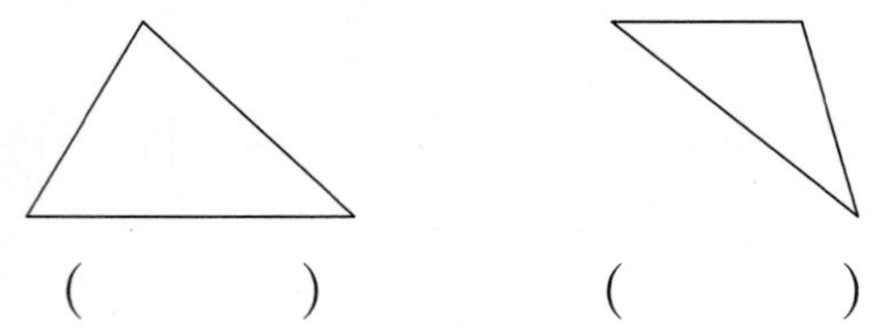

( ) ( )

[03 ~ 04] 삼각형을 보고 물음에 답하세요.

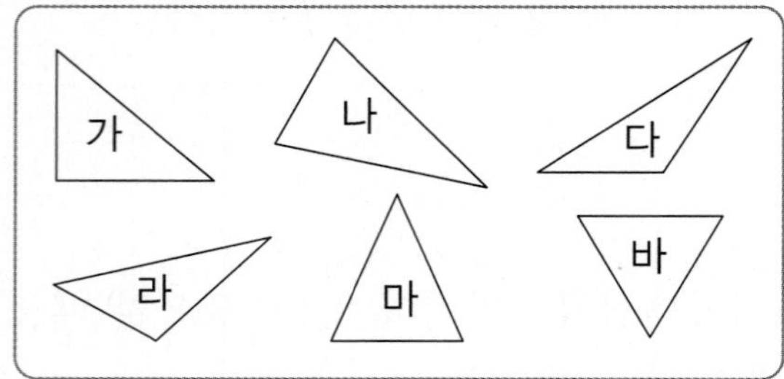

03 예각삼각형을 모두 찾아 기호를 쓰세요.

( )

04 둔각삼각형을 모두 찾아 기호를 쓰세요.

( )

[05 ~ 06] □ 안에 알맞은 삼각형의 이름을 써넣으세요.

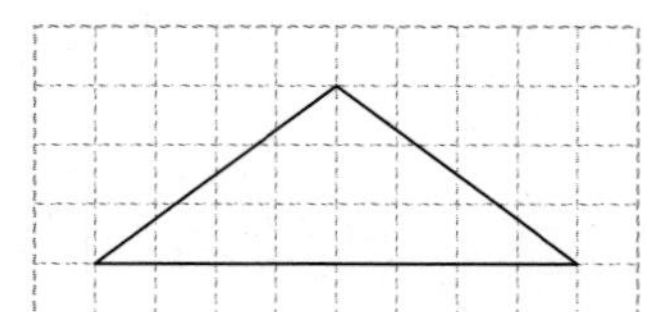

05 두 변의 길이가 같으므로 □ 입니다.

06 한 각이 둔각이므로 □ 입니다.

[07 ~ 08] 삼각형을 보고 물음에 답하세요.

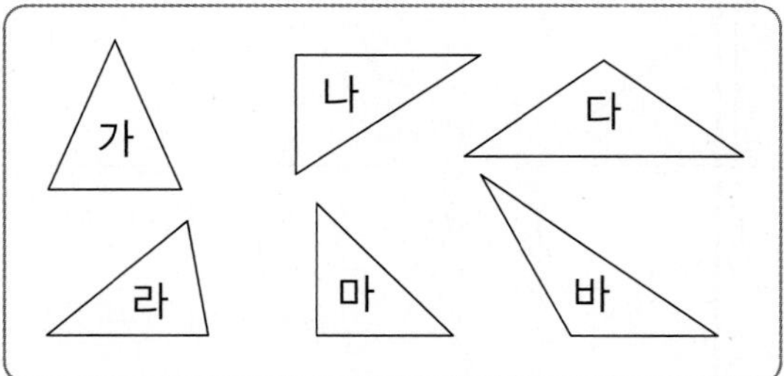

07 각의 크기에 따라 삼각형을 분류해 보세요.

예각삼각형	직각삼각형	둔각삼각형

08 변의 길이와 각의 크기에 따라 삼각형을 분류해 보세요.

	예각 삼각형	직각 삼각형	둔각 삼각형
이등변삼각형			
세 변의 길이가 모두 다른 삼각형			

09 삼각형의 세 각의 크기를 나타낸 것입니다. 예각삼각형에 ○표 하세요.

$45°$ $30°$ $105°$	$60°$ $50°$ $70°$
( )	( )

10 직사각형 모양의 종이를 점선을 따라 모두 잘랐습니다. 둔각삼각형을 모두 찾아 기호를 쓰세요.

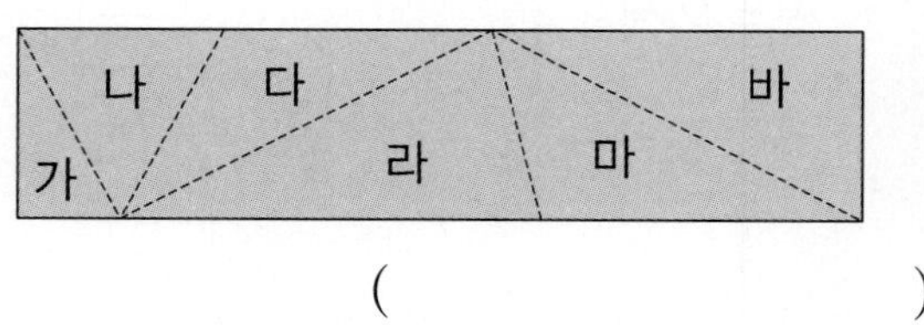

( )

난이도 A B C

단원평가 1회

삼각형

점수

스피드 정답표 4쪽, 정답 및 풀이 22쪽

01 이등변삼각형을 찾아 ○표 하세요.

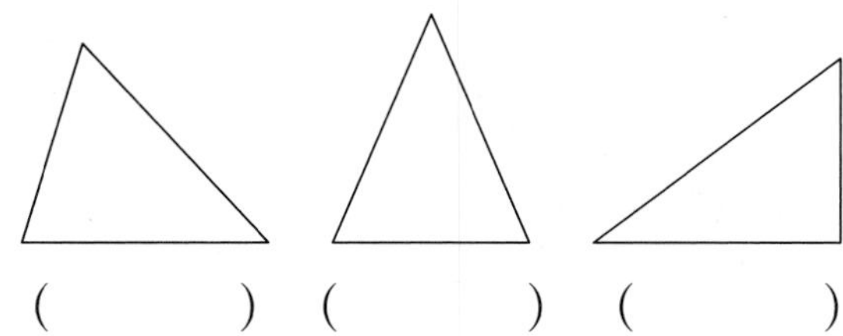

( ) ( ) ( )

02 둔각삼각형을 찾아 기호를 쓰세요.

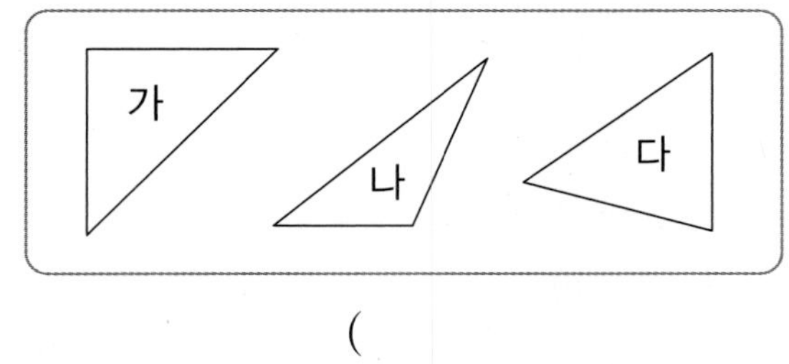

( )

03 삼각형을 보고 알맞은 말에 ○표 하세요.

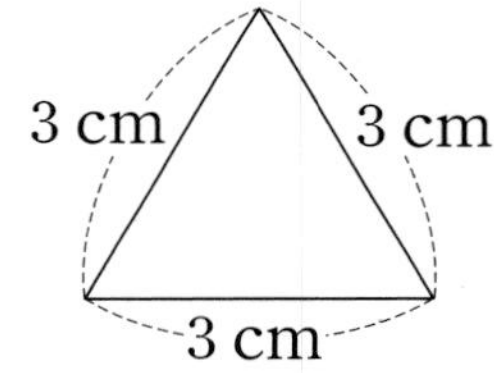

위와 같이 (두 , 세) 변의 길이가 같은 삼각형을 (직각삼각형 , 정삼각형)이라고 합니다.

04 이등변삼각형입니다. □ 안에 알맞은 수를 써넣으세요.

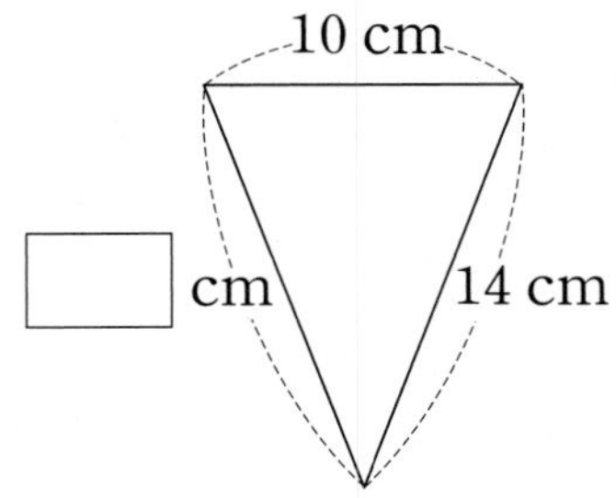

05 정삼각형입니다. □ 안에 알맞은 수를 써넣으세요.

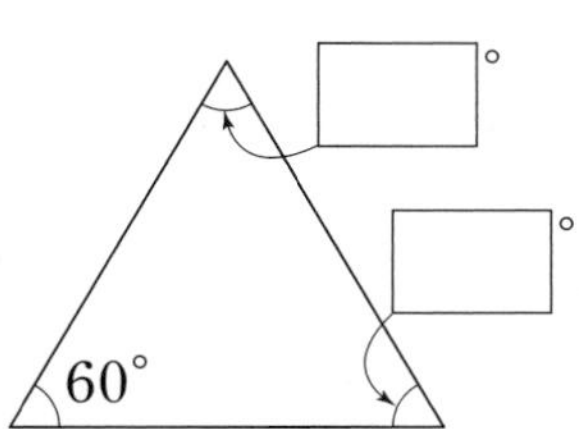

[06 ~ 07] 삼각형을 보고 물음에 답하세요.

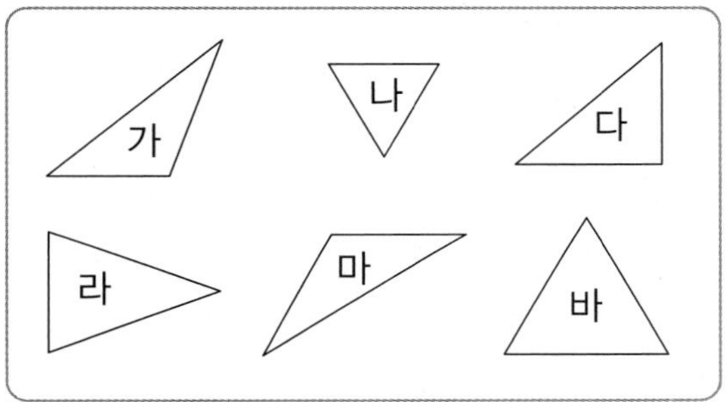

06 정삼각형을 모두 찾아 기호를 쓰세요.

( )

07 예각삼각형을 모두 찾아 기호를 쓰세요.

( )

08 이등변삼각형입니다. ㉠의 각도를 구하세요.

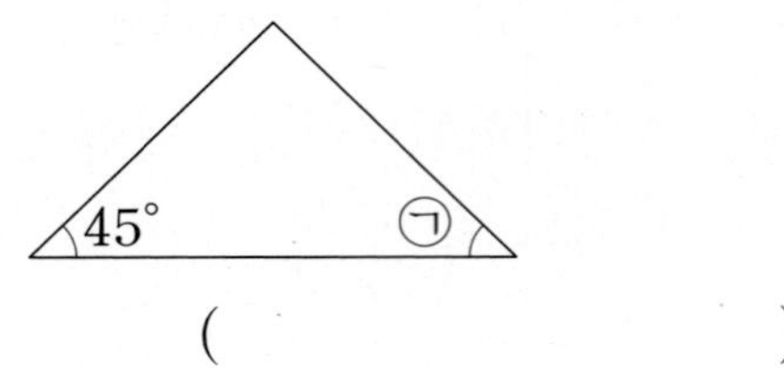

(　　　　　　　　　　)

09 정삼각형의 세 변의 길이의 합은 몇 cm일까요?

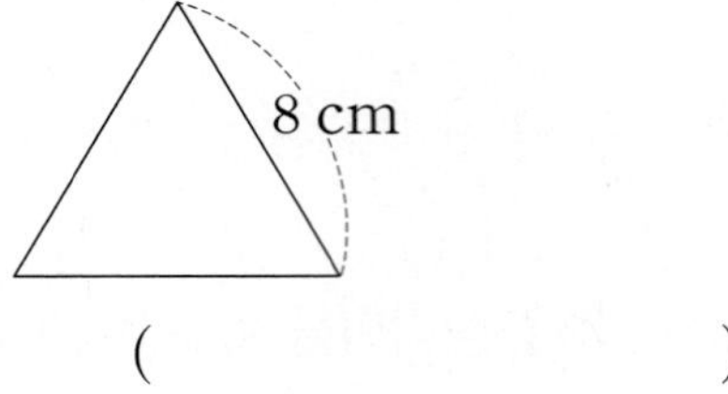

(　　　　　　　　　　)

10 □ 안에 알맞은 수를 써넣으세요.

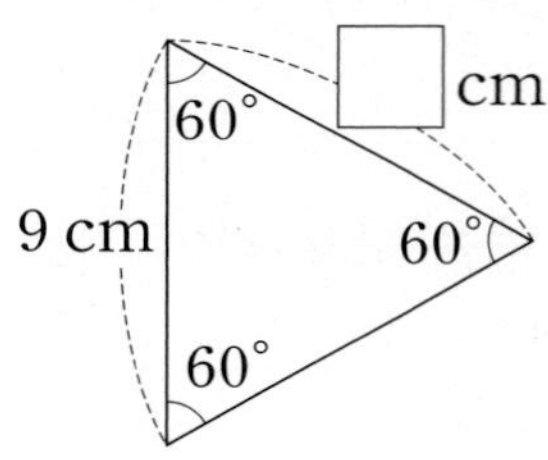

11 삼각형의 세 각의 크기를 나타낸 것입니다. 둔각삼각형을 찾아 기호를 쓰세요.

㉠ 40°, 80°, 60°
㉡ 100°, 20°, 60°

(　　　　　　　　　　)

12 삼각형에 대해 바르게 설명한 것에 ○표, 틀리게 설명한 것에 ×표 하세요.

- 둔각삼각형은 두 각이 둔각입니다. ………………………………(　　　)
- 이등변삼각형은 두 각의 크기가 같습니다. ………………………………(　　　)

13 이등변삼각형입니다. □ 안에 알맞은 수를 써넣으세요.

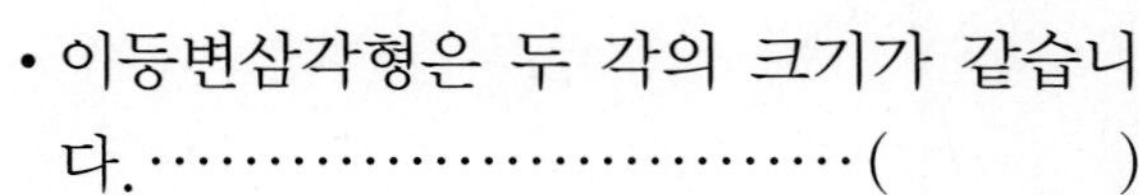

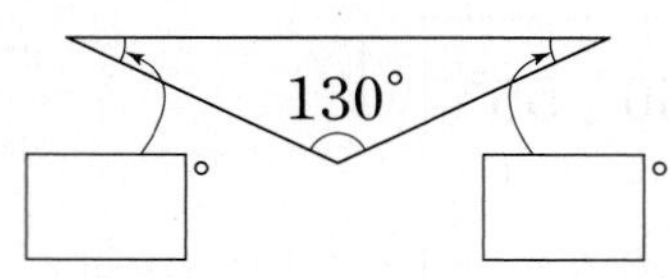

14 ㉠과 ㉡에 알맞은 수를 각각 구하세요.

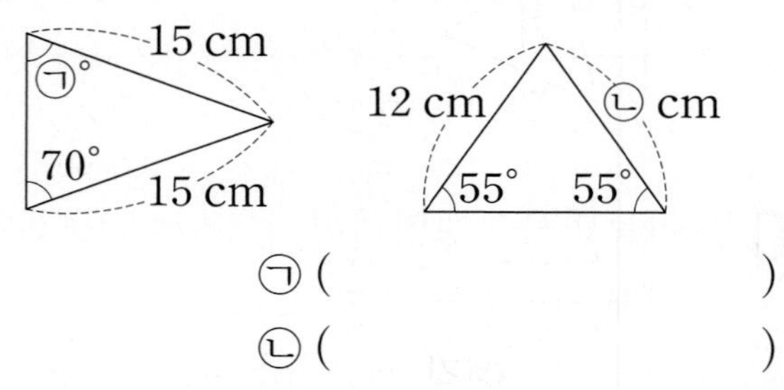

㉠ (　　　　　　　　　　)

㉡ (　　　　　　　　　　)

15 다음 삼각형의 세 변의 길이의 합은 몇 cm 일까요?

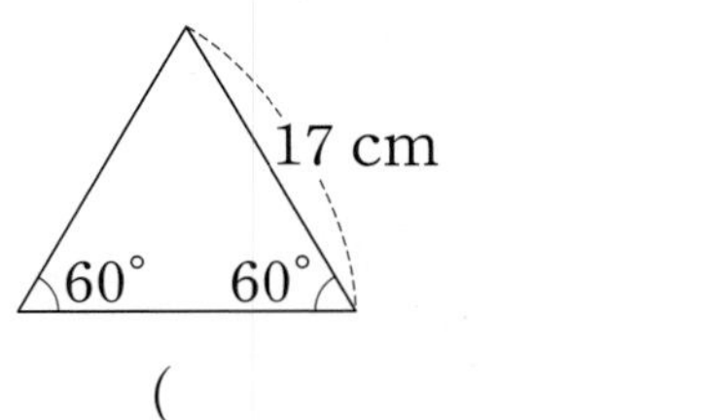

(   )

16 주어진 삼각형의 두 각의 크기를 이용하여 알맞게 선으로 이으세요.

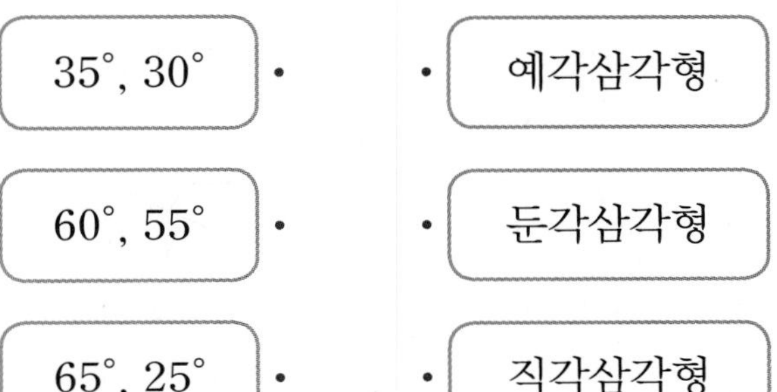

17 삼각형을 분류하여 기호를 쓰세요.

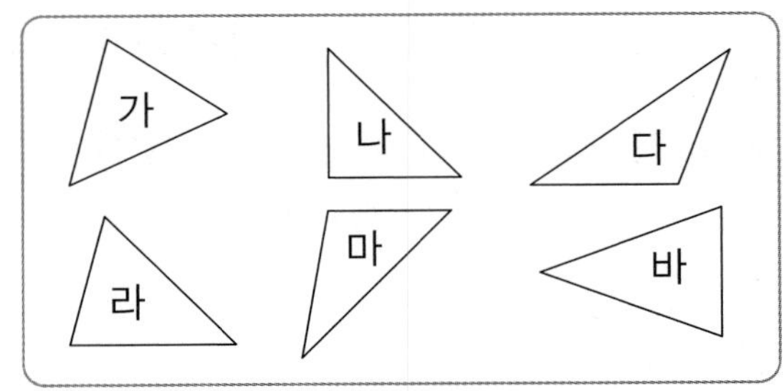

	예각삼각형	직각삼각형	둔각삼각형
이등변 삼각형			

18 대화를 읽고 □ 안에 알맞은 말을 써넣으세요.

> 영규: 내가 가지고 있는 막대는 6 cm야.
> 서진: 난 8 cm 길이의 막대를 가지고 있어.
> 민석: 난 영규와 똑같은 길이의 막대를 가지고 있어.
> 영규: 우리가 가진 막대로 만들 수 있는 삼각형은 □이야.

19 삼각형의 이름이 될 수 있는 것을 모두 찾아 ○표 하세요.

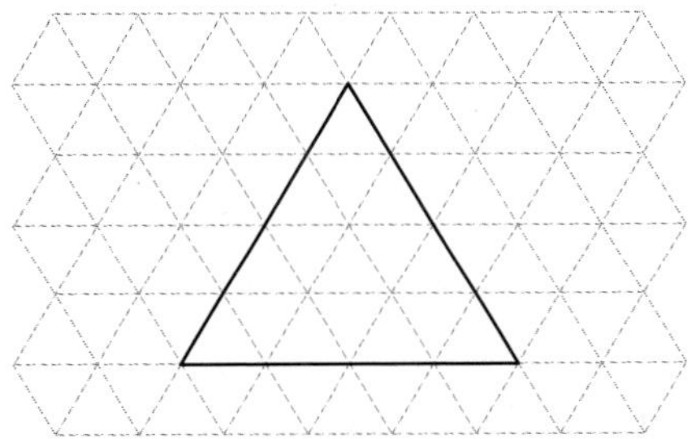

이등변삼각형　　정삼각형
예각삼각형　둔각삼각형　직각삼각형

20 크기가 같은 정삼각형 6개를 겹치는 부분이 없이 이어 붙여서 만든 도형입니다. 굵은 선의 길이는 몇 cm일까요?

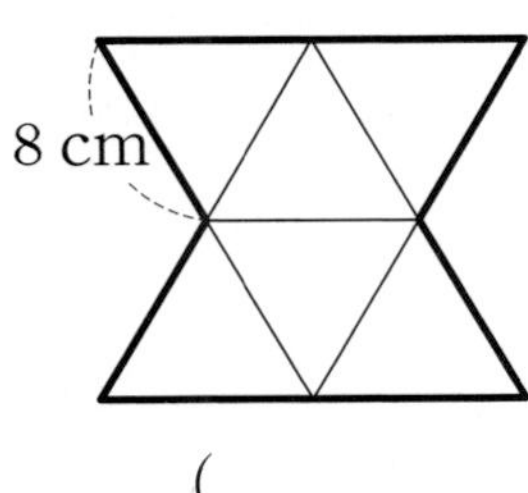

(   )

난이도 A B C

단원평가 2회

삼각형

점수

스피드 정답표 4쪽, 정답 및 풀이 23쪽

[01~02] 삼각형을 보고 알맞은 말에 ○표 하고, □ 안에 알맞은 말을 써넣으세요.

01 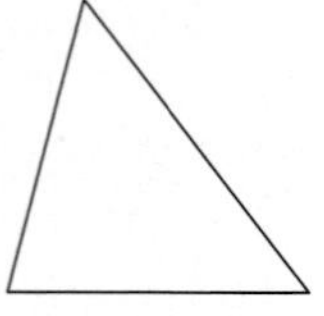

(한 , 두 , 세) 각이 모두 □인 삼각형을 예각 삼각형이라고 합니다.

02 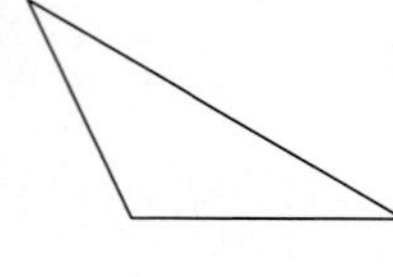

(한 , 두 , 세) 각이 □인 삼각형을 둔각삼각형이라고 합니다.

03 정삼각형을 모두 찾아 기호를 쓰세요.

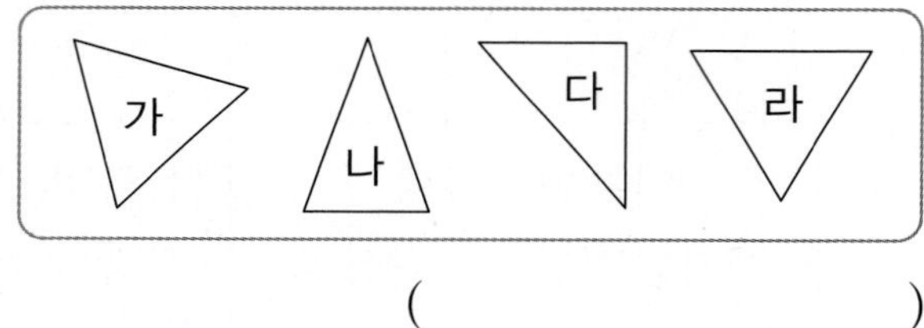

(　　　　　　　　)

04 이등변삼각형입니다. ㉠과 길이가 같은 변을 찾아 ○표 하세요.

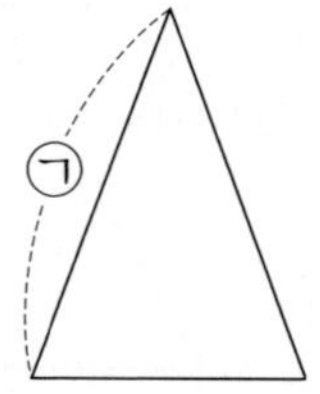

[05~06] □ 안에 알맞은 수를 써넣으세요.

05 이등변삼각형

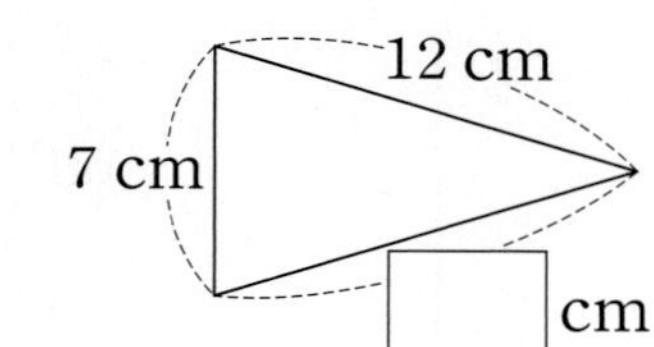

06 정삼각형

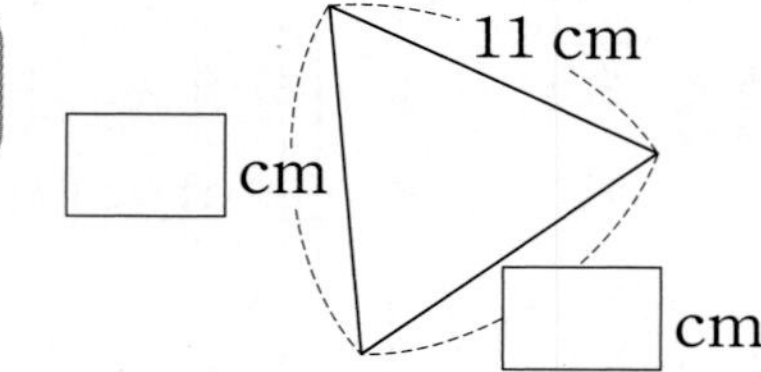

[07~08] 삼각형을 보고 물음에 답하세요.

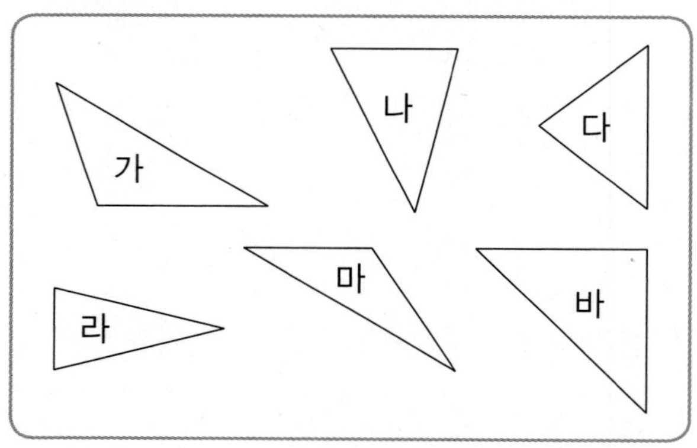

07 둔각삼각형을 모두 찾아 기호를 쓰세요.

(　　　　　　　　)

08 예각삼각형 중에서 이등변삼각형을 모두 찾아 기호를 쓰세요.

(　　　　　　　　)

09 □ 안에 알맞은 수를 써넣으세요.

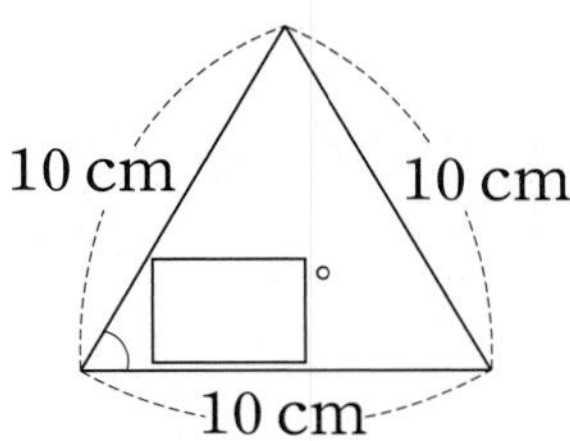

10 다음 이등변삼각형에서 ㉠의 길이와 ㉡의 각도를 각각 바르게 구한 것은 어느 것일까요? ································ (　　　)

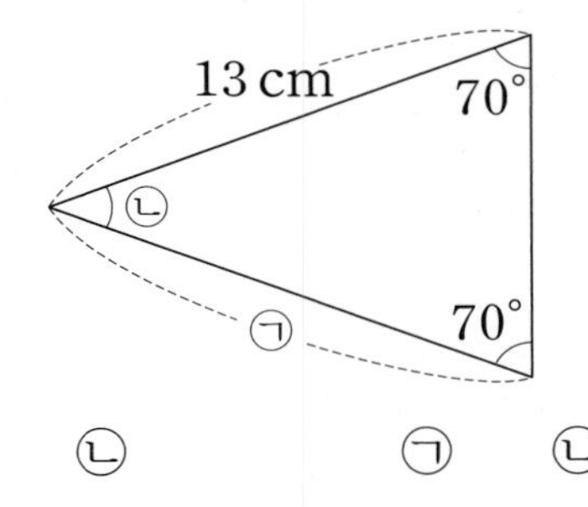

㉠ ㉡

① 13 cm, 70°
② 16 cm, 70°
③ 13 cm, 40°
④ 16 cm, 40°
⑤ 13 cm, 50°

11 정삼각형에 대한 설명으로 잘못된 것을 찾아 ×표 하세요.

세 각의 크기가 같습니다. (　　　)

한 각이 직각입니다. (　　　)

세 변의 길이가 같습니다. (　　　)

12 삼각형의 세 각의 크기를 나타낸 것입니다. 둔각삼각형을 찾아 기호를 쓰세요.

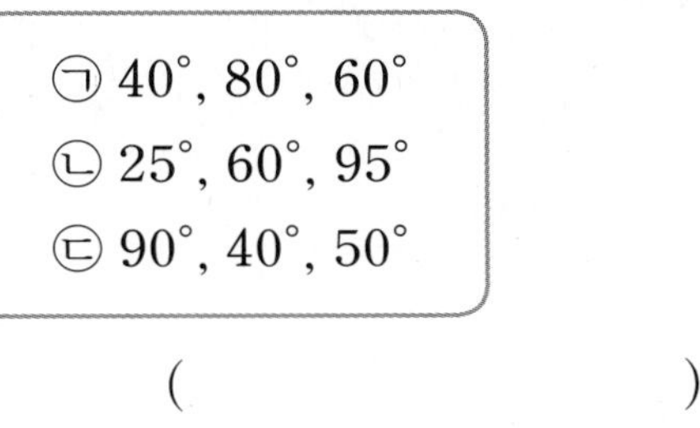

㉠ 40°, 80°, 60°
㉡ 25°, 60°, 95°
㉢ 90°, 40°, 50°

(　　　　　　　　)

13 주어진 변을 한 변으로 하는 정삼각형을 그려 보세요.

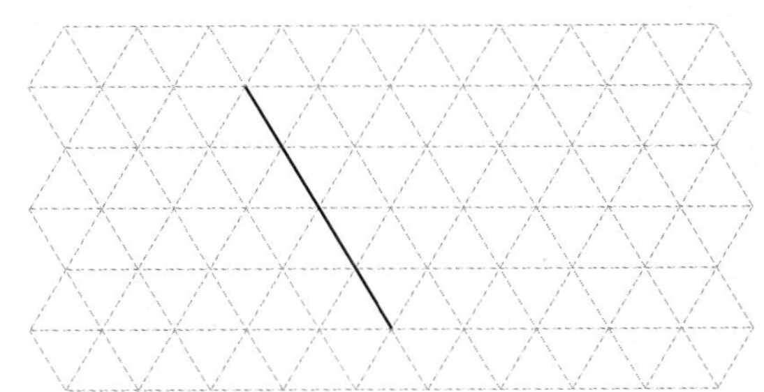

14 알맞은 것끼리 선으로 이으세요.

이등변삼각형 · 정삼각형

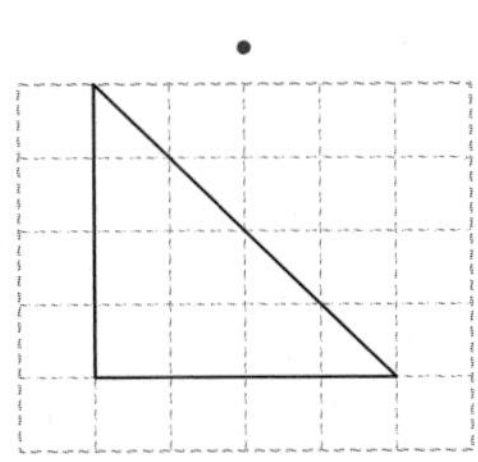

예각삼각형 · 둔각삼각형 · 직각삼각형

2 삼각형

단원평가 2회

[15 ~ 16] □ 안에 알맞은 수를 써넣으세요.

15

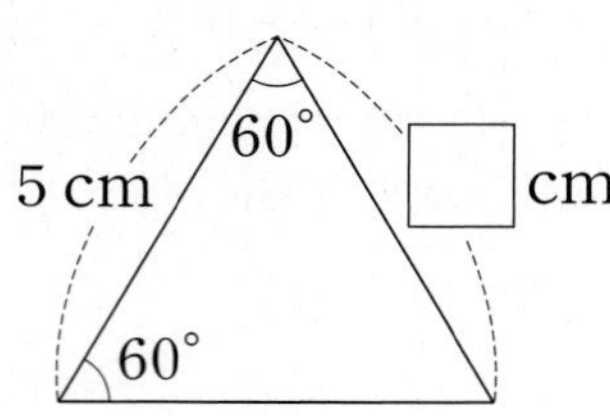

16

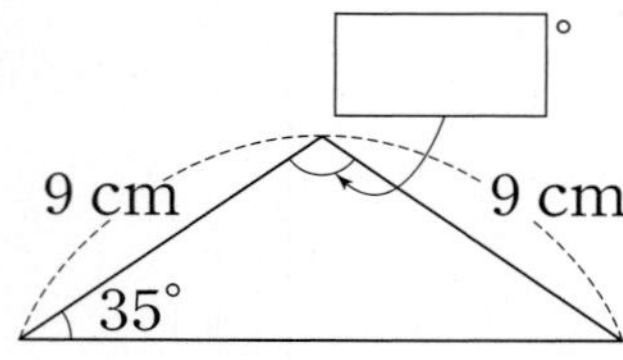

17 삼각형의 세 각 중에서 두 각의 크기를 나타낸 것입니다. 예각삼각형, 둔각삼각형, 직각삼각형 중 삼각형의 이름이 될 수 있는 것을 쓰세요.

40°　　55°

(　　　　　　　　)

18 삼각형을 분류하여 기호를 쓰세요.

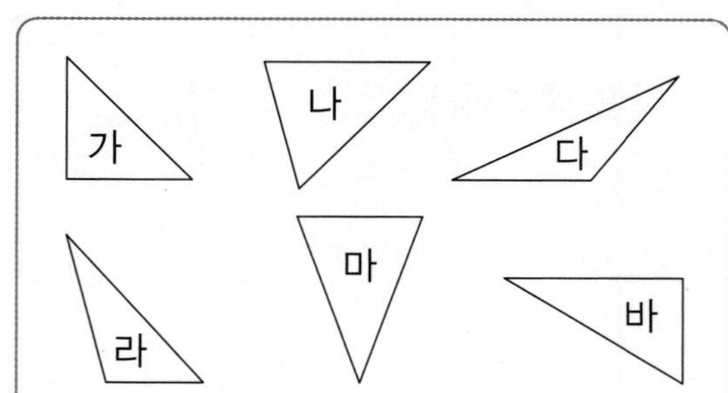

	예각 삼각형	직각 삼각형	둔각 삼각형
이등변삼각형			
세 변의 길이가 모두 다른 삼각형			

19 길이가 48 cm인 철사를 모두 사용하여 가장 큰 정삼각형을 만들려고 합니다. 한 변을 몇 cm로 만들어야 할까요?

(　　　　　　　　)

20 삼각형 ㄱㄴㄷ은 이등변삼각형입니다. 각 ㄱㄷㄴ의 크기를 구하세요.

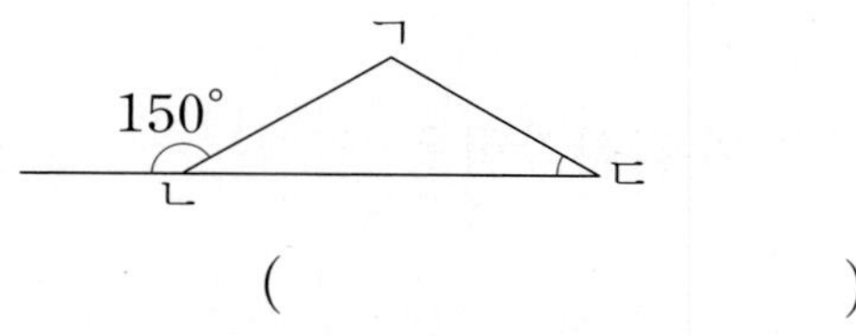

(　　　　　　　　)

난이도 A B C

단원평가 3회

삼각형

점수

스피드 정답표 4쪽, 정답 및 풀이 23쪽

01 다음 중 이등변삼각형은 어느 것일까요? ·································· (　　　)

① 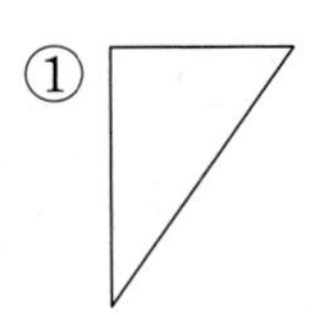
② 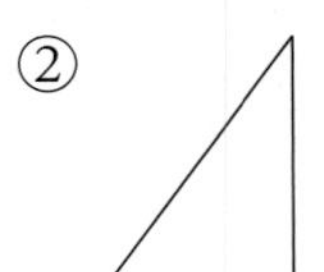
③ 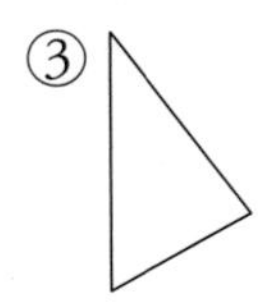
④ 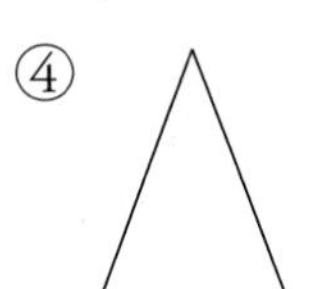
⑤ 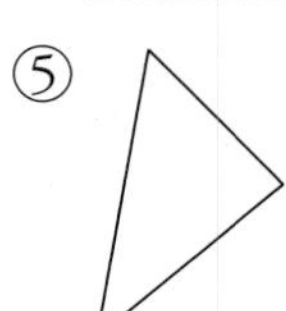

[02~03] 삼각형을 보고 물음에 답하세요.

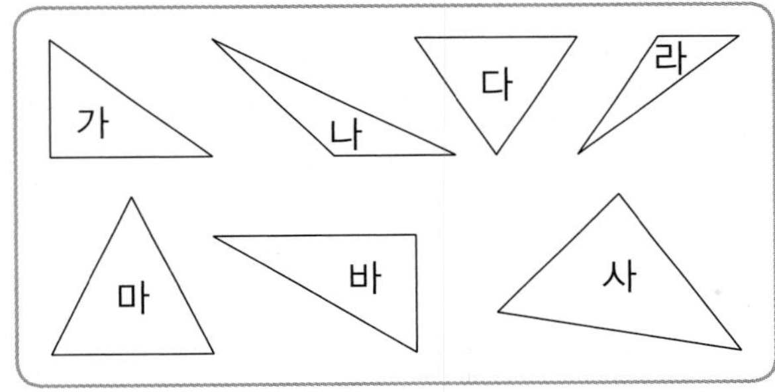

02 예각삼각형을 모두 찾아 기호를 쓰세요.

(　　　　　　　　　　)

03 둔각삼각형을 모두 찾아 기호를 쓰세요.

(　　　　　　　　　　)

04 정삼각형입니다. □ 안에 알맞은 수를 써넣으세요.

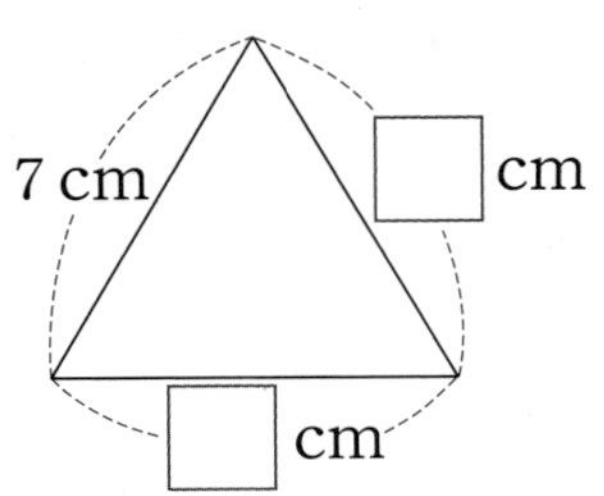

05 이등변삼각형입니다. □ 안에 알맞은 수를 써넣으세요.

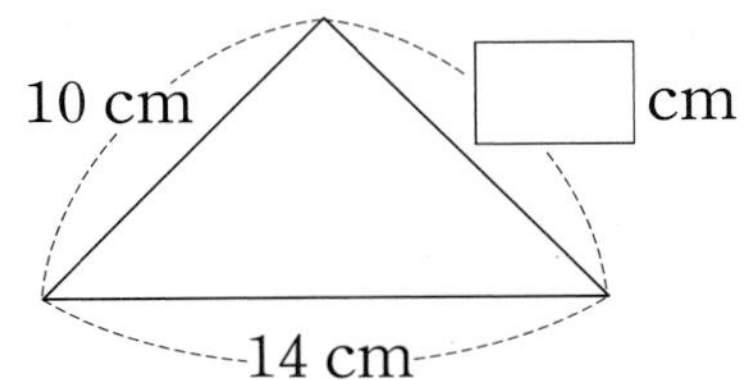

[06~07] □ 안에 알맞은 수를 써넣으세요.

06 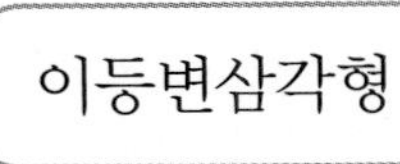

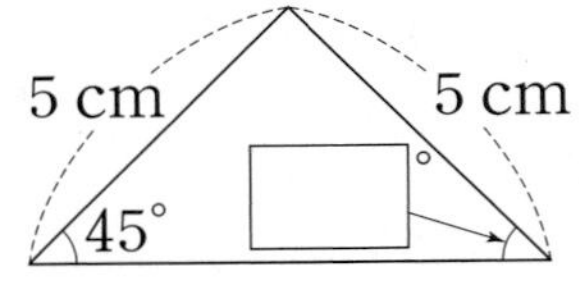

07 정삼각형

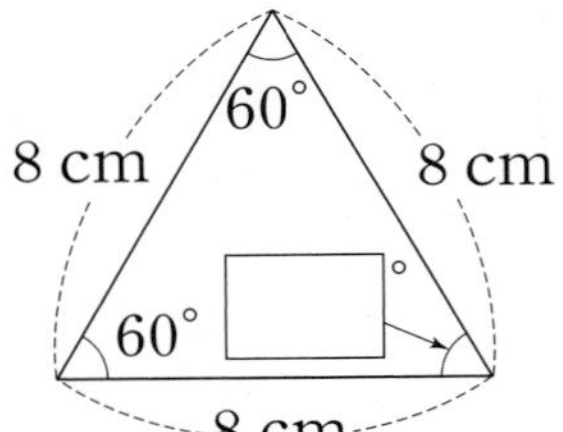

08 철사를 구부려서 겹치는 부분이 없이 다음과 같은 정삼각형을 만들려고 합니다. 필요한 철사의 길이는 몇 cm일까요?

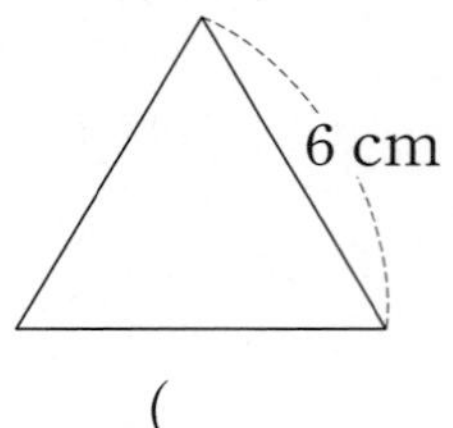

(　　　　　　　　)

09 이등변삼각형에 대해 바르게 설명한 것에 ○표, 틀리게 설명한 것에 ×표 하세요.

- 두 각의 크기가 같습니다. ⋯⋯ (　　　)
- 세 각의 크기의 합은 360°입니다. ⋯⋯ (　　　)

10 어떤 삼각형의 세 변의 길이를 나타낸 것입니다. 이 삼각형의 이름에 ○표 하세요.

5 cm,　9 cm,　9 cm

(이등변삼각형 , 정삼각형)

11 삼각형의 세 각의 크기를 나타낸 것입니다. 정삼각형은 어느 것일까요? ⋯⋯ (　　　)

① 45°, 90°, 45°　② 40°, 30°, 110°
③ 35°, 25°, 120°　④ 60°, 60°, 60°
⑤ 30°, 60°, 90°

12 직사각형 모양의 종이를 점선을 따라 모두 잘랐습니다. 예각삼각형은 모두 몇 개일까요?

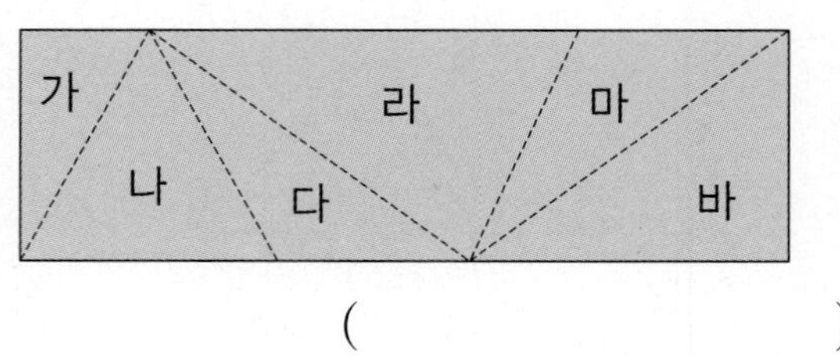

(　　　　　　　　)

13 다음 삼각형의 이름이 될 수 있는 것을 모두 찾아 기호를 쓰세요.

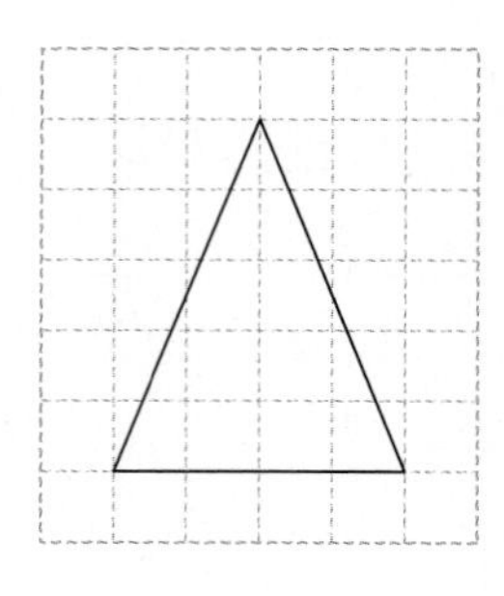

㉠ 이등변삼각형
㉡ 정삼각형
㉢ 예각삼각형
㉣ 둔각삼각형
㉤ 직각삼각형

(　　　　　　　　)

14 선분 ㄱㄴ을 이용하여 보기와 같은 이등변삼각형을 그려 보세요.

보기

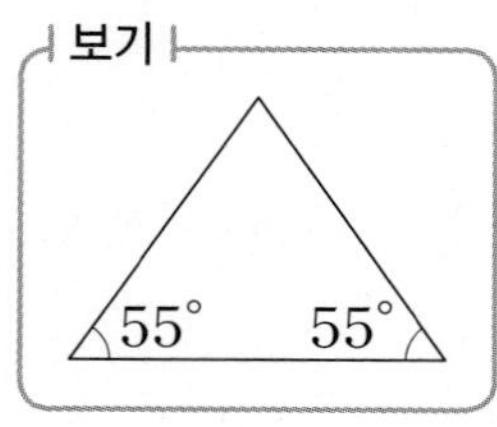

ㄱ ―――――― ㄴ

15 □ 안에 알맞은 삼각형의 이름을 써넣으세요.

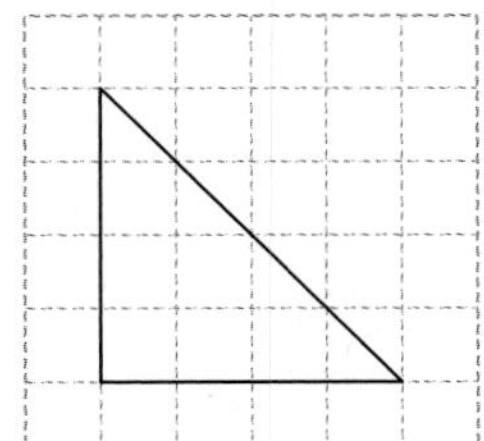

• 두 변의 길이가 같으므로 □ 입니다.

• 한 각이 직각이므로 □ 입니다.

16 삼각형의 세 각 중에서 두 각의 크기를 나타낸 것입니다. 둔각삼각형을 찾아 기호를 쓰세요.

㉠ 70°, 20°	㉡ 35°, 60°
㉢ 45°, 70°	㉣ 45°, 15°

( )

서술형

17 다음 삼각형의 세 변의 길이의 합은 27 cm입니다. □ 안에 알맞은 수는 얼마인지 풀이 과정을 쓰고 답을 구하세요.

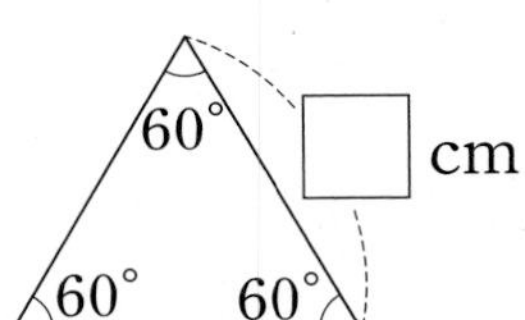

풀이

답

18 다음과 같이 길이가 같은 빨대 3개를 변으로 하여 만들 수 있는 삼각형의 이름을 쓰세요.

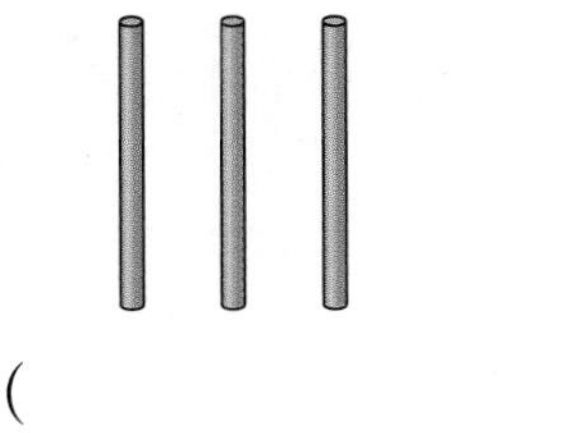

( )

19 이등변삼각형의 세 변의 길이의 합이 35 cm일 때 ㉠은 몇 cm일까요?

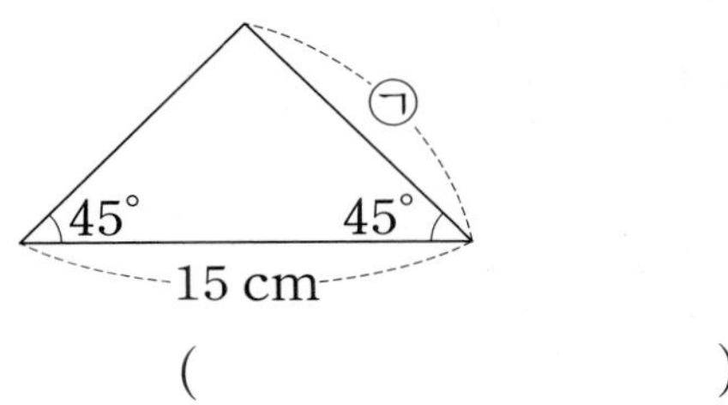

( )

20 ㉠의 각도를 구하세요.

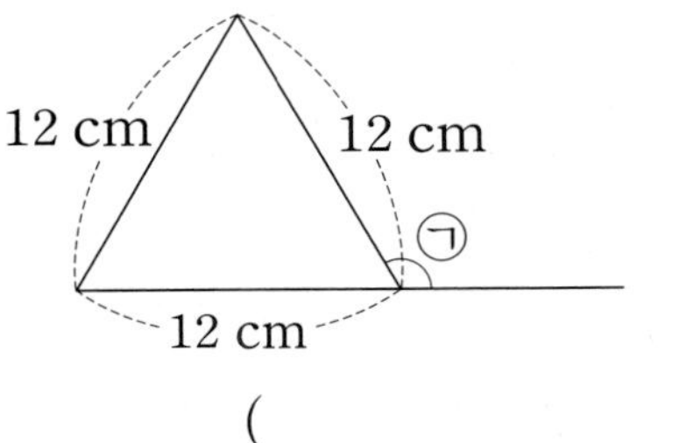

( )

2 삼각형

난이도 A B C

단원평가 4회

삼각형

점수

스피드 정답표 4쪽, 정답 및 풀이 24쪽

01 정삼각형을 찾아 ○표 하세요.

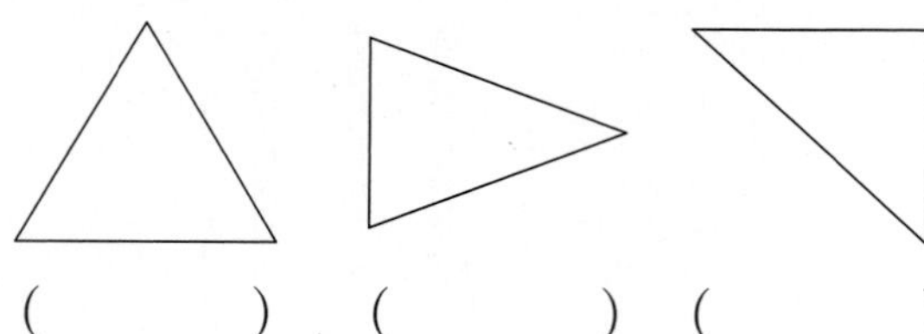

( ) ( ) ( )

02 다음 중 예각삼각형은 어느 것일까요? ············ ( )

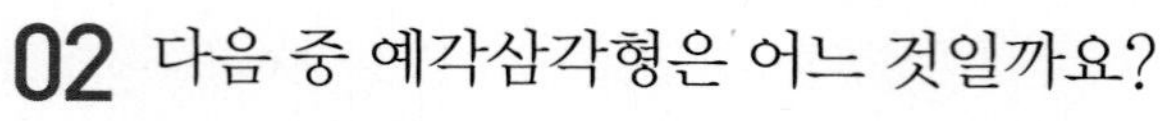

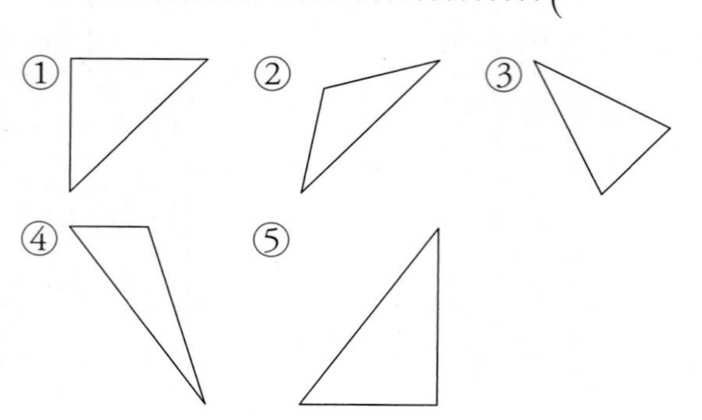

03 삼각형을 보고 □ 안에 알맞은 기호를 써넣으세요.

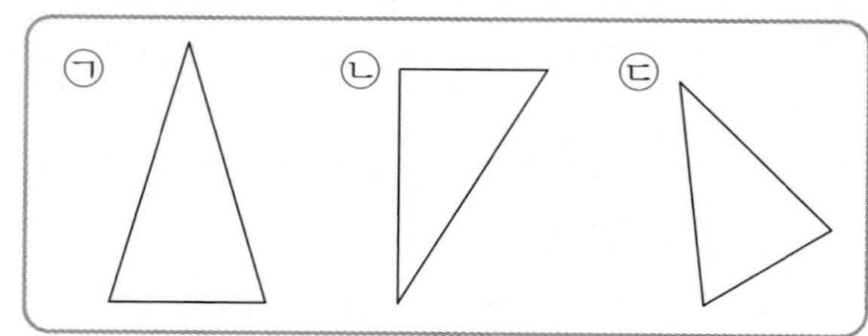

□과 같이 두 변의 길이가 같은 삼각형을 이등변삼각형이라고 합니다.

[04~05] □ 안에 알맞은 수를 써넣으세요.

04 이등변삼각형

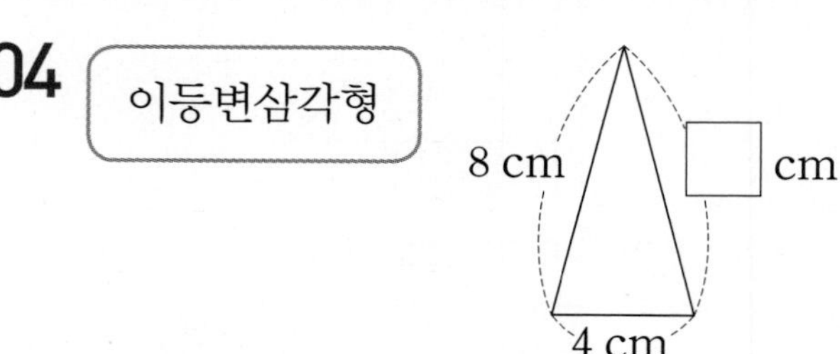

05 정삼각형

cm

15 cm

cm

06 이등변삼각형입니다. □ 안에 알맞은 수를 써넣으세요.

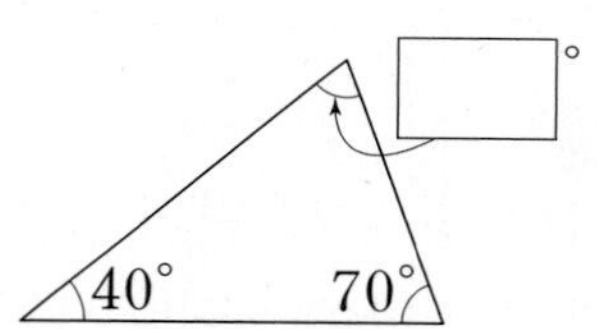

07 정삼각형입니다. ㉠과 ㉡의 각도를 각각 구하세요.

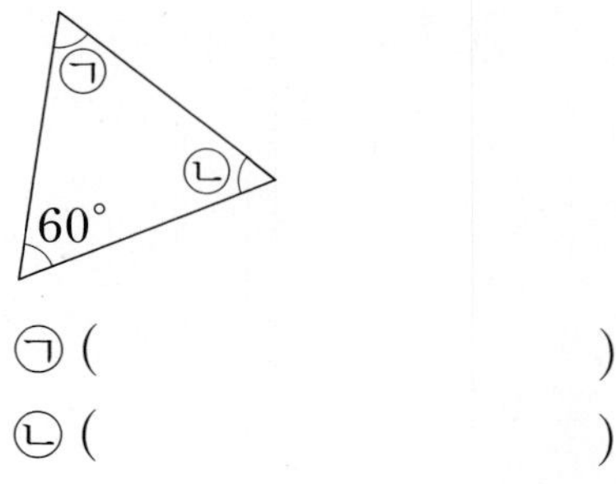

㉠ ( )

㉡ ( )

08 이등변삼각형의 세 변의 길이의 합은 몇 cm일까요?

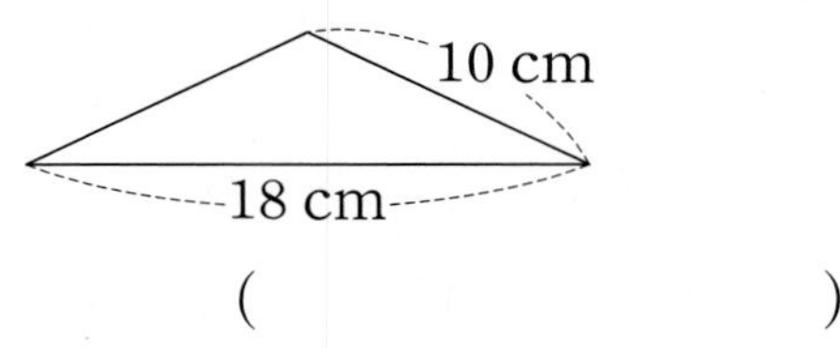

( )

09 주어진 선분을 한 변으로 하여 둔각삼각형을 그리려고 합니다. 어느 점과 선분을 이어 삼각형을 그려야 할까요?

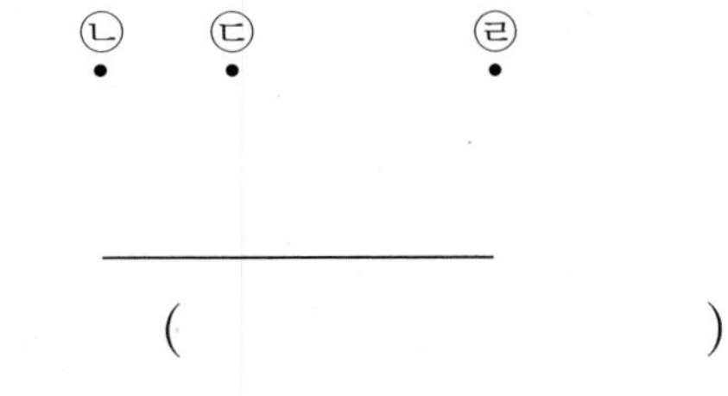

( )

10 이등변삼각형입니다. □ 안에 알맞은 수를 써넣으세요.

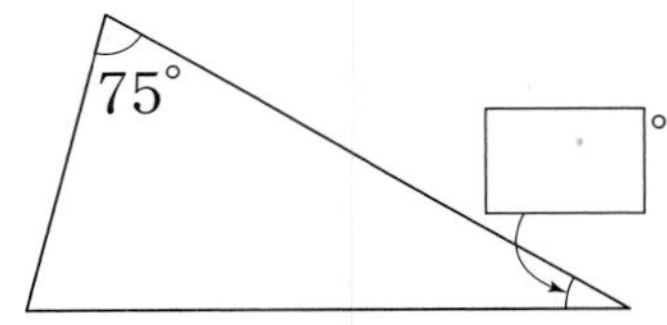

11 모눈종이에 예각삼각형을 그려 보세요.

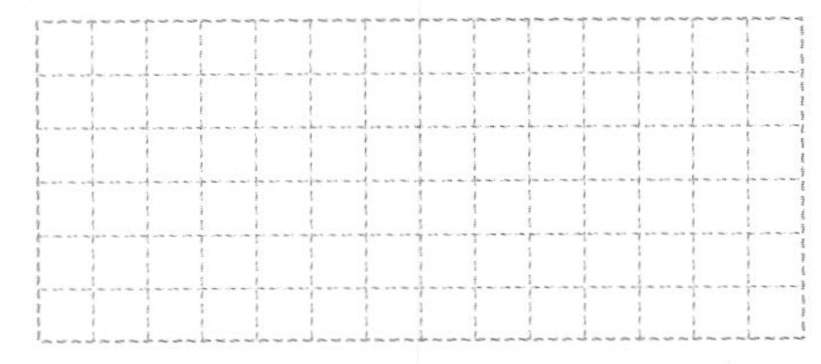

12 다음 삼각형의 이름이 될 수 있는 것을 모두 고르세요. ··················· ( )

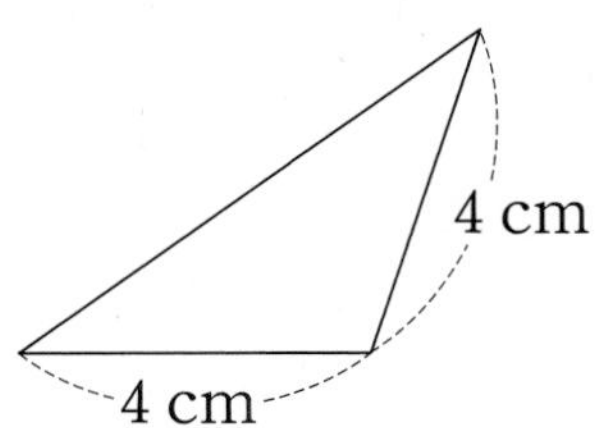

① 정삼각형 ② 이등변삼각형
③ 예각삼각형 ④ 직각삼각형
⑤ 둔각삼각형

13 지영이가 그린 삼각형을 보고 호준이가 뭐라고 말했는지 □ 안에 알맞은 말을 구하세요.

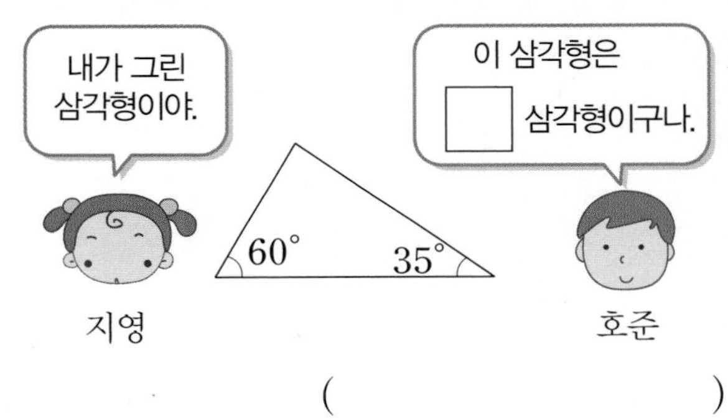

( )

14 정삼각형에 대한 설명으로 틀린 것은 어느 것일까요? ························ ( )

① 세 변의 길이가 모두 같습니다.
② 세 각의 크기가 모두 같습니다.
③ 세 각의 크기의 합은 180°입니다.
④ 이등변삼각형이라고 할 수 없습니다.
⑤ 예각삼각형이라고 할 수 있습니다.

15 삼각형의 세 각 중에서 두 각의 크기를 나타낸 것입니다. 이등변삼각형을 찾아 기호를 쓰세요.

㉠ 40°, 100°　　㉡ 60°, 55°

(　　　　　　　　)

16 해주는 길이가 45 cm인 철사를 사용하여 겹치는 부분이 없이 한 변이 13 cm인 정삼각형 1개를 만들었습니다. 해주가 사용하고 남은 철사의 길이는 몇 cm일까요?

(　　　　　　　　)

서술형

17 다음 도형이 이등변삼각형이 아닌 이유를 쓰세요.

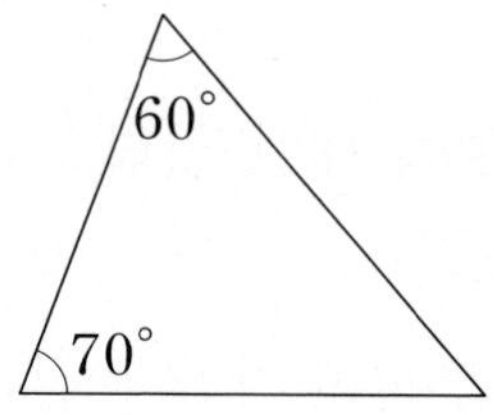

이유

18 이등변삼각형 ㄱㄴㄷ의 세 변의 길이의 합은 24 cm입니다. 변 ㄴㄷ의 길이는 몇 cm일까요?

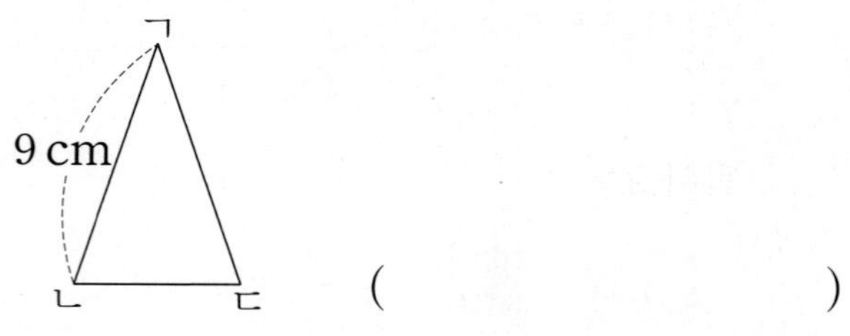

(　　　　　　　　)

19 ㉠의 각도를 구하세요.

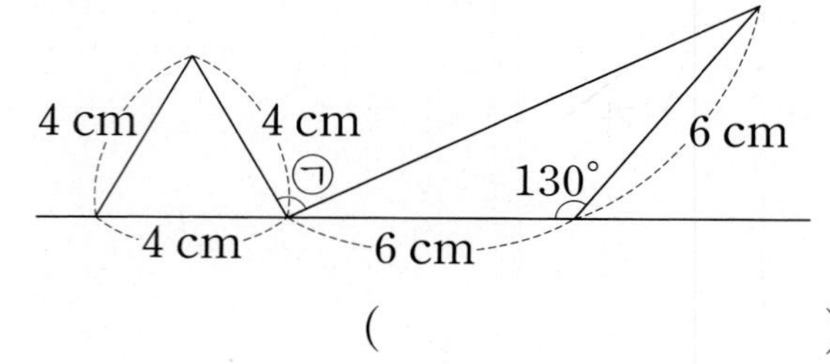

(　　　　　　　　)

20 도형에서 찾을 수 있는 크고 작은 둔각삼각형은 모두 몇 개일까요?

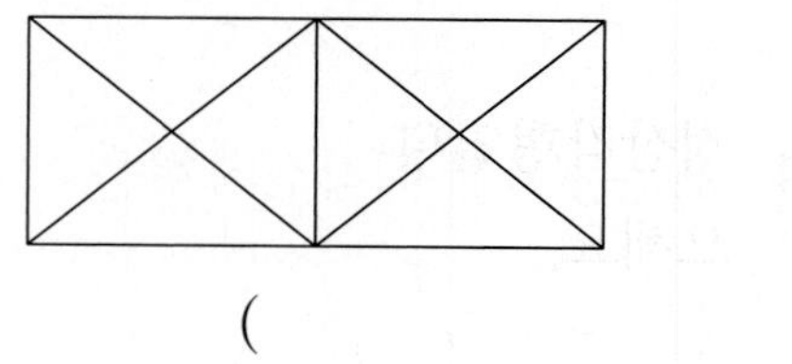

(　　　　　　　　)

단원평가 5회

삼각형

점수

스피드 정답표 5쪽, 정답 및 풀이 25쪽

01 색종이를 그림과 같이 반으로 접은 후 잘라서 삼각형을 만들었습니다. 만든 삼각형을 변의 길이에 따라 분류하면 어떤 삼각형이 될까요?

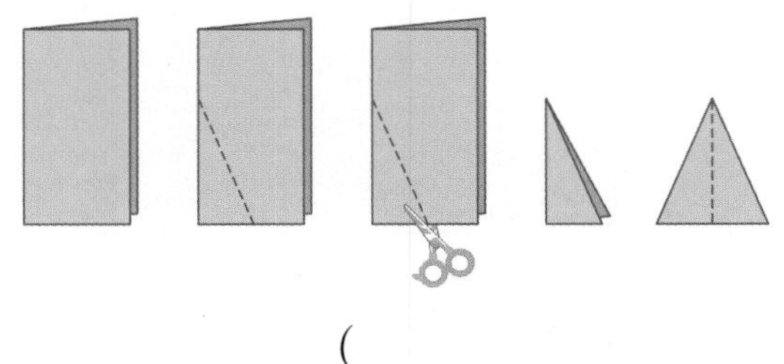

(　　　　　　　　　　)

[02~03] 삼각형을 보고 물음에 답하세요.

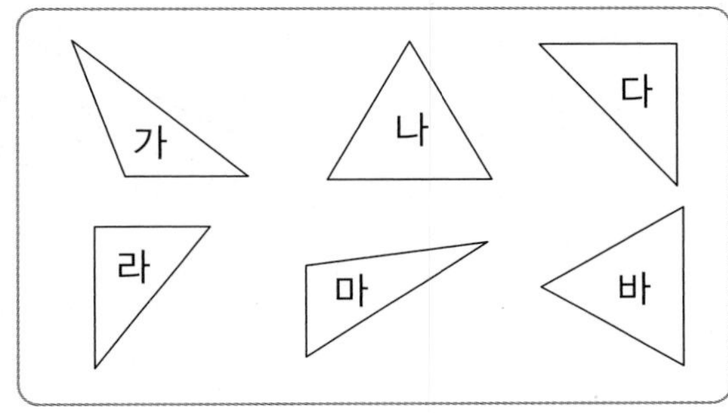

02 정삼각형을 모두 찾아 기호를 쓰세요.

(　　　　　　　　　　)

03 둔각삼각형을 모두 찾아 기호를 쓰세요.

(　　　　　　　　　　)

04 정삼각형입니다. □ 안에 알맞은 수를 써넣으세요.

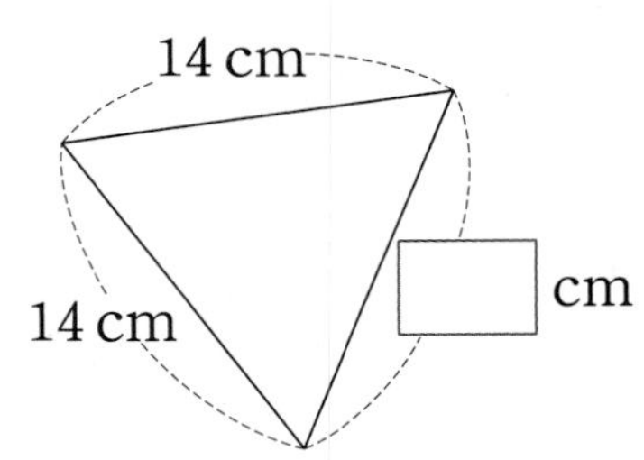

05 이등변삼각형입니다. □ 안에 알맞은 수를 써넣으세요.

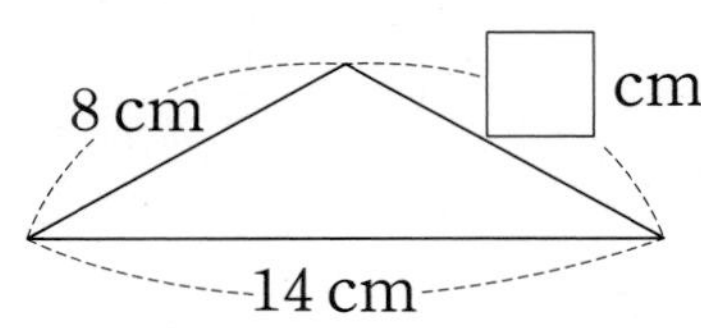

06 정삼각형의 한 각의 크기를 구하세요.

(　　　　　　　　　　)

07 이등변삼각형입니다. □ 안에 알맞은 수를 써넣으세요.

□°

25°　130°

□ cm

6 cm

08 재준이가 그린 정삼각형의 세 변의 길이의 합을 구하세요.

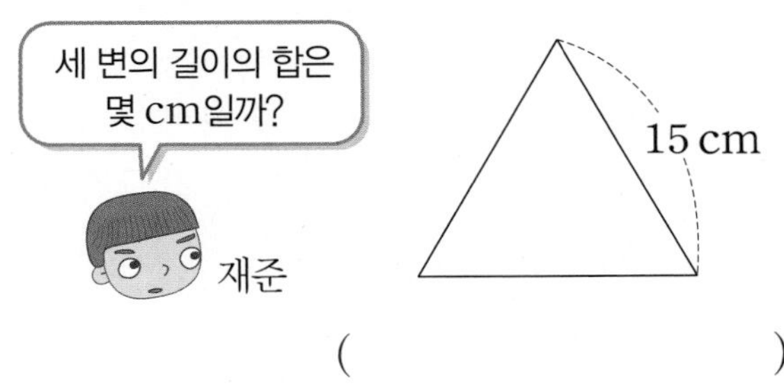

(　　　　　　　　　　)

09 직사각형 모양의 종이를 선을 따라 모두 잘랐습니다. 예각삼각형을 모두 찾아 기호를 쓰세요.

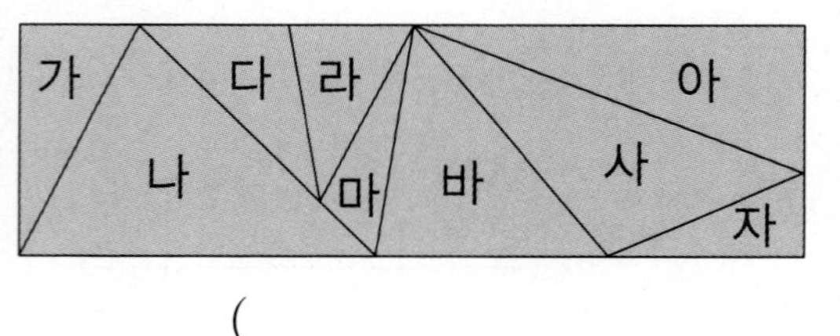

( )

10 선생님이 설명한 도형은 어느 것일까요? ····································( )

• 세 변으로 둘러싸여 있습니다.
• 한 각의 크기는 95°입니다.

선생님

① 정삼각형　② 예각삼각형
③ 둔각삼각형　④ 직각삼각형
⑤ 직사각형

11 세 변의 길이가 다음과 같은 삼각형과 관계 없는 것을 모두 고르세요. ····( )

9 cm, 9 cm, 9 cm

① 정삼각형　② 직각삼각형
③ 예각삼각형　④ 둔각삼각형
⑤ 이등변삼각형

12 주어진 선분을 한 변으로 하여 각도기와 자를 사용하여 정삼각형을 그려 보세요.

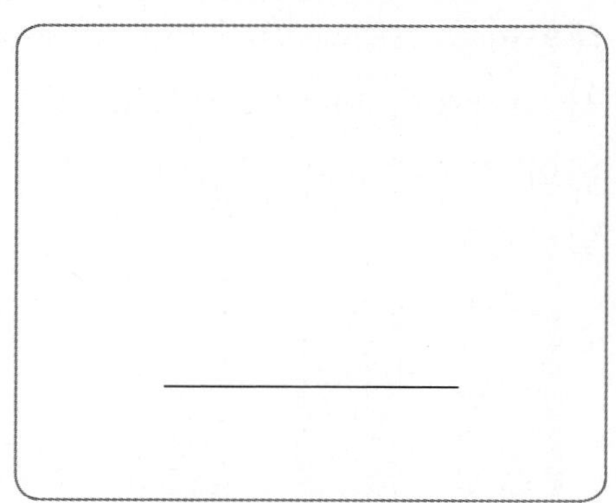

13 이등변삼각형이 아닌 것을 찾아 기호를 쓰세요.

㉠ 세 각이 모두 60°인 삼각형
㉡ 세 변의 길이가 모두 12 cm인 삼각형
㉢ 세 각의 크기가 각각 90°, 60°, 30°인 삼각형

( )

서술형

14 세 삼각형의 같은 점과 다른 점을 각각 1개씩 쓰세요.

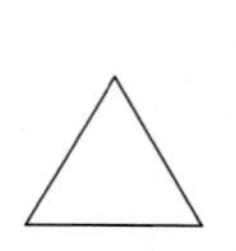
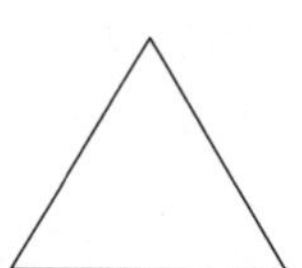
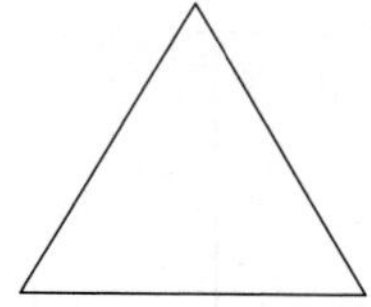

같은 점 ____________________

다른 점 ____________________

15 크기가 같은 정삼각형 2개를 붙여서 사각형을 만들었습니다. 각 ㄴㄷㄹ의 크기를 구하세요.

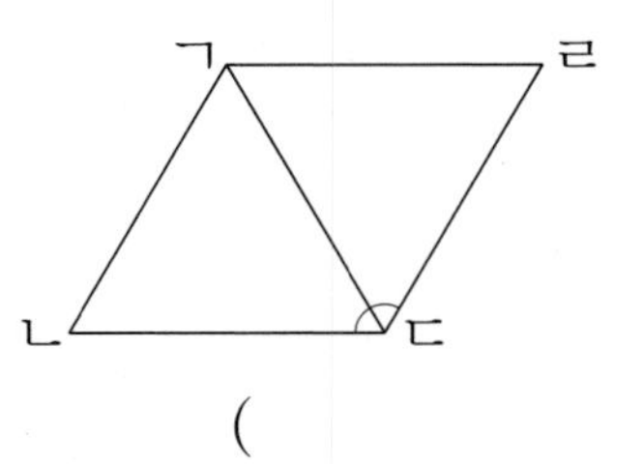

( )

16 삼각형 ㄱㄴㄷ은 이등변삼각형입니다. □ 안에 알맞은 수를 써넣으세요.

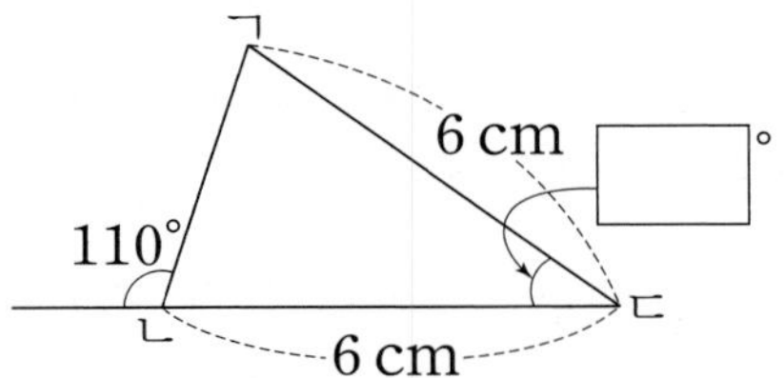

서술형

17 삼각형의 세 각 중에서 두 각의 크기를 나타낸 것입니다. 이 삼각형은 예각삼각형, 직각삼각형, 둔각삼각형 중에서 어떤 삼각형인지 풀이 과정을 쓰고 답을 구하세요.

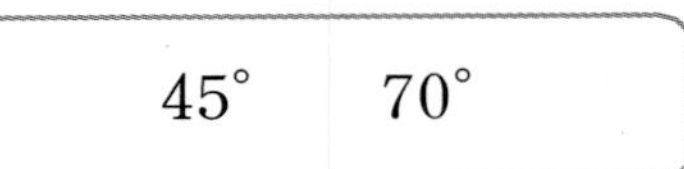

풀이

답

18 삼각형의 일부가 지워졌습니다. 어떤 삼각형인지 쓰세요.

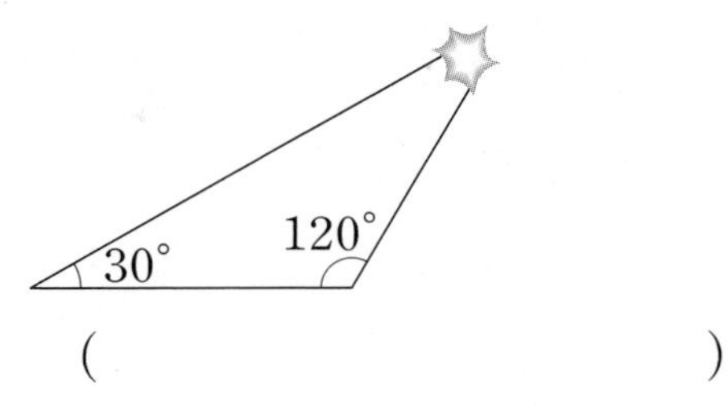

( )

19 이등변삼각형과 정삼각형을 겹치지 않게 붙여 놓은 것입니다. □ 안에 알맞은 수를 써넣으세요.

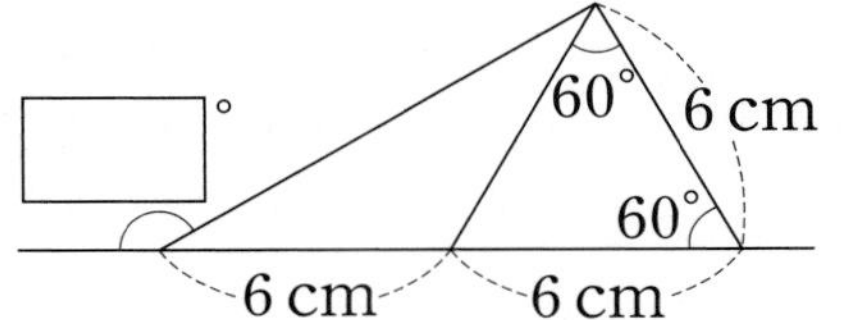

20 길이가 56 cm인 철사를 남김없이 사용하여 변의 길이가 다음과 같은 이등변삼각형을 만들려고 합니다. □ 안에 들어갈 수 있는 수가 아닌 것의 기호를 쓰세요.

□ cm, □ cm, 20 cm

㉠ 16	㉡ 18	㉢ 20	㉣ 22

( )

2 삼각형

삼각형

점수

01 삼각형 ㄱㄴㄷ은 이등변삼각형입니다. 각 ㄴㄱㄷ의 크기를 구하세요.

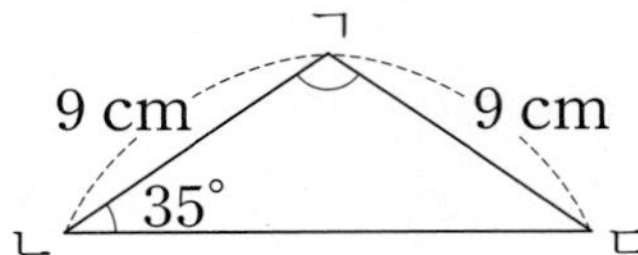

❶ 각 ㄱㄷㄴ의 크기는 몇 도일까요?

이등변삼각형에서 길이가 같은 두 변에 있는 두 각의 크기가 같으므로

(각 ㄱㄴㄷ)=(각 ㄱㄷㄴ)=$\square$°입니다.

(　　　　　　)

❷ 각 ㄴㄱㄷ의 크기는 몇 도일까요?

(각 ㄴㄱㄷ)$=180°-35°-\square°=\square°$

(　　　　　　)

02 왼쪽 이등변삼각형과 세 변의 길이의 합이 같은 정삼각형을 만들었습니다. 만든 정삼각형의 한 변의 길이는 몇 cm인지 구하세요.

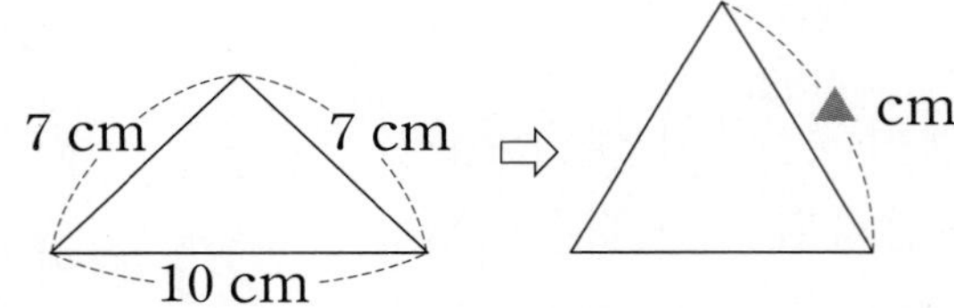

❶ 왼쪽 이등변삼각형의 세 변의 길이의 합은 몇 cm일까요?

$7+7+10=\square$ (cm)

(　　　　　　)

❷ 만든 정삼각형의 한 변의 길이를 구할 수 있는 나눗셈식을 쓰세요.

$\square\div3=$▲

❸ 만든 정삼각형의 한 변의 길이는 몇 cm일까요?

(　　　　　　)

03 |보기|에서 다음 삼각형의 이름이 될 수 있는 것을 모두 찾아 기호를 쓰세요.

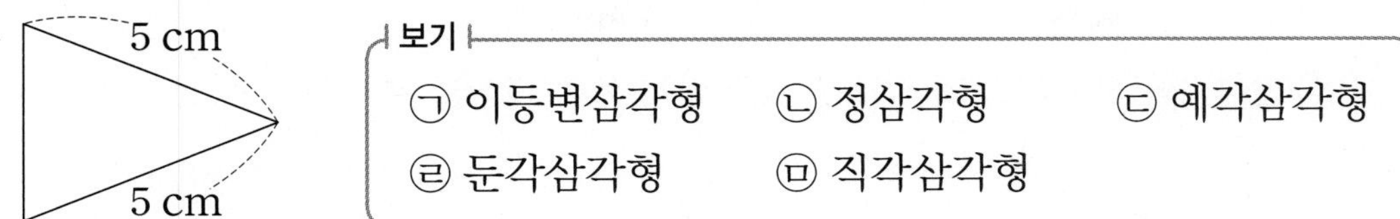

❶ □ 안에 알맞은 삼각형의 이름을 써넣으세요.

• 두 변의 길이가 같으므로 □ 입니다.

• 세 각이 모두 예각이므로 □ 입니다.

❷ 삼각형의 이름이 될 수 있는 것을 모두 찾아 기호를 쓰세요.

( )

04 주원이와 나은이는 다음과 같이 삼각형을 각각 그렸습니다. 예각삼각형을 그린 사람은 누구인지 구하세요.

❶ ㉠과 ㉡에 알맞은 각도를 각각 구하세요.

㉠ ( ), ㉡ ( )

❷ 주원이와 나은이가 각각 그린 삼각형은 예각삼각형, 둔각삼각형, 직각삼각형 중 어느 것인지 쓰세요.

주원 ( ), 나은 ( )

❸ 예각삼각형을 그린 사람은 누구일까요?

( )

풀이 과정을 직접 쓰는

서술형평가

삼각형

점수

01 이등변삼각형입니다. ㉠의 각도는 몇 도인지 풀이 과정을 쓰고 답을 구하세요.

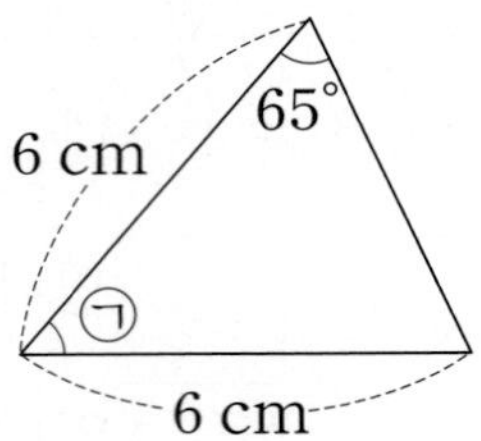

풀이

답 ______________

어떻게 풀까요?

이등변삼각형에서 길이가 같은 두 변에 있는 두 각의 크기가 같으므로 ㉠은 $180°$에서 두 각의 크기를 빼어 구합니다.

02 왼쪽 이등변삼각형과 세 변의 길이의 합이 같은 정삼각형을 만들었습니다. 만든 정삼각형의 한 변의 길이는 몇 cm인지 풀이 과정을 쓰고 답을 구하세요.

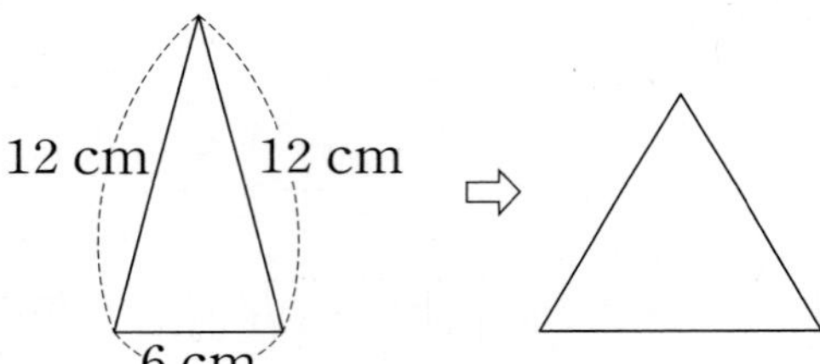

풀이

답 ______________

어떻게 풀까요?

(정삼각형의 한 변의 길이)
=(이등변삼각형의 세 변의 길이의 합)÷3

03 보기에서 다음 삼각형의 이름이 될 수 있는 것을 모두 찾아 쓰려고 합니다. 풀이 과정을 쓰고 답을 구하세요.

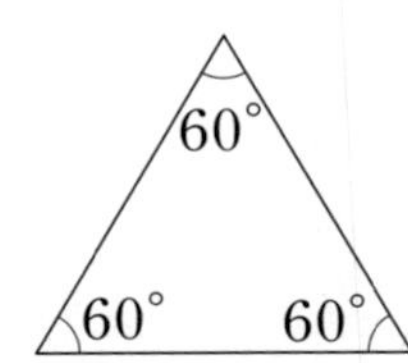

보기
이등변삼각형, 정삼각형,
예각삼각형, 둔각삼각형,
직각삼각형

풀이

답 ______________________

어떻게 풀까요?

세 변의 길이와 세 각의 크기를 알아보고 삼각형을 변의 길이와 각의 크기에 따라 어떻게 분류할 수 있는지 생각하여 봅니다.

04 유미와 지후는 다음과 같이 삼각형을 각각 그렸습니다. 둔각삼각형을 그린 사람은 누구인지 풀이 과정을 쓰고 답을 구하세요.

유미: 난 세 각이 각각 50°, 40°, □인 삼각형을 그렸어.
지후: 난 세 각이 각각 45°, 25°, □인 삼각형을 그렸지.

풀이

답 ______________________

어떻게 풀까요?

나머지 한 각의 크기를 구한 다음 한 각이 둔각인 삼각형을 그린 사람을 찾습니다.

• 스피드 정답표 **5쪽**, 정답 및 풀이 **26쪽**

오답률 36%

01 ㉠의 각도는 몇 도인지 구하세요.

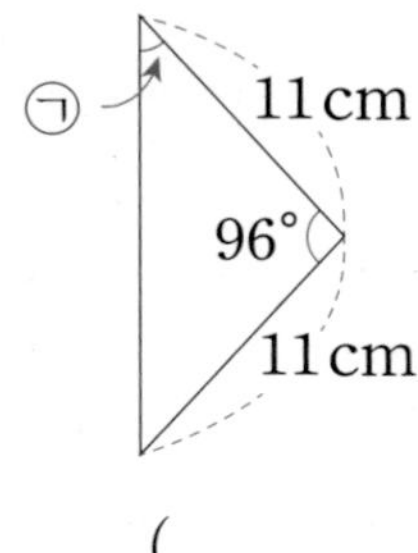

( )

오답률 39%

02 다음 삼각형의 이름이 될 수 있는 것을 모두 고르세요. ·························( )

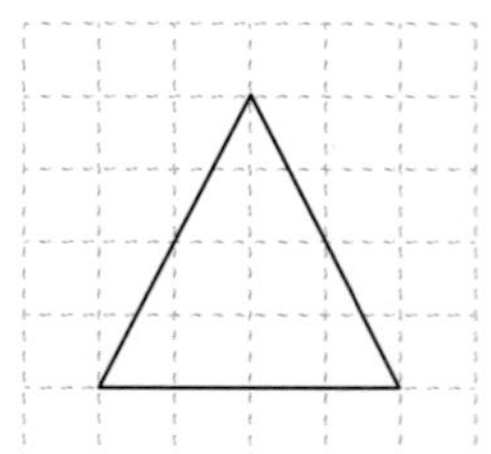

① 이등변삼각형 ② 정삼각형
③ 예각삼각형 ④ 직각삼각형
⑤ 둔각삼각형

오답률 45%

03 삼각형의 세 각 중 두 각의 크기입니다. 이등변삼각형이 될 수 있는 것을 찾아 기호를 쓰세요.

㉠ 95°, 40°
㉡ 75°, 30°
㉢ 50°, 60°

( )

오답률 47%

04 직사각형 모양의 종이를 점선을 따라 자르려고 합니다. 예각삼각형은 모두 몇 개 생길까요?

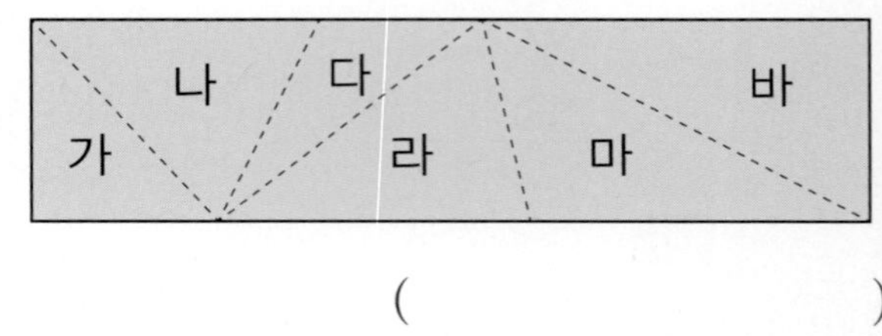

( )

오답률 59%

05 도형에서 찾을 수 있는 크고 작은 둔각삼각형은 모두 몇 개일까요? ··················( )

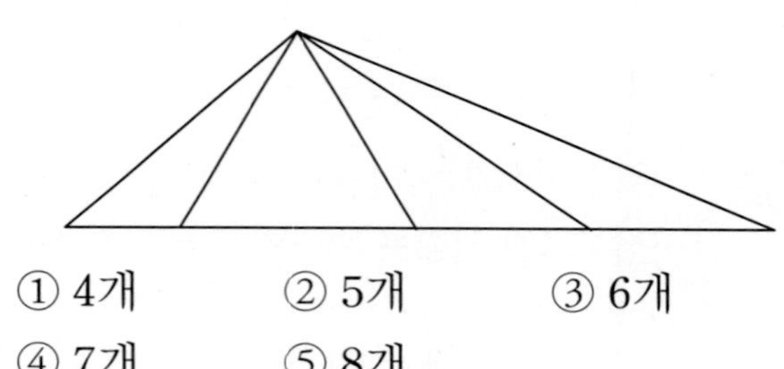

① 4개 ② 5개 ③ 6개
④ 7개 ⑤ 8개

3

소수의 덧셈과 뺄셈

3단원 개념정리

소수의 덧셈과 뺄셈

개념 1 소수 두 자리 수

- 0.01 알아보기

분수 $\frac{1}{100}$을 소수로 ⇨ 쓰기: 0.01 / 읽기: 영 점 영일

- 소수 두 자리 수 알아보기

$\frac{85}{100}=0.85$(영 점 팔오)

- 소수 두 자리 수의 자릿값 알아보기

1.23(일 점 이삼)
→ 일의 자리 숫자, 1을 나타냅니다.
→ 소수 첫째 자리 숫자, 0.2를 나타냅니다.
→ 소수 둘째 자리 숫자, 0.03을 나타냅니다.

1.23은 1이 1개, 0.1이 2개, 0.01이 ❶ ☐개

개념 2 소수 세 자리 수

- 0.001 알아보기

분수 $\frac{1}{1000}$을 소수로 ⇨ 쓰기: 0.001 / 읽기: 영 점 영영일

- 소수 세 자리 수 알아보기

$\frac{534}{1000}=0.534$(영 점 오삼사)

- 소수 세 자리 수의 자릿값 알아보기

1.573(일 점 오칠❷ ☐)
→ 일의 자리 숫자, 1을 나타냅니다.
→ 소수 첫째 자리 숫자, 0.5를 나타냅니다.
→ 소수 둘째 자리 숫자, 0.07을 나타냅니다.
→ 소수 셋째 자리 숫자, 0.003을 나타냅니다.

개념 3 소수의 크기 비교

- 0.3과 0.30의 크기 비교하기

0.3=0.30
→ 소수는 필요한 경우 오른쪽 끝자리에 0을 붙여서 나타낼 수 있습니다.

- 소수의 크기 비교하기

자연수 부분이 같을 때에는 소수 첫째 자리부터 차례로 비교합니다.

0.48 (<) 0.5
└ 4<5 ┘

개념 4 소수 사이의 관계

→ 소수점을 기준으로 수가 오른쪽으로 한 자리 이동

1 —$\frac{1}{10}$→ 0.1 —$\frac{1}{10}$→ 0.01 —$\frac{1}{10}$→ 0.001

0.001 —10배→ 0.01 —10배→ 0.1 —10배→ 1

→ 소수점을 기준으로 수가 왼쪽으로 한 자리 이동

개념 5 소수 한 자리 수의 덧셈

```
  1
  0.9 ← 0.1이 9개
+ 1.4 ← 0.1이 14개
  2.3 ← 0.1이 9+14=23(개)
```
→ 소수점의 자리를 맞추어 씁니다.

개념 6 소수 한 자리 수의 뺄셈

```
  3 10
  4.5 ← 0.1이 45개
- 1.9 ← 0.1이 19개
  2.6 ← 0.1이 45−19=26(개)
```

개념 7 소수 두 자리 수의 덧셈

```
  0.57 ← 0.01이 57개
+ 0.28 ← 0.01이 28개
  0.85 ← 0.01이 57+28=❹ ☐(개)
```

개념 8 소수 두 자리 수의 뺄셈

소수점 아래 자릿수가 다른 소수의 뺄셈은 끝자리 뒤에 0이 있는 것으로 생각하여 자릿수를 맞추어 뺍니다.

```
  0 11 10
  1.2 0 ← 0.01이 120개
- 0.9 4 ← 0.01이 94개
  0.2 6 ← 0.01이 120−94=❺ ☐(개)
```

| 정답 | ❶ 3 ❷ 삼 ❸ < ❹ 85 ❺ 26

쪽지시험 1회

소수의 덧셈과 뺄셈

점수

▶ 소수 두 자리 수 ~ 소수 세 자리 수

스피드 정답표 6쪽, 정답 및 풀이 27쪽

01 모눈종이 전체의 크기가 1이라고 할 때 색칠한 부분의 크기를 소수로 나타내어 보세요.

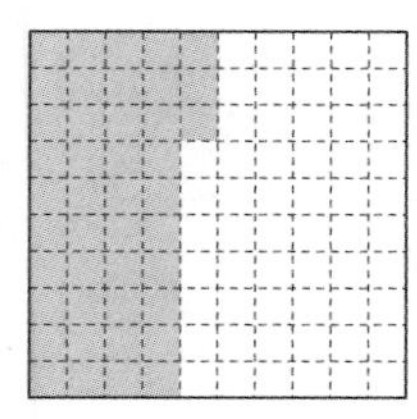

[02 ~ 03] 소수를 읽어 보세요.

02 0.82

(　　　　　　　　　)

03

1.543

(　　　　　　　　　)

[04 ~ 05] □ 안에 알맞은 수를 써넣으세요.

04 1이 1개, 0.1이 4개, 0.01이 8개인 수는 □입니다.

05 1이 2개, 0.1이 3개, 0.001이 7개인 수는 □입니다.

06 □ 안에 알맞은 수나 말을 써넣으세요.

5.47에서

5는 □의 자리 숫자이고 5를

4는 □ 자리 숫자이고 □을/를,

7은 □ 자리 숫자이고 □을/를

나타냅니다.

07 □ 안에 알맞은 수를 써넣으세요.

0.48 　 □ 　 0.49

[08 ~ 09] 밑줄 친 숫자 6이 나타내는 수를 쓰세요.

08 5.<u>6</u>2

(　　　　　　　　　)

09 2.30<u>6</u>

(　　　　　　　　　)

10 소수 둘째 자리 숫자가 3인 수를 찾아 기호를 쓰세요.

㉠ 0.253	㉡ 3.072
㉢ 4.23	㉣ 5.31

(　　　　　　　　　)

쪽지시험 2회 소수의 덧셈과 뺄셈

점수

▶ 소수의 크기 비교 ~ 소수 사이의 관계

스피드 정답표 6쪽, 정답 및 풀이 27쪽

[01 ~ 03] 두 수의 크기를 비교하여 ◯ 안에 >, =, < 를 알맞게 써넣으세요.

01 12.4 ◯ 1.567

02 0.47 ◯ 0.470

03 1.54 ◯ 1.56

04 빈 곳에 알맞은 수를 써넣으세요.

$\frac{1}{10}$ $\frac{1}{10}$ 10배 10배

	0.1	1	10	100
	0.05	0.5	5	

[05 ~ 06] □ 안에 알맞은 수를 써넣으세요.

05 0.8의 $\frac{1}{10}$은 □이고 $\frac{1}{100}$은 □입니다.

06 0.145를 10배 하면 □이고 100배 하면 □입니다.

07 더 큰 수를 쓰세요.

0.537 0.54

(   )

08 나타내는 수가 다른 하나를 찾아 기호를 쓰세요.

㉠ 0.136의 10배
㉡ 13.6의 $\frac{1}{10}$
㉢ 1.36의 100배

(   )

09 3.8과 같은 수를 모두 찾아 기호를 쓰세요.

㉠ 3.8의 10배 ㉡ 0.38의 $\frac{1}{10}$
㉢ 0.038의 100배 ㉣ 38의 $\frac{1}{10}$

(   )

10 작은 수부터 차례로 쓰세요.

5.821 0.972 5.83

(   )

쪽지시험 3회

소수의 덧셈과 뺄셈

점수

▶ 소수 한 자리 수의 덧셈
~ 소수 한 자리 수의 뺄셈

스피드 정답표 6쪽, 정답 및 풀이 27쪽

01 수직선을 보고 □ 안에 알맞은 수를 써넣으세요.

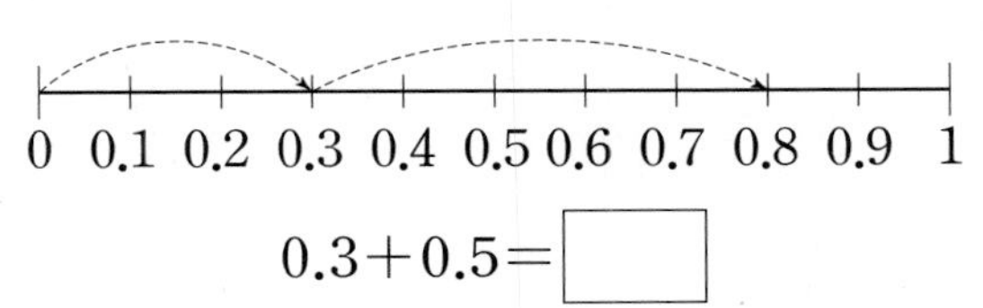

$0.3+0.5=\square$

02 □ 안에 알맞은 수를 써넣으세요.

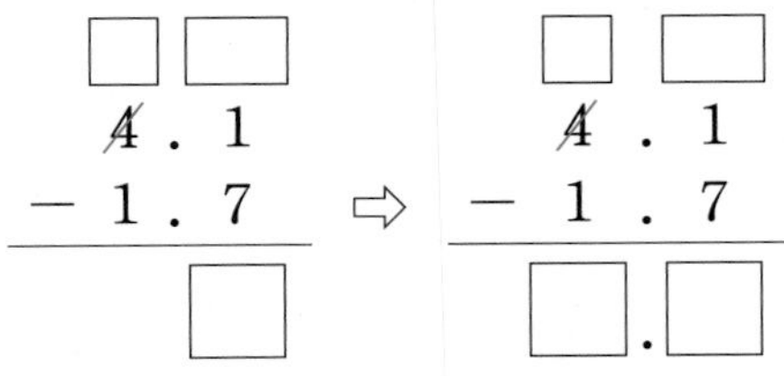

[03~05] 계산해 보세요.

03
$$\begin{array}{r} 1.4 \\ +\,0.8 \\ \hline \end{array}$$

04
$$\begin{array}{r} 2.7 \\ +\,1.6 \\ \hline \end{array}$$

05
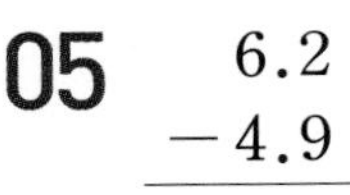
$$\begin{array}{r} 6.2 \\ -\,4.9 \\ \hline \end{array}$$

[06~07] 빈 곳에 알맞은 수를 써넣으세요.

06
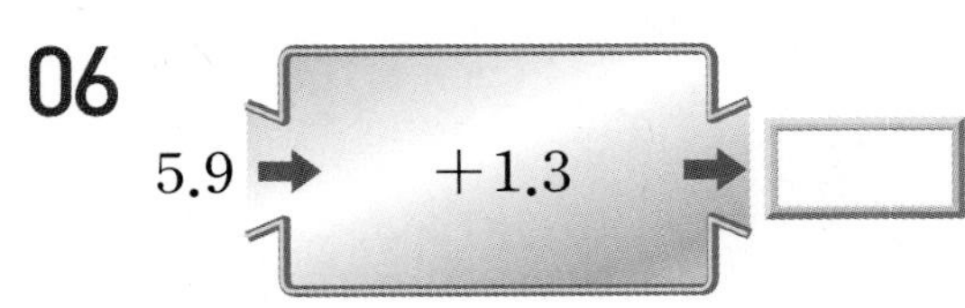

07 9.4 ➡ −3.8 ➡ □

08 관계있는 것끼리 선으로 이으세요.

0.8+0.9 •	• 1.3
1.2+0.4 •	• 1.6
0.6+0.7 •	• 1.7

09 설명하는 수를 구하세요.

15.7보다 6.9 작은 수

( )

10 계산 결과를 비교하여 ○ 안에 >, =, <를 알맞게 써넣으세요.

2.2−1.6 ○ 2.4−1.5

3 소수의 덧셈과 뺄셈

쪽지시험 4회

소수의 덧셈과 뺄셈

점수

▶ 소수 두 자리 수의 덧셈
~ 소수 두 자리 수의 뺄셈

스피드 정답표 6쪽, 정답 및 풀이 27쪽

01 모눈종이 전체의 크기를 1이라고 할 때 그림을 보고 □ 안에 알맞은 수를 써넣으세요.

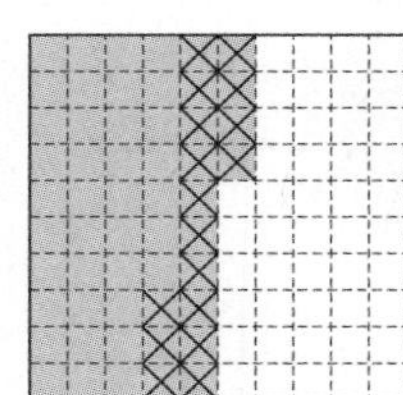

0.54－0.17＝□

02 □ 안에 알맞은 수를 써넣으세요.

6.24는 0.01이 □개입니다.
2.59는 0.01이 □개입니다.
6.24＋2.59는 0.01이 □개이므로 □입니다.

[03 ~ 05] 계산해 보세요.

03

$$\begin{array}{r} 0.32 \\ +0.54 \\ \hline \end{array}$$

04

$$\begin{array}{r} 5.97 \\ +1.58 \\ \hline \end{array}$$

05

$$\begin{array}{r} 3.25 \\ -0.71 \\ \hline \end{array}$$

[06 ~ 07] 빈 곳에 알맞은 수를 써넣으세요.

06 ⊕ →

4.53	2.82	

07 ⊖ →

8.74	5.95	

08 빈 곳에 두 수의 합을 써넣으세요.

2.73	11.35

09 계산이 잘못된 곳을 찾아 바르게 계산해 보세요.

$$\begin{array}{r} 7.48 \\ -\ \ 3.6 \\ \hline 7.12 \end{array}$$ ⇨ □

10 □ 안에 알맞은 수를 구하세요.

0.72＋□＝1.41

(　　　　　　)

난이도 A B C

단원평가 1회

소수의 덧셈과 뺄셈

점수

스피드 정답표 6쪽, 정답 및 풀이 28쪽

01 분수를 소수로 쓰고 읽어 보세요.

$\frac{21}{100}$

소수 ( )

읽기 ( )

02 관계있는 것끼리 선으로 이으세요.

0.602	영 점 영이팔
1.372	일 점 삼칠이
0.028	영 점 육영이

03 수를 보고 빈칸에 알맞은 수를 써넣으세요.

7.136

⇩

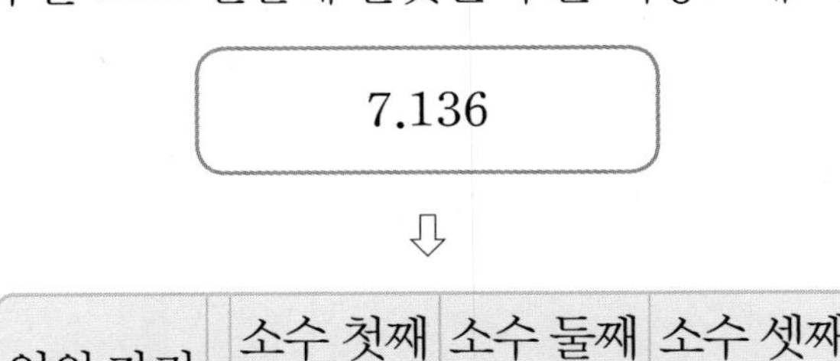

일의 자리	소수 첫째 자리	소수 둘째 자리	소수 셋째 자리
.			

04 □ 안에 알맞은 수를 써넣으세요.

1이 8개, 0.1이 4개, 0.001이 7개인 수는 □입니다.

05 수직선에서 ㉠이 가리키는 수를 소수로 나타내어 보세요.

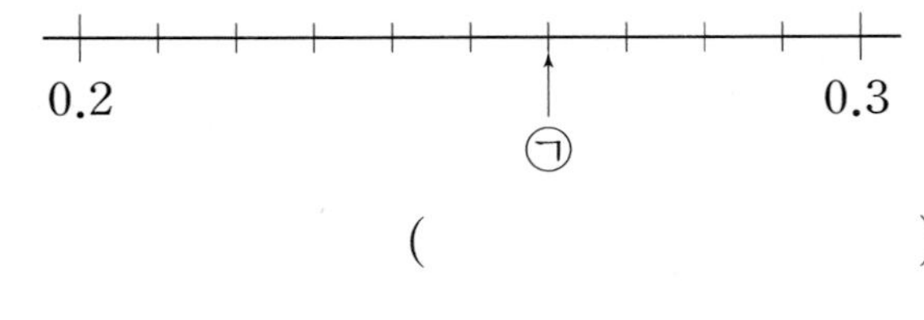

( )

06 두 수의 크기를 비교하여 ○ 안에 >, =, <를 알맞게 써넣으세요.

0.462 ○ 0.467

07 빈 곳에 알맞은 수를 써넣으세요.

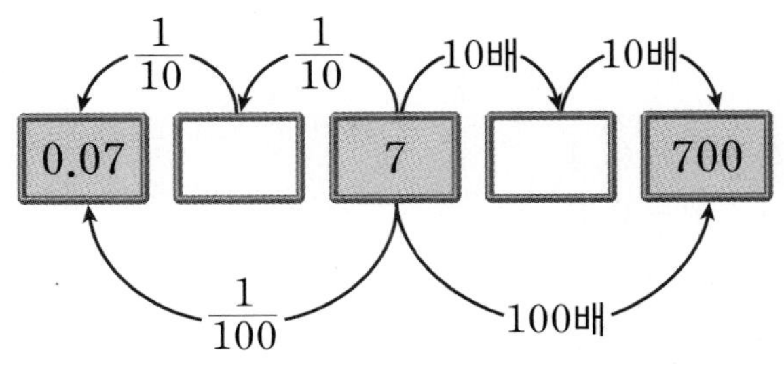

08 모눈종이 전체의 크기를 1이라고 할 때 그림을 보고 □ 안에 알맞은 수를 써넣으세요.

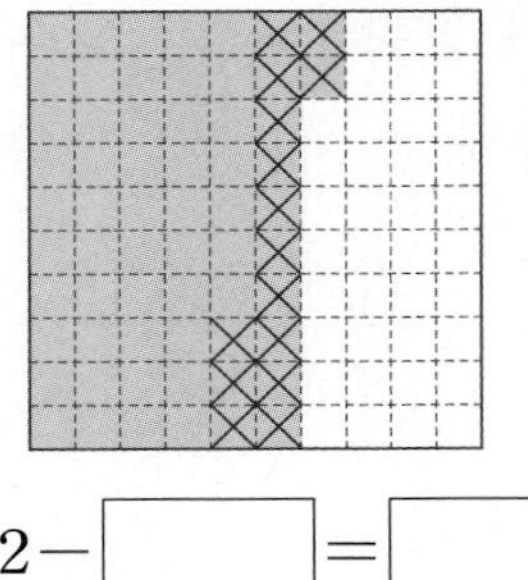

0.62 − □ = □

09 다음 중 가장 큰 수는 어느 것일까요? ( )

① 3.564 ② 3.68 ③ 3.95
④ 3.928 ⑤ 3.896

[10~11] 계산해 보세요.

10

$$\begin{array}{r} 0.7 \\ +2.7 \\ \hline \square \end{array}$$

11

$$\begin{array}{r} 2.4 \\ -0.8 \\ \hline \square \end{array}$$

12 빈 곳에 알맞은 수를 써넣으세요.

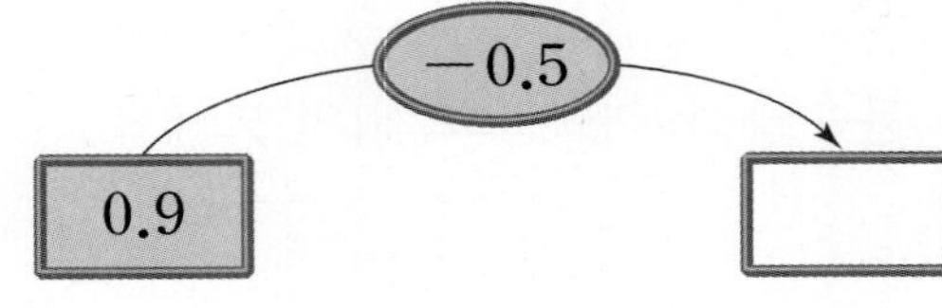

13 □ 안에 알맞은 수를 써넣으세요.

15.7의 $\frac{1}{10}$은 □이고 $\frac{1}{100}$은 □입니다.

14 계산 결과가 가장 큰 것을 찾아 기호를 쓰세요.

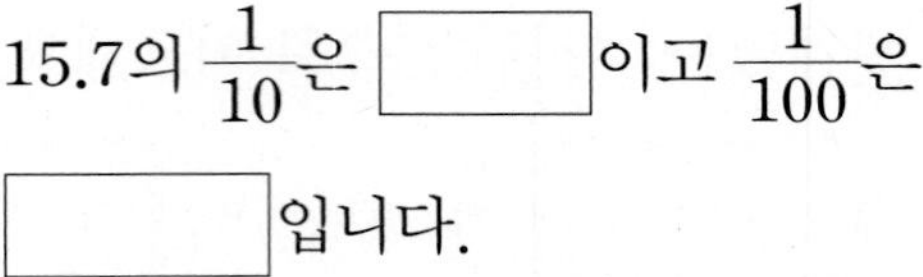

㉠ 2.8+1.5
㉡ 5.82−1.54
㉢ 1.71+2.45

( )

15 다음 중 숫자 8이 나타내는 수가 더 작은 수를 들고 있는 사람은 누구일까요?

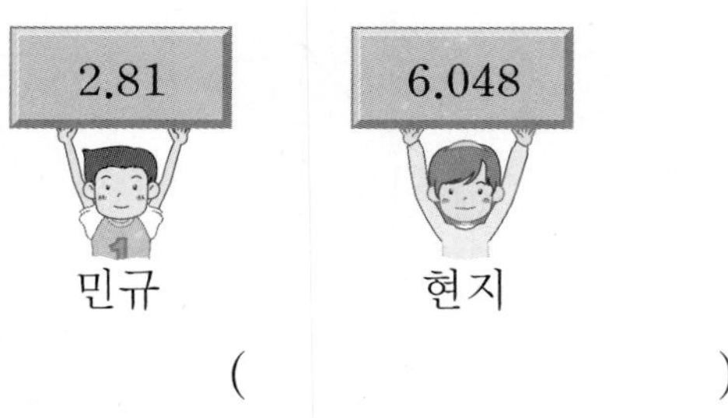

( )

16 □ 안에 알맞은 수를 써넣으세요.

$0.61-\square=0.43$

17 1부터 9까지의 숫자 중 □ 안에 들어갈 수 있는 숫자는 모두 몇 개일까요?

$0.8-0.\square>0.4$

( )

18 두 달 전에 강낭콩의 길이를 재었더니 0.4 m였습니다. 오늘 다시 재어 보니 두 달 전보다 0.7 m 더 자랐습니다. 오늘 잰 강낭콩의 길이는 몇 m일까요?

( )

19 현주는 아버지와 주말농장에서 포도를 땄습니다. 포도를 현주는 2.38 kg을 땄고, 아버지는 현주보다 1.55 kg 더 많이 땄다면 현주의 아버지가 딴 포도는 몇 kg일까요?

( )

20 3.27 L의 물이 들어 있던 물통에서 1.5 L의 물을 덜어내었습니다. 물통에 남은 물은 몇 L일까요?

( )

단원평가 2회

소수의 덧셈과 뺄셈

점수

스피드 정답표 6쪽, 정답 및 풀이 28쪽

01 모눈종이 전체의 크기를 1이라고 할 때 색칠한 부분의 크기를 분수와 소수로 각각 나타내어 보세요.

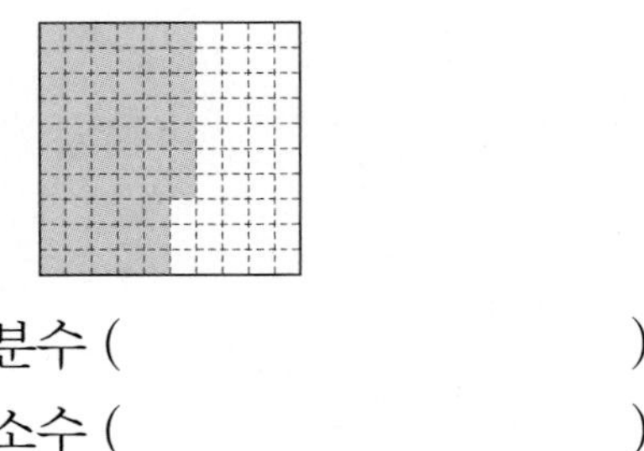

분수 (　　　　　　　　　)

소수 (　　　　　　　　　)

02 □ 안에 알맞은 수나 말을 써넣으세요.

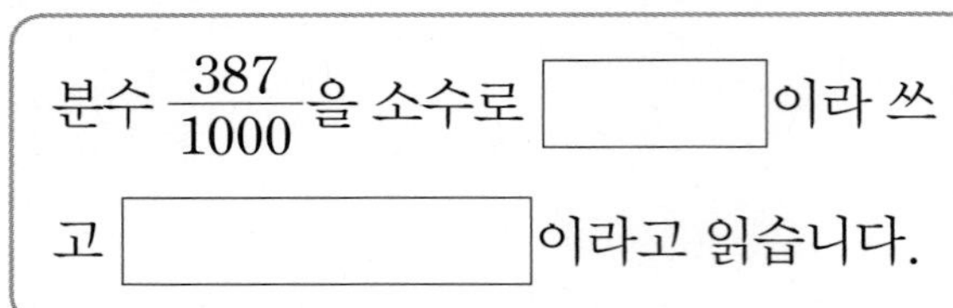

분수 $\frac{387}{1000}$을 소수로 □이라 쓰고 □이라고 읽습니다.

03 □ 안에 알맞은 수를 써넣으세요.

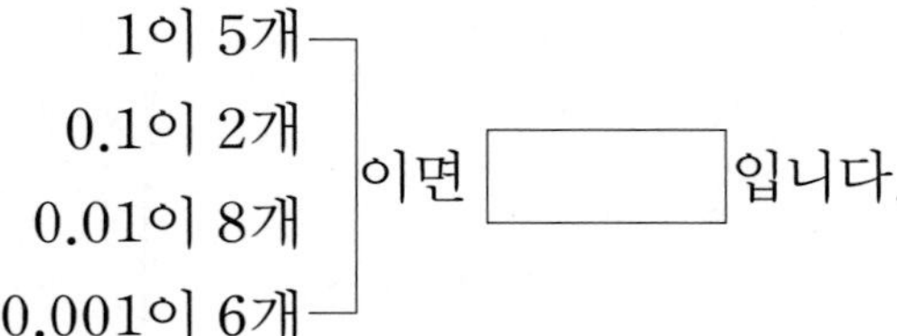

1이 5개, 0.1이 2개, 0.01이 8개, 0.001이 6개이면 □입니다.

[04~05] □ 안에 알맞은 수를 써넣으세요.

04

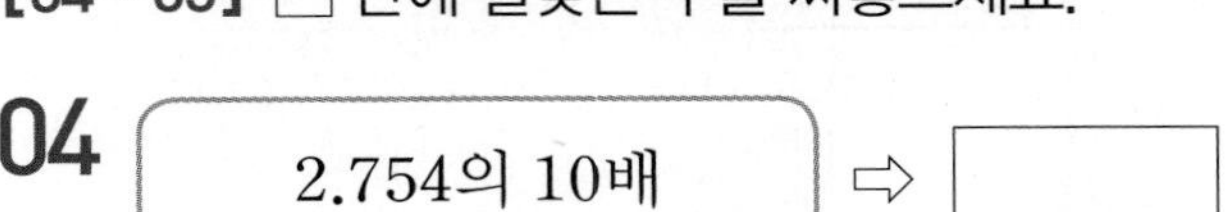

2.754의 10배 ⇨ □

05 0.45의 $\frac{1}{10}$ ⇨ □

06 소수 첫째 자리 숫자가 6인 소수를 찾아 ○표 하세요.

2.16　　0.65　　6.27

07 모눈종이 전체의 크기를 1이라고 할 때 ○ 안에 $>$, $=$, $<$를 알맞게 써넣으세요.

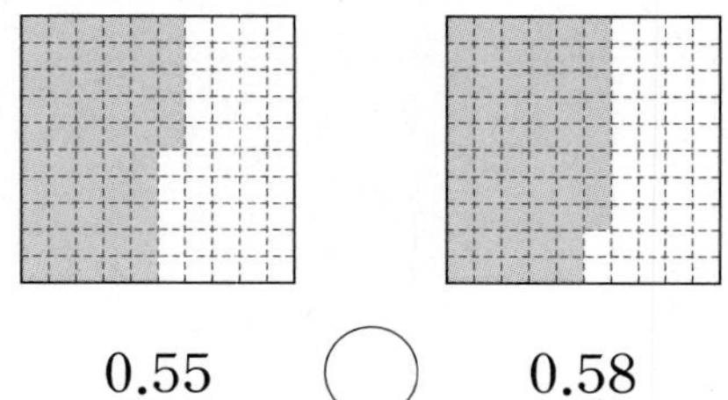

0.55 ○ 0.58

08 수직선을 보고 □ 안에 알맞은 수를 써넣으세요.

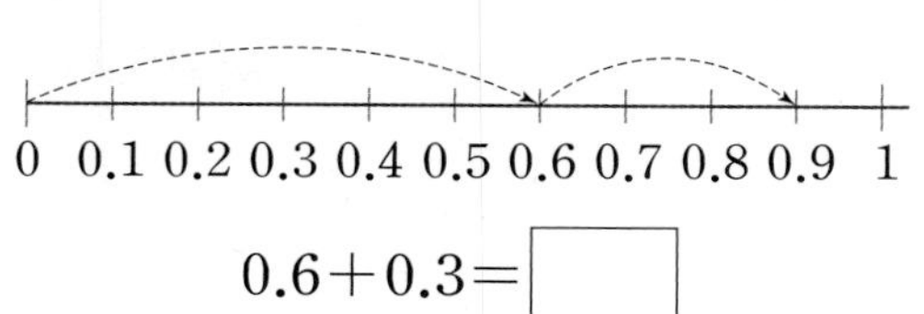

$0.6+0.3=\square$

[09~10] 계산해 보세요.

09

$$\begin{array}{r} 0.31 \\ +\,0.62 \\ \hline \square \end{array}$$

10

$$\begin{array}{r} 6.82 \\ -\,2.4 \\ \hline \square \end{array}$$

11 작은 수부터 차례로 기호를 쓰세요.

㉠ 5.247	㉡ 6.075
㉢ 6.037	㉣ 6.076

(　　　　　　　　)

12 관계있는 것끼리 선으로 이으세요.

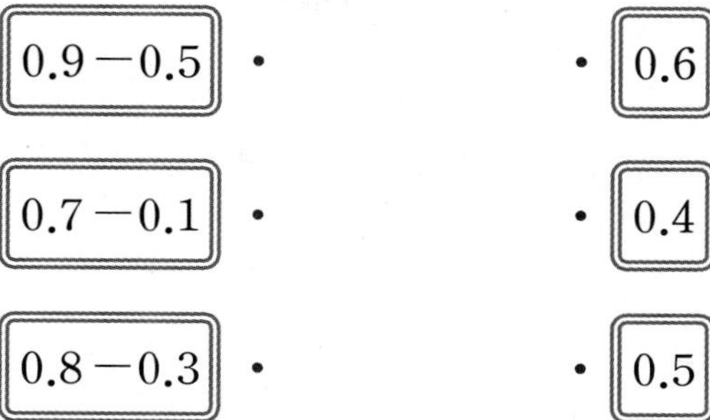

13 빈 곳에 알맞은 수를 써넣으세요.

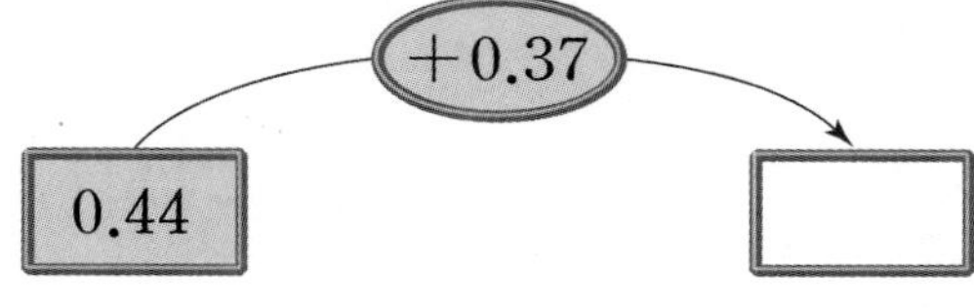

14 두 수의 차를 구하세요.

7.28	5.49

(　　　　　　　　)

3 소수의 덧셈과 뺄셈

15 계산 결과를 비교하여 ○ 안에 $>$, $=$, $<$를 알맞게 써넣으세요.

$0.7+1.4$ ○ $2.5-0.9$

16 숫자 4가 나타내는 수를 써 보세요.

5.47 ⇨ ______________________

0.248 ⇨ ______________________

17 나타내는 수가 다른 하나를 찾아 기호를 쓰세요.

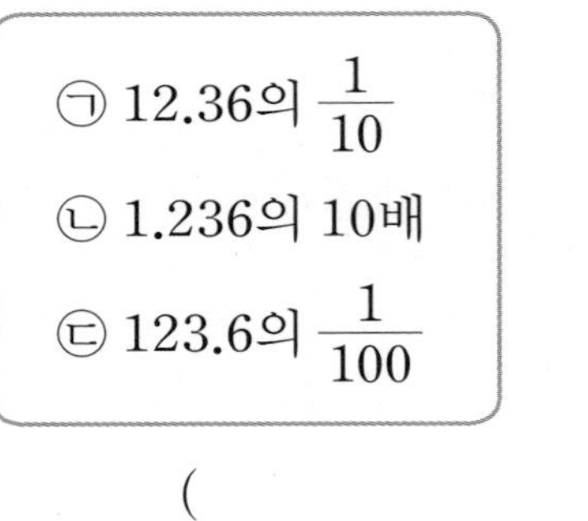

㉠ 12.36의 $\frac{1}{10}$

㉡ 1.236의 10배

㉢ 123.6의 $\frac{1}{100}$

( )

18 식용유가 2.4 L 있었습니다. 그중에서 어머니께서 요리를 하시는 데 0.8 L를 사용했습니다. 남은 식용유는 몇 L일까요?

( )

19 다음을 읽고 호재가 이틀 동안 걸은 거리는 모두 몇 km인지 구하세요.

( )

20 고구마가 9.5 kg 있었습니다. 경민이네 식구는 그중에서 2.78 kg을 삶아서 먹었습니다. 남은 고구마는 몇 kg일까요?

( )

난이도 A B C

단원평가 3회

소수의 덧셈과 뺄셈

점수

스피드 정답표 6쪽, 정답 및 풀이 29쪽

01 분수 $\frac{7}{100}$을 소수로 나타내어 보세요.

( )

02 소수를 보기와 같이 나타내어 보세요.

보기

3.125=3+0.1+0.02+0.005

2.573= ______

03 □ 안에 알맞은 수나 말을 써넣으세요.

5.48에서

5는 일의 자리 숫자이고 □을/를,

4는 □ 자리 숫자이고 □을/를,

8은 □ 자리 숫자이고 □을/를

나타냅니다.

04 두 수의 크기를 비교하여 ○ 안에 >, =, <를 알맞게 써넣으세요.

0.175 ○ 0.179

05 수직선을 보고 □ 안에 알맞은 수를 써넣으세요.

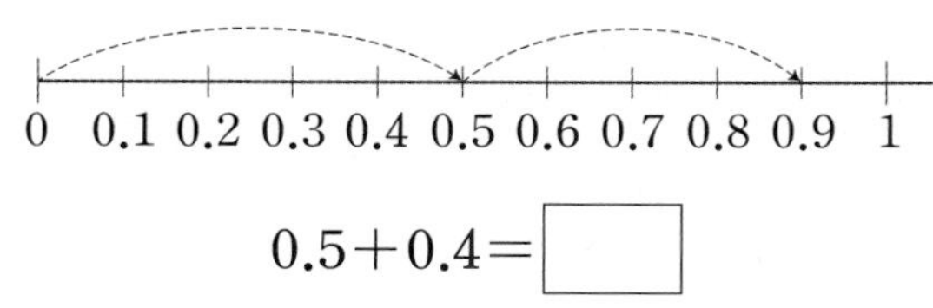

0.5+0.4=□

06 계산해 보세요.

0.9−0.6

07 □ 안에 알맞은 수를 써넣으세요.

$$\begin{array}{r} 1.83 \\ +\,3.64 \\ \hline \square \end{array} \Rightarrow \begin{array}{r} 0.01\text{이 } \square \text{개} \\ +\,0.01\text{이 } \square \text{개} \\ \hline 0.01\text{이 } \square \text{개} \end{array}$$

08 빈 곳에 알맞은 수를 써넣으세요.

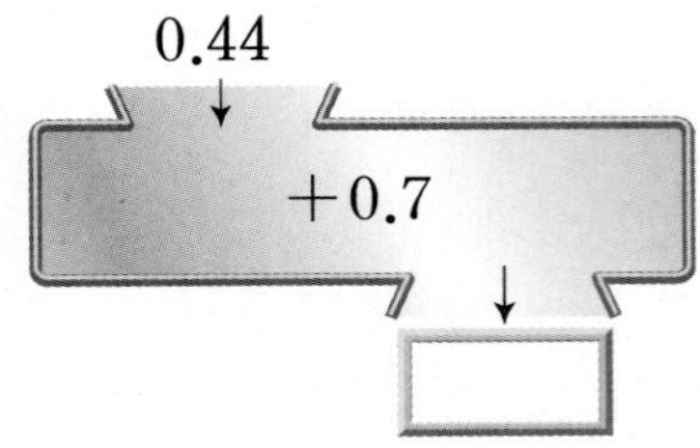

09 숫자 6이 나타내는 수를 써 보세요.

1.607 ⇨ ______________

4.765 ⇨ ______________

10 설명한 수가 <u>다른</u> 사람의 이름을 쓰세요.

( )

11 계산 결과가 같은 것끼리 선으로 이으세요.

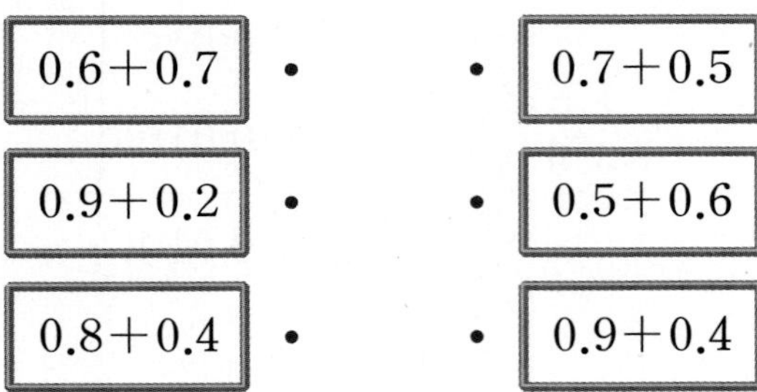

12 빈 곳에 알맞은 수를 써넣으세요.

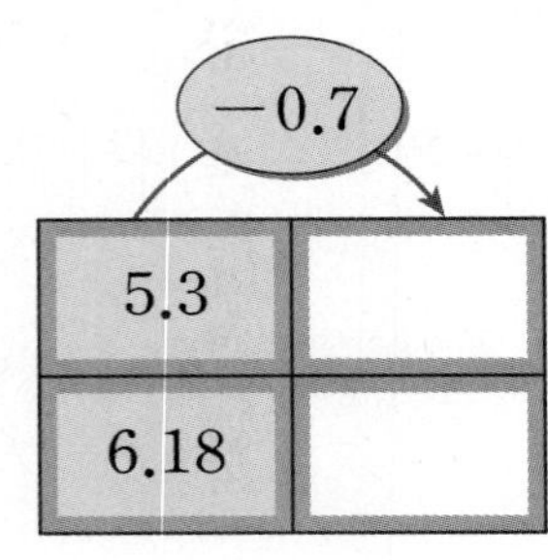

13 그림을 보고 집에서 학교를 거쳐 버스 정류장까지의 거리는 몇 km인지 구하세요.

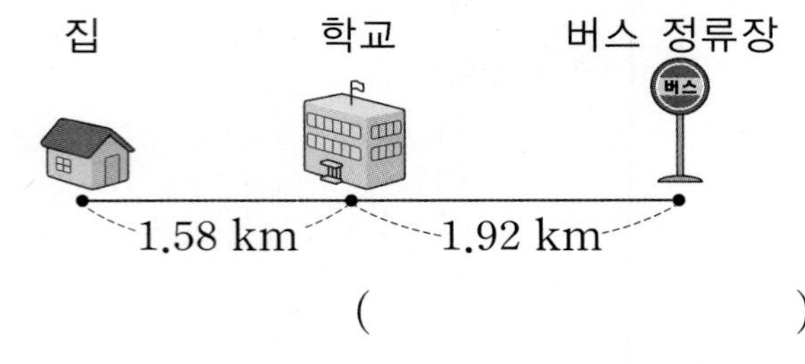

( )

14 주성이는 아빠와 함께 밤을 땄습니다. 밤이 들어 있는 바구니의 무게를 재어 보았더니 4.57 kg이었습니다. 빈 바구니의 무게가 0.88 kg이라면 밤의 무게는 몇 kg일까요?

( )

15 ㉠과 ㉡에 알맞은 수의 합을 구하세요.

- 1.8은 0.018의 ㉠ 배입니다.
- 15.36은 1.536의 ㉡ 배입니다.

(　　　　　　　　　)

16 유빈이는 집에서부터 학교, 우체국, 놀이터까지의 거리를 알아보았습니다. 집에서 가까운 곳부터 차례로 쓰세요.

집~학교	0.742 km
집~우체국	1140 m
집~놀이터	0.253 km

(　　　　　　　　　)

서술형

17 수직선에서 ㉠과 ㉡이 가리키는 소수의 합을 구하려고 합니다. 풀이 과정을 쓰고 답을 구하세요.

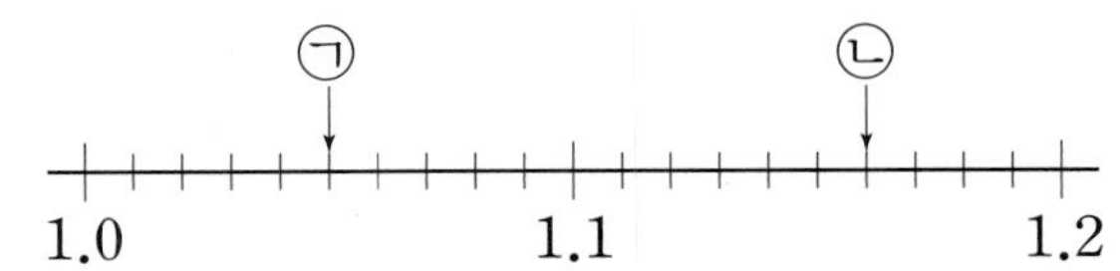

풀이

답 ____________

18 신문을 보고 장대높이뛰기 선수가 올해 세운 기록은 작년보다 몇 m 더 높이 뛰었는지 구하세요.

천재신문　20○○년 ○○월 ○○일 ○요일

'인간새' 나높이 선수 최고 기록 달성

남자 장대높이뛰기의 최강자 나높이 선수가 15일 전국 육상대회에서 6 m 13 cm를 뛰어넘어 작년 장대높이뛰기 기록을 갈아치웠다. 나높이 선수의 작년 기록은 6 m 7 cm이다.

△△ 신문

(　　　　　　　　　)

19 다음과 같은 정삼각형의 세 변의 길이의 합은 몇 cm일까요?

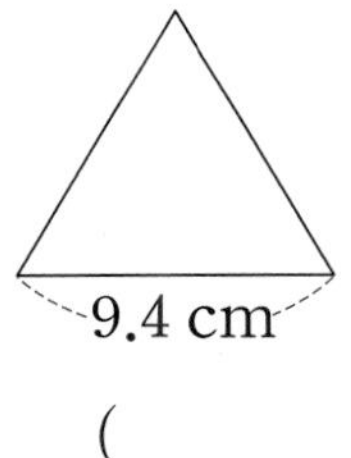

(　　　　　　　　　)

20 카드를 한 번씩 모두 사용하여 만들 수 있는 소수 두 자리 수 중에서 가장 큰 수와 가장 작은 수의 차를 구하세요.

(　　　　　　　　　)

3 소수의 덧셈과 뺄셈

단원평가 4회

소수의 덧셈과 뺄셈

점수

스피드 정답표 7쪽, 정답 및 풀이 30쪽

01 소수를 읽어 보세요.

5.807

(　　　　　　　　　　)

02 다음 수에서 소수 둘째 자리 숫자를 찾아 쓰고, 그 숫자가 나타내는 수를 쓰세요.

5.73

숫자 (　　　　　　　　)

나타내는 수 (　　　　　　　　)

03 □ 안에 알맞은 수를 써넣으세요.

```
                □                  □
  1.8         1 . 8             1 . 8
+0.5   ⇨   + 0 . 5   ⇨   + 0 . 5
-----       ---------       ---------
                □                □.□
```

04 수직선을 보고 □ 안에 알맞은 수를 써넣으세요.

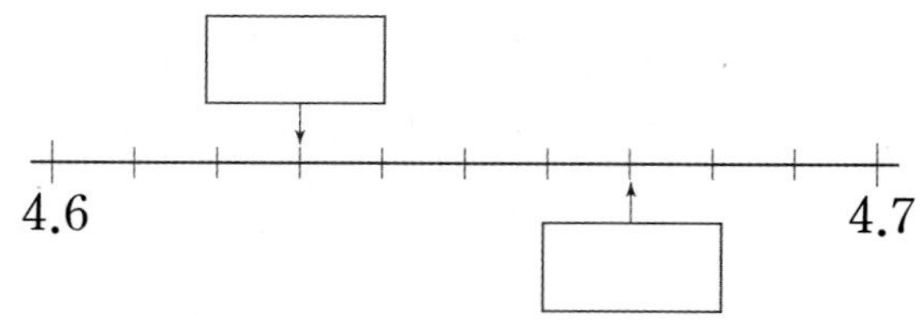

05 두 수의 크기를 비교하여 ○ 안에 >, =, <를 알맞게 써넣으세요.

5.036 ○ 5.24

06 0.752를 나타내는 것을 찾아 ○표 하세요.

7.52의 10배	(　　　)
752의 $\frac{1}{1000}$	(　　　)

07 소수에서 생략할 수 있는 0을 찾아 보기와 같이 나타내어 보세요.

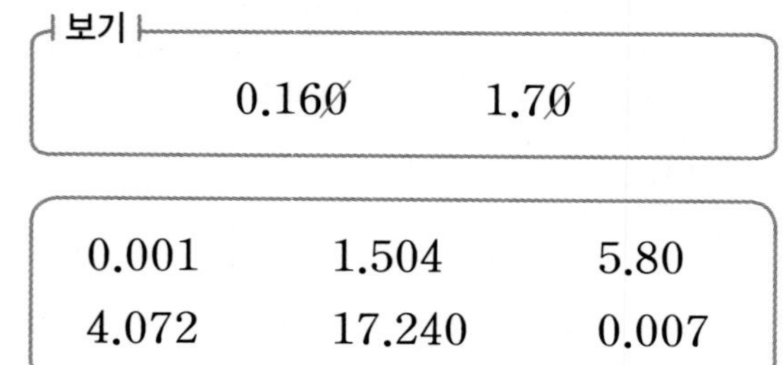

08 빈 곳에 알맞은 수를 써넣으세요.

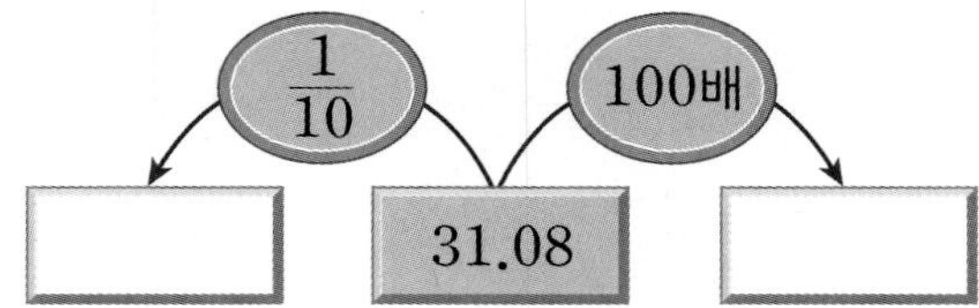

09 계산해 보세요.

$$\begin{array}{r} 0.42 \\ +\,0.6 \\ \hline \end{array}$$

10 빈 곳에 알맞은 수를 써넣으세요.

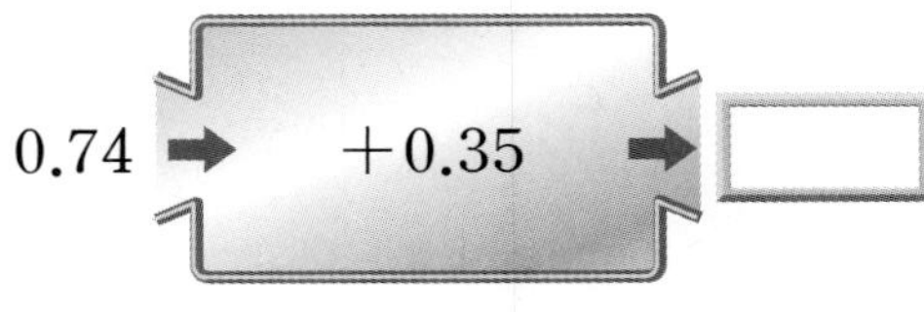

11 관계있는 것끼리 선으로 이으세요.

0.8+0.7 •	• 1.5
2.3−0.6 •	• 1.6
0.7+0.9 •	• 1.7

12 설명하는 수를 구하세요.

3.64보다 1.48 작은 수

(　　　　　　　　　)

13 계산이 잘못된 곳을 찾아 바르게 계산해 보세요.

$$\begin{array}{r} 0.42 \\ +\quad 0.7 \\ \hline 0.49 \end{array}$$ ⇨

14 □ 안에 알맞은 수를 써넣으세요.

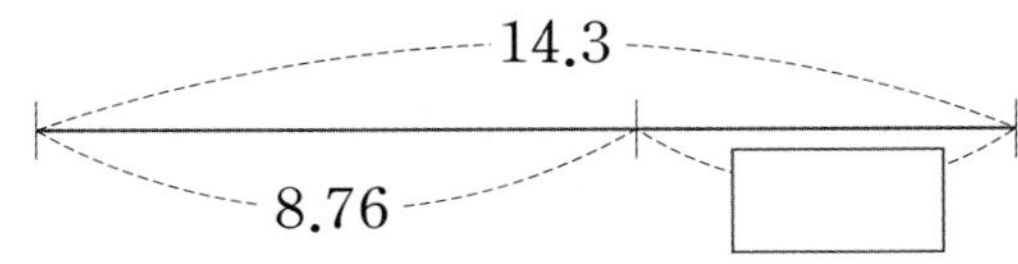

3 소수의 덧셈과 뺄셈

단원평가 4회

15 0부터 9까지의 숫자 중에서 □ 안에 들어갈 수 있는 숫자를 모두 구하세요.

$$4.267 < 4.2\square3$$

(　　　　　　　　)

16 ㉠이 나타내는 수는 ㉡이 나타내는 수의 몇 배일까요?

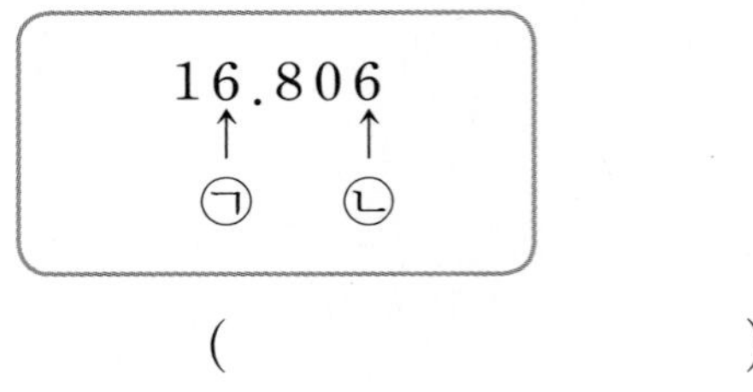

(　　　　　　　　)

서술형

17 귤 한 상자의 무게는 7.48 kg이고 감 한 상자는 귤 한 상자보다 3.82 kg 더 무겁습니다. 감 한 상자의 무게는 몇 kg인지 풀이 과정을 쓰고 답을 구하세요.

풀이

답 ________________

18 주스 한 병의 무게는 1.2 kg이고 빈 병의 무게는 0.4 kg입니다. 주스의 무게는 몇 kg일까요?

(　　　　　　　　)

19 □ 안에 알맞은 숫자를 써넣으세요.

$$\begin{array}{r} 2.\square8 \\ +\ 6.2\square \\ \hline 9.19 \end{array}$$

20 수민이네 집에서 학교까지의 거리는 2.76 km입니다. 수민이가 학교까지 가는데 1.26 km는 지하철을 타고 0.9 km는 버스를 타고 나머지는 걸어갔습니다. 수민이가 걸어간 거리는 몇 km일까요?

(　　　　　　　　)

난이도 A B C

단원평가 5회

소수의 덧셈과 뺄셈

점수

스피드 정답표 7쪽, 정답 및 풀이 30쪽

01 모눈종이 전체의 크기를 1이라고 할 때 색칠한 부분의 크기를 분수와 소수로 각각 나타내어 보세요.

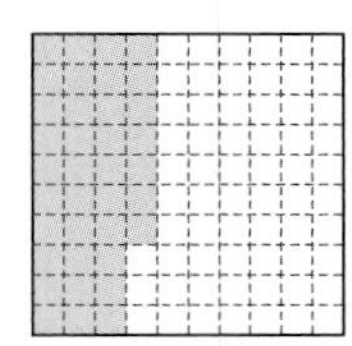

분수	
소수	

02 관계있는 것끼리 선으로 이으세요.

$\frac{92}{100}$ •	• 0.35
$\frac{123}{100}$ •	• 0.92
$\frac{35}{100}$ •	• 1.23

03 □ 안에 알맞은 소수를 써넣으세요.

1이 9개, 0.1이 3개, 0.01이 7개인 수는 □입니다.

04 수직선에서 ㉠과 ㉡이 가리키는 수를 각각 소수로 나타내어 보세요.

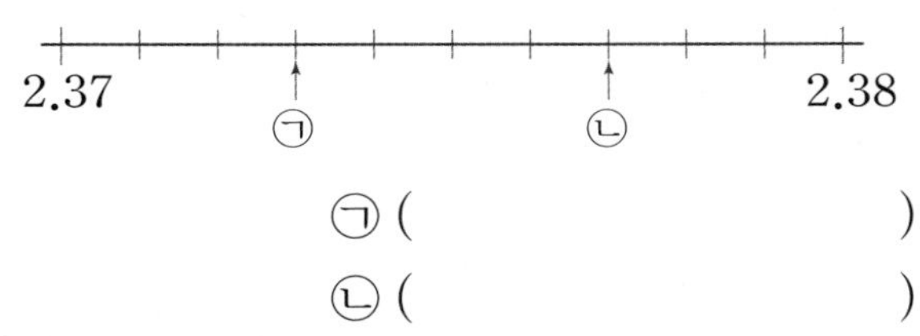

㉠ (　　　　　)

㉡ (　　　　　)

[05~06] 계산해 보세요.

05 0.59+0.24

06 14.23−5.47

07 소수를 바르게 읽지 못한 사람을 찾아 이름을 쓰고 바르게 읽어 보세요.

(　　　　　), (　　　　　)

08 두 수의 크기를 비교하여 ○ 안에 >, =, <를 알맞게 써넣으세요.

0.88 ◯ 0.452

09 서로 같은 두 수를 찾아 기호를 쓰세요.

㉠ 0.207의 100배　　㉡ 20.7의 10배

㉢ 2070의 $\frac{1}{100}$　　㉣ 20.7의 $\frac{1}{10}$

(　　　　　　　　)

10 빈 곳에 알맞은 수를 써넣으세요.

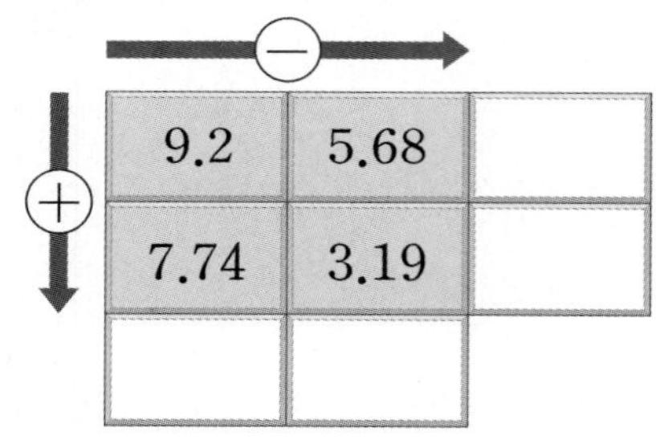

11 계산 결과를 비교하여 ○ 안에 >, =, <를 알맞게 써넣으세요.

4.52−1.7 ◯ 5.94−2.82

12 가장 큰 수와 가장 작은 수의 차를 구하세요.

3.62　　3.07　　3.9　　3.91

(　　　　　　　　)

13 □ 안에 알맞은 수를 써넣으세요.

□ −0.56=0.36

서술형

14 우현이와 지우의 대화를 읽고 지우의 대답을 완성해 보세요.

0.71 ◯ 0.8

• 우현: 71이 8보다 크니까 0.71이 0.8보다 더 큰 소수야.

• 지우: 아니야. 0.8이 0.71보다 더 큰 소수야.

왜냐하면 ______________________

____

____

15 태우네 가족은 물을 오전에 2.5 L, 오후에 2.9 L 마셨습니다. 태우네 가족이 오늘 마신 물의 양은 모두 몇 L일까요?

( )

16 보기의 ㉠과 ㉡에 알맞은 수를 바르게 구한 것은 어느 것일까요? ⋯⋯⋯⋯ ( )

보기

$$\begin{array}{r} 3.㉠\,2 \\ +\,2.\,5\,㉡ \\ \hline 6.\,2\,\,1 \end{array}$$

① ㉠=3, ㉡=4　② ㉠=4, ㉡=5
③ ㉠=6, ㉡=5　④ ㉠=6, ㉡=9
⑤ ㉠=7, ㉡=9

서술형

17 재호는 정육점에서 쇠고기 980 g과 돼지고기 0.67 kg을 샀습니다. 재호가 산 고기는 모두 몇 kg인지 풀이 과정을 쓰고 답을 구하세요.

풀이

답 ____________

18 조건을 만족하는 소수를 쓰세요.

조건
㉠ 소수 세 자리 수입니다.
㉡ 5보다 크고 6보다 작습니다.
㉢ 소수 첫째 자리 숫자는 0, 소수 둘째 자리 숫자는 2, 소수 셋째 자리 숫자는 7입니다.

( )

19 은채와 민제가 생각하는 소수의 합을 구하세요.

( )

20 마법 주머니가 있습니다. 빨강 주머니에 들어갔다 나오면 길이가 10배가 되고 파랑 주머니에 들어갔다 나오면 길이가 $\frac{1}{10}$이 됩니다. 선영이가 110.4 cm인 장난감 기차를 파랑 주머니에 2번, 빨강 주머니에 1번 들어갔다 나오게 했습니다. 지금 선영이의 장난감은 몇 cm일까요?

( )

3 소수의 덧셈과 뺄셈

단계별로 연습하는

서술형평가

소수의 덧셈과 뺄셈

점수

01 윤호네 집에서 도서관, 공원까지의 거리를 나타낸 것입니다. 도서관과 공원 중에서 어느 곳이 집에서 몇 km 더 가까운지 구하세요.

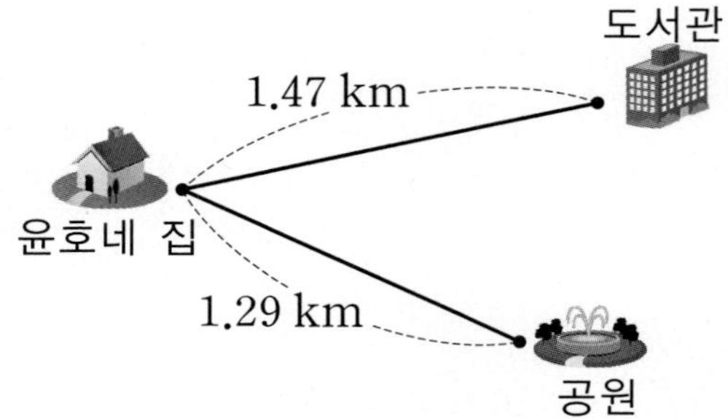

❶ 두 수의 크기를 비교하여 ○ 안에 >, =, <를 알맞게 써넣으세요.

1.47 ○ 1.29

❷ 도서관과 공원 중에서 어느 곳이 집에서 몇 km 더 가까울까요?

( ), ( )

02 ㉠이 나타내는 수는 ㉡이 나타내는 수의 몇 배인지 구하세요.

12.426 (ㄱ: 1**2**.426의 2, ㄴ: 12.4**2**6의 2)

❶ ㉠이 나타내는 수는 얼마일까요?

( )

❷ ㉡이 나타내는 수는 얼마일까요?

( )

❸ ㉠이 나타내는 수는 ㉡이 나타내는 수의 몇 배일까요?

( )

스피드 정답표 7쪽, 정답 및 풀이 31쪽

03 어떤 수에서 2.38을 빼야할 것을 잘못하여 더했더니 7.64가 되었습니다. 바르게 계산한 값을 구하세요.

❶ 어떤 수를 □라 하여 잘못 계산한 식을 쓰세요.

식 ______________________

❷ 어떤 수는 얼마일까요?

( )

❸ 바르게 계산한 값은 얼마일까요?

( )

04 카드를 한 번씩 모두 사용하여 소수 두 자리 수를 만들려고 합니다. 만들 수 있는 가장 큰 수와 가장 작은 수의 차를 구하세요.

2 8 5 .

❶ 만들 수 있는 가장 큰 수를 구하세요.

( )

❷ 만들 수 있는 가장 작은 수를 구하세요.

( )

❸ 만들 수 있는 가장 큰 수와 가장 작은 수의 차를 구하세요.

( )

풀이 과정을 직접 쓰는

서술형평가

소수의 덧셈과 뺄셈

점수

01 유미네 집에서 공원, 우체국까지의 거리를 나타낸 것입니다. 공원과 우체국 중에서 어느 곳이 집에서 몇 km 더 가까운지 풀이 과정을 쓰고 답을 구하세요.

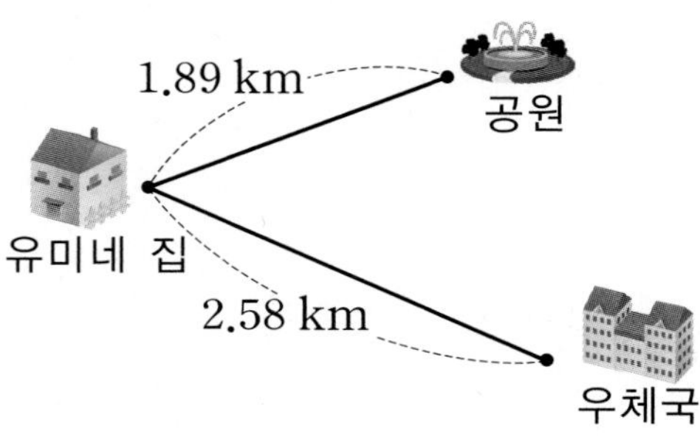

풀이

답 ______________, ______________

어떻게 풀까요?

소수의 크기를 비교하여 더 가까운 곳을 찾고 더 큰 수에서 더 작은 수를 빼어 몇 km 더 가까운지 구할 수 있습니다.

02 ㉠이 나타내는 수는 ㉡이 나타내는 수의 몇 배인지 풀이 과정을 쓰고 답을 구하세요.

24.584 (둘째 자리 4: ㉠, 마지막 자리 4: ㉡)

풀이

답 ______________

어떻게 풀까요?

먼저 ㉠과 ㉡이 나타내는 수를 각각 구하여 봅니다.

03 어떤 수에 3.26을 더해야 할 것을 잘못하여 뺐더니 4.510이 되었습니다. 바르게 계산한 값은 얼마인지 풀이 과정을 쓰고 답을 구하세요.

풀이

답 ______________

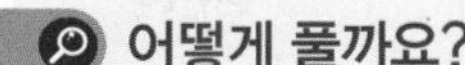

어떤 수를 □로 하여 잘못 계산한 식을 만들어 어떤 수를 구하여 바르게 계산하여 봅니다.

04 카드를 한 번씩 모두 사용하여 소수 두 자리 수를 만들려고 합니다. 만들 수 있는 가장 큰 수와 가장 작은 수의 합은 얼마인지 풀이 과정을 쓰고 답을 구하세요.

.

풀이

답 ______________

어떻게 풀까요?

- 가장 큰 소수 두 자리 수는 일의 자리, 소수 첫째 자리, 소수 둘째 자리 순서로 큰 수부터 차례로 놓습니다.
- 가장 작은 소수 두 자리 수는 일의 자리, 소수 첫째 자리, 소수 둘째 자리 순서로 작은 수부터 차례로 놓습니다.

05 정삼각형의 세 변의 길이의 합은 몇 cm인지 풀이 과정을 쓰고 답을 구하세요.

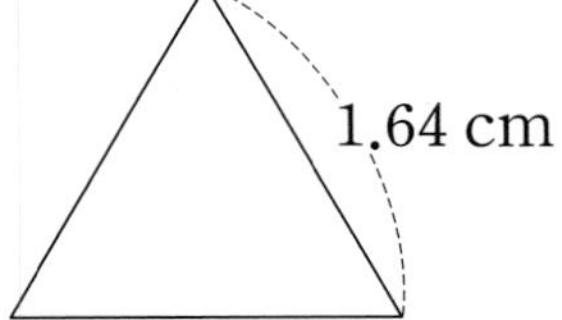

풀이

답 ______________

어떻게 풀까요?

정삼각형은 세 변의 길이가 모두 같으므로 세 변의 길이의 합은 한 변의 길이를 세 번 더하여 구할 수 있습니다.

소수의 덧셈과 뺄셈

• 스피드 정답표 7쪽, 정답 및 풀이 32쪽

오답률 44%

01 빈 곳에 알맞은 수를 써넣으세요.

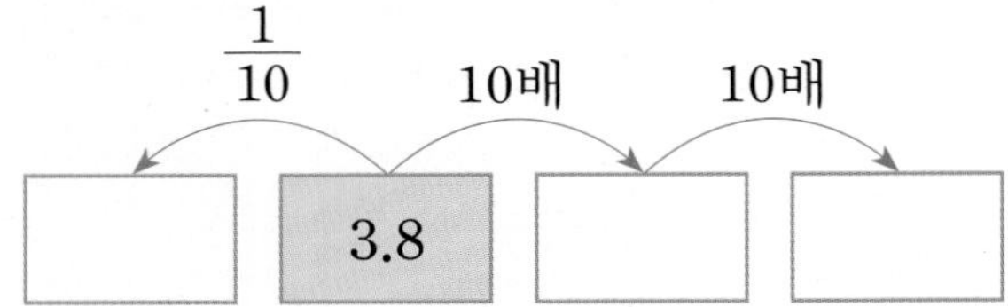

오답률 49%

02 다른 수를 나타내는 것을 찾아 기호를 쓰세요.

㉠ 730의 $\frac{1}{100}$

㉡ 0.73의 10배

㉢ 7.3의 $\frac{1}{10}$

(　　　　　　　　)

오답률 49%

03 빈 곳에 알맞은 수를 써넣으세요.

2.4	−1.67		+5.9	

오답률 53%

04 카드를 한 번씩 모두 사용하여 소수 두 자리 수를 만들려고 합니다. 만들 수 있는 가장 큰 수와 가장 작은 수의 합을 구하세요.

1	6	8	.

(　　　　　　　　)

오답률 67%

05 ㉠에 알맞은 수를 구하세요.

$2.14+㉠=5.67-1.38$

(　　　　　　　　)

4

사각형

4단원 개념정리

사각형

개념 1 수직과 수선

- 수직과 수선 알아보기
  - 두 직선이 만나서 이루는 각이 직각일 때, 두 직선은 서로 수직이라고 합니다.
  - 두 직선이 서로 수직으로 만나면 한 직선을 다른 직선에 대한 수선이라고 합니다.

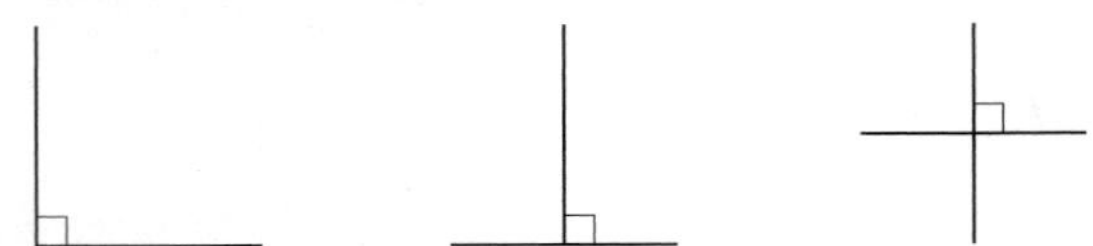

- 삼각자를 사용하여 수선 긋기

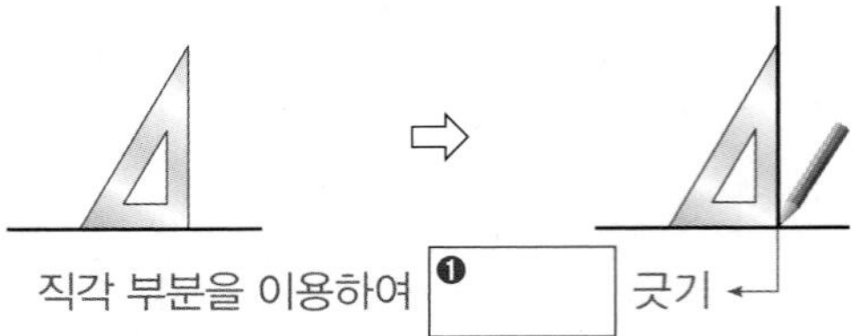

직각 부분을 이용하여 ❶ [   ] 긋기

개념 2 평행과 평행선

- 평행과 평행선 알아보기
  - 한 직선에 수직인 두 직선을 그었을 때, 그 두 직선은 서로 만나지 않습니다. 이와 같이 서로 만나지 않는 두 직선을 평행하다고 합니다.
  - 평행선: 평행한 두 직선

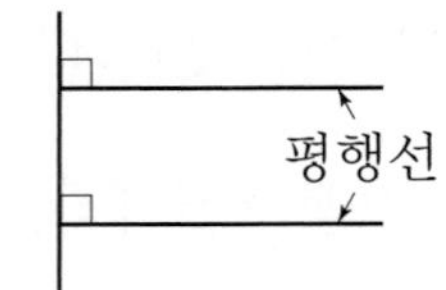

- 삼각자를 사용하여 평행선 긋기

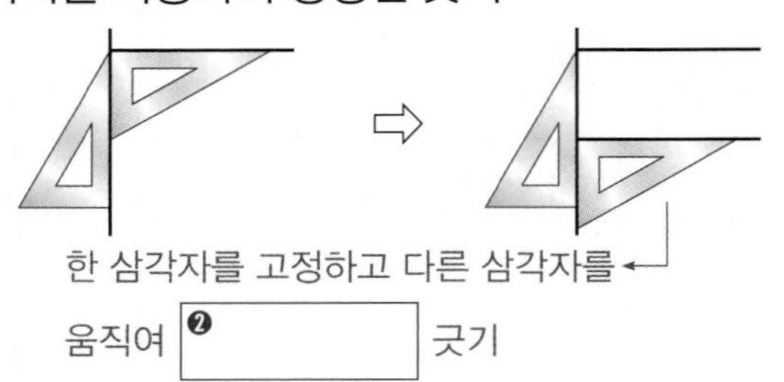

한 삼각자를 고정하고 다른 삼각자를 움직여 ❷ [   ] 긋기

개념 3 평행선 사이의 거리

- 평행선 사이의 거리: 평행선의 한 직선에서 다른 직선에 그은 수선의 길이

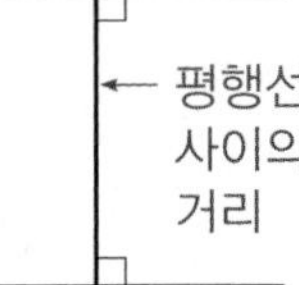

개념 4 사다리꼴

- 사다리꼴: 평행한 변이 한 쌍이라도 있는 사각형

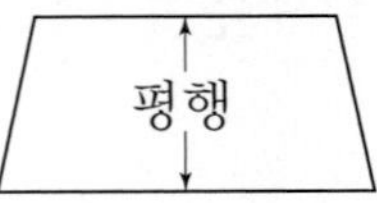

개념 5 평행사변형

- 평행사변형: 마주 보는 두 쌍의 변이 서로 평행한 사각형

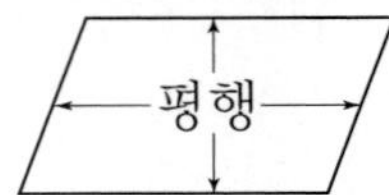

- 평행사변형의 성질
  - 마주 보는 두 변의 길이가 같습니다.
  - 마주 보는 두 각의 크기가 같습니다.
  - 이웃한 두 각의 크기의 합이 180°입니다.

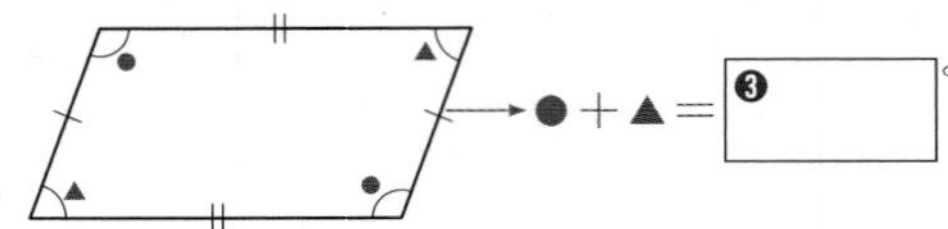

개념 6 마름모

- 마름모: 네 변의 길이가 모두 같은 사각형

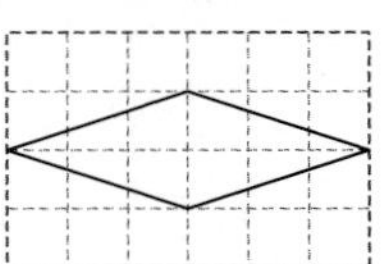

- 마름모의 성질
  - 마주 보는 두 각의 크기가 같습니다.
  - 이웃한 두 각의 크기의 합이 180°입니다.
  - 마주 보는 꼭짓점끼리 이은 선분이 서로 수직으로 만나고 이등분합니다.

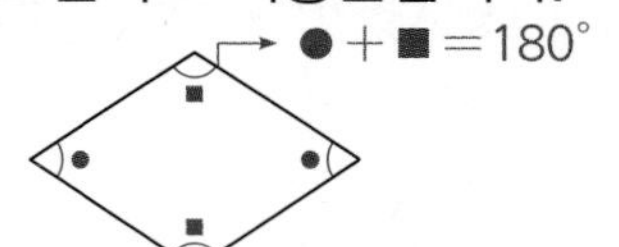

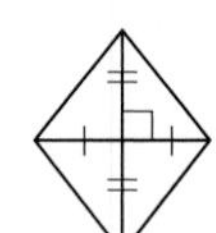

개념 7 여러 가지 사각형 알아보기

- 직사각형의 성질
  - 마주 보는 두 변의 길이가 같고 네 각이 모두 직각입니다.
- 정사각형의 성질
  - 네 변의 길이가 모두 같고 네 각이 모두 직각입니다.
  - 마주 보는 두 쌍의 변이 서로 평행합니다.

| 정답 | ❶ 수선 ❷ 평행선 ❸ 180

쪽지시험 1회

사각형

점수

▶ 수직과 수선 ~ 평행과 평행선

스피드 정답표 8쪽, 정답 및 풀이 32쪽

[01 ~ 02] 그림을 보고 □ 안에 알맞은 기호를 써넣으세요.

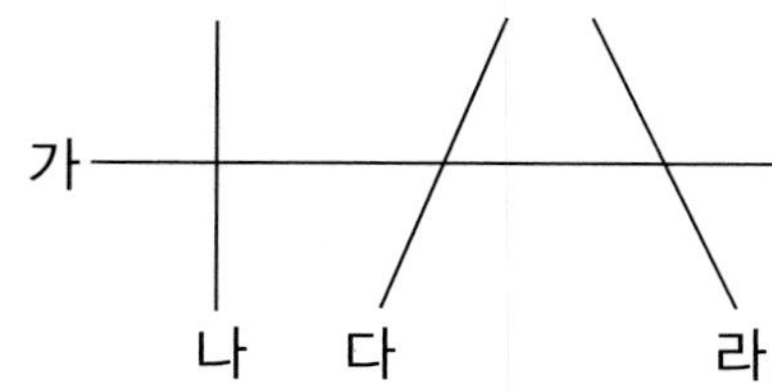

01 직선 가에 수직인 직선은 직선 □입니다.

02 직선 나에 대한 수선은 직선 □입니다.

03 두 직선이 서로 수직인 것에 ○표 하세요.

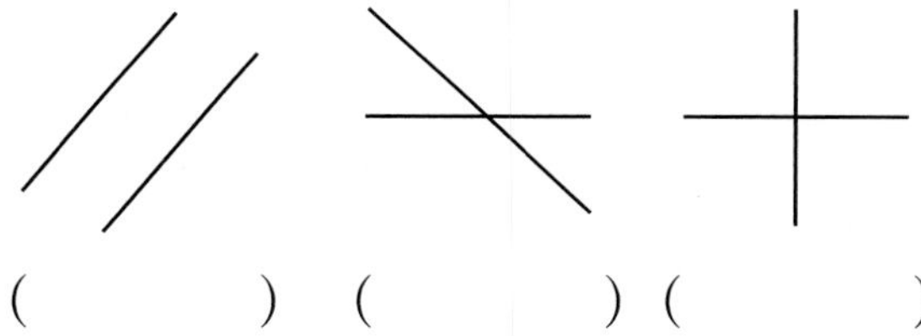

( ) ( ) ( )

04 두 직선이 서로 평행한 것에 ○표 하세요.

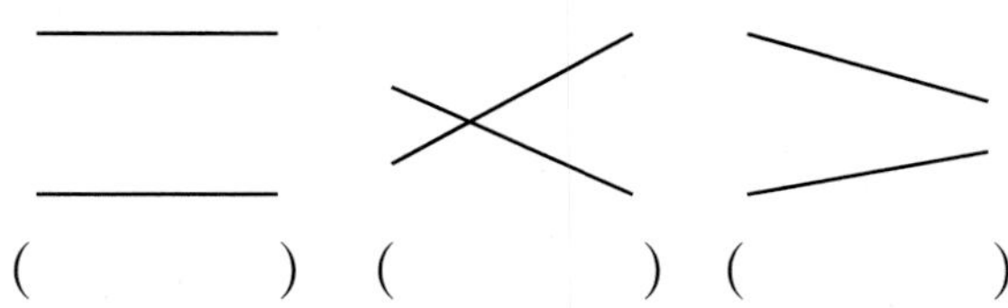

( ) ( ) ( )

05 직선 가에 수직인 직선은 모두 몇 개일까요?

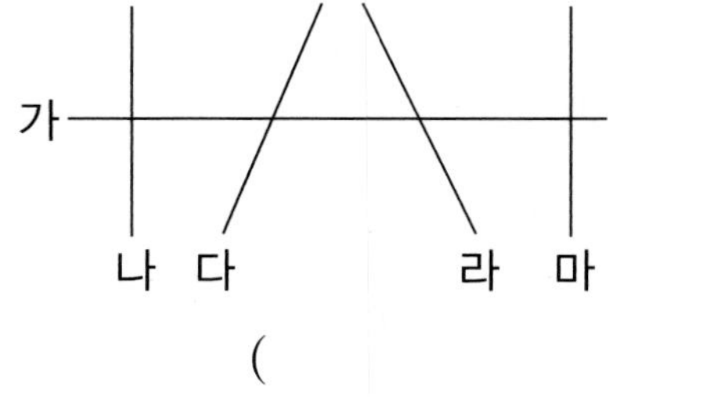

( )

06 그림에서 서로 평행한 직선을 찾아 쓰세요.

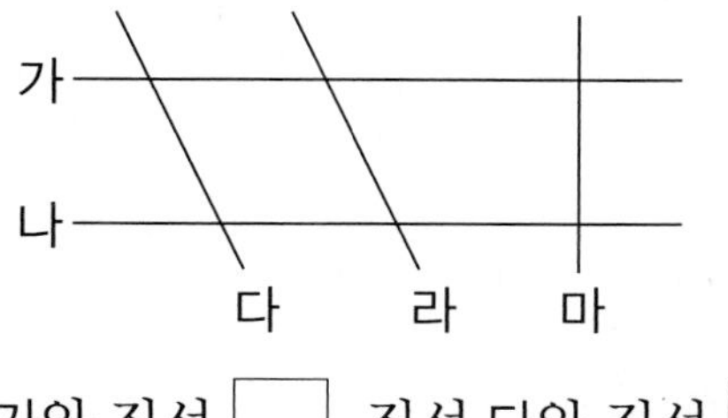

직선 가와 직선 □, 직선 다와 직선 □

07 오른쪽 도형에서 변 ㄱㄹ과 수직인 변을 모두 찾아 쓰세요.

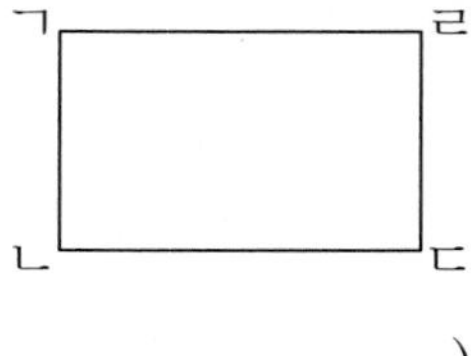

( )

08 오른쪽 도형에서 서로 평행한 변을 찾아 쓰세요.

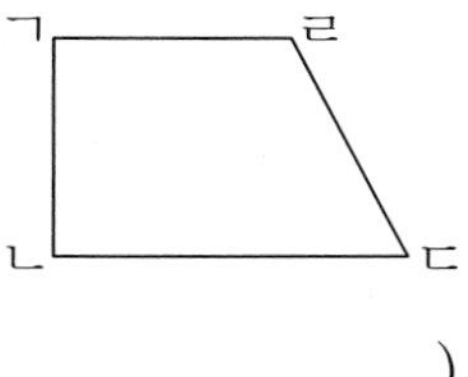

( )

09 삼각자를 사용하여 주어진 직선에 대한 수선을 그어 보세요.

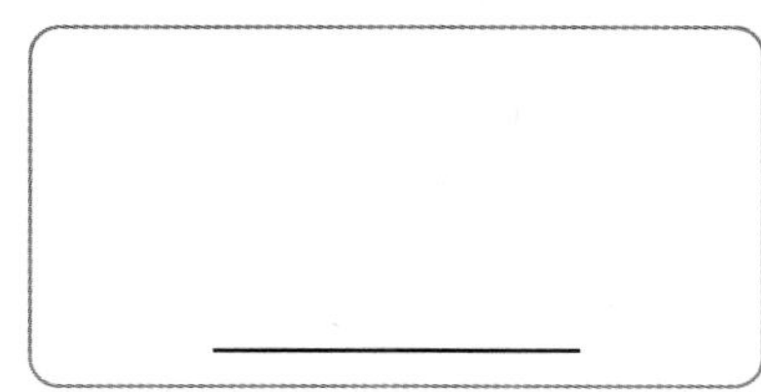

10 삼각자를 사용하여 주어진 직선과 평행한 직선을 그어 보세요.

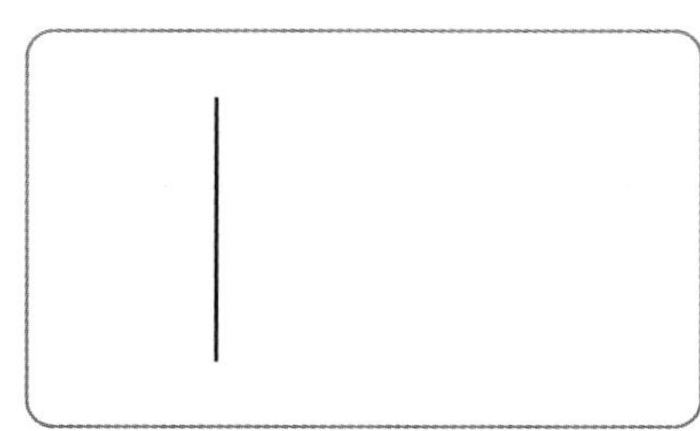

쪽지시험 2회

사각형

점수

▶ 평행선 사이의 거리 ~ 사다리꼴

스피드 정답표 8쪽, 정답 및 풀이 32쪽

[01 ~ 02] 사각형을 보고 물음에 답하세요.

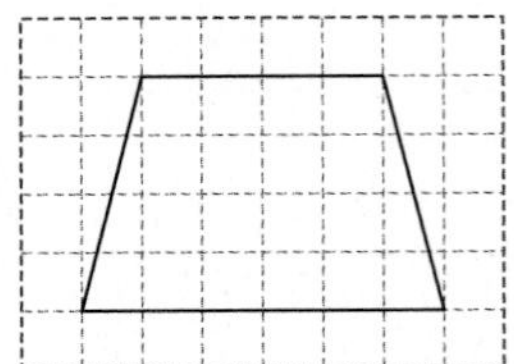

01 서로 평행한 변을 찾아 ○표 하세요.

02 위와 같은 사각형을 무엇이라고 할까요?

(　　　　　　　　　　)

03 직선 가와 직선 나는 서로 평행합니다. 평행선 사이의 거리를 바르게 나타낸 것을 찾아 기호를 쓰세요.

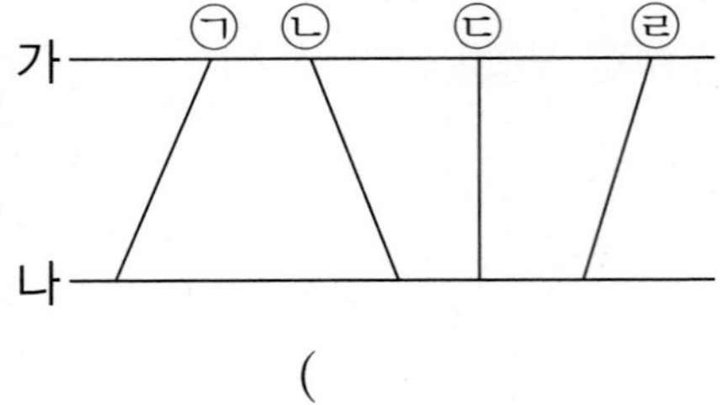

(　　　　　　　　　　)

04 사다리꼴을 찾아 기호를 쓰세요.

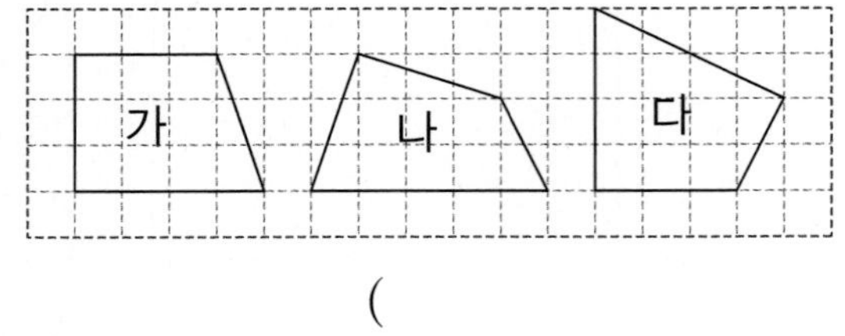

(　　　　　　　　　　)

05 직선 가와 직선 나는 서로 평행합니다. 평행선 사이의 거리는 몇 cm일까요?

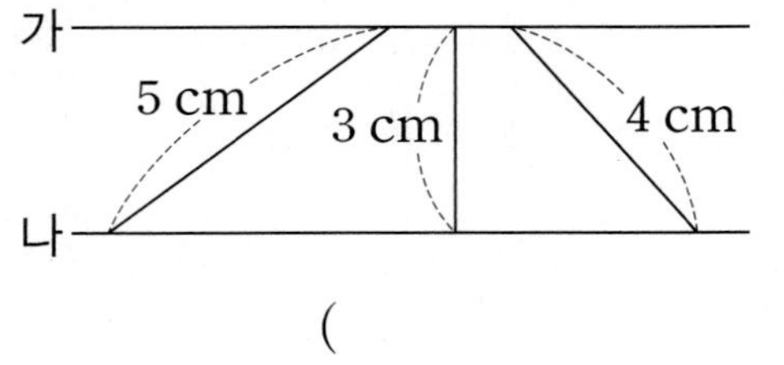

(　　　　　　　　　　)

06 사다리꼴이 아닌 것을 모두 찾아 기호를 쓰세요.

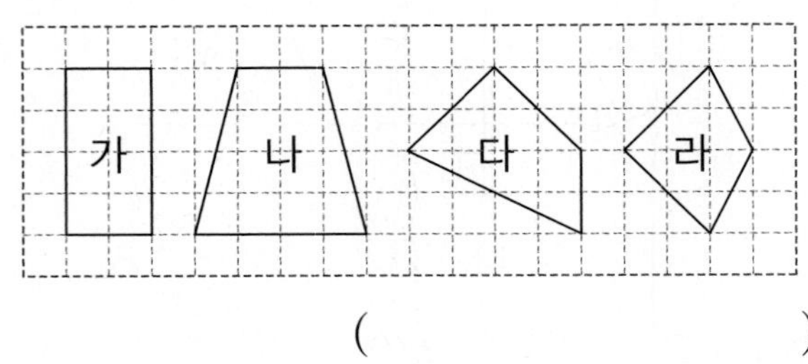

(　　　　　　　　　　)

[07 ~ 08] 평행선 사이의 거리는 몇 cm인지 자로 재어 보세요.

07

(　　　　　　　　　　)

08

(　　　　　　　　　　)

[09 ~ 10] 도형에서 평행선 사이의 거리는 몇 cm인지 구하세요.

09

5 cm
6 cm
4 cm

(　　　　　　　　　　)

10

9 cm
5 cm
7 cm

(　　　　　　　　　　)

쪽지시험 3회

사각형

점수

▶ 평행사변형 ~ 마름모

스피드 정답표 8쪽, 정답 및 풀이 33쪽

01 평행사변형을 모두 찾아 기호를 쓰세요.

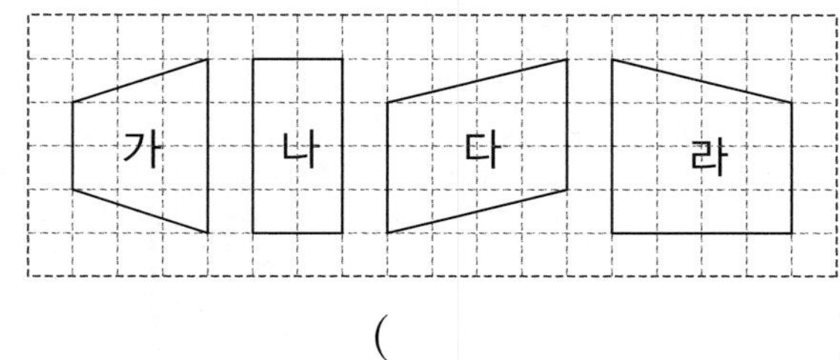

(　　　　　　　　)

02 마름모를 모두 찾아 기호를 쓰세요.

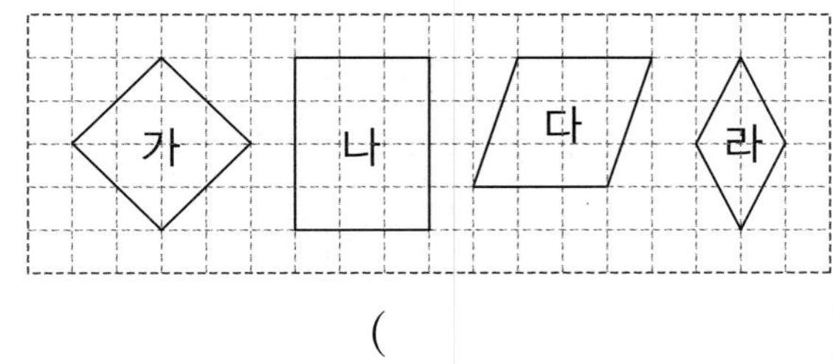

(　　　　　　　　)

[03 ~ 05] 마름모를 보고 물음에 답하세요.

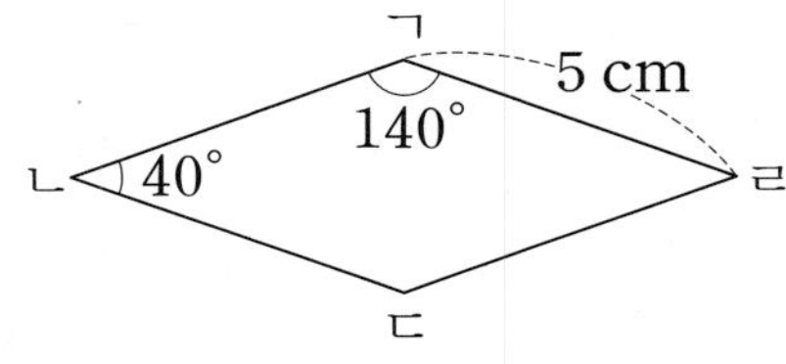

03 변 ㄱㄴ과 평행한 변을 찾아 쓰세요.

(　　　　　　　　)

04 변 ㄷㄹ의 길이는 몇 cm일까요?

(　　　　　　　　)

05 각 ㄱㄹㄷ의 크기는 몇 도일까요?

(　　　　　　　　)

[06 ~ 07] 평행사변형입니다. □ 안에 알맞은 수를 써넣으세요.

06

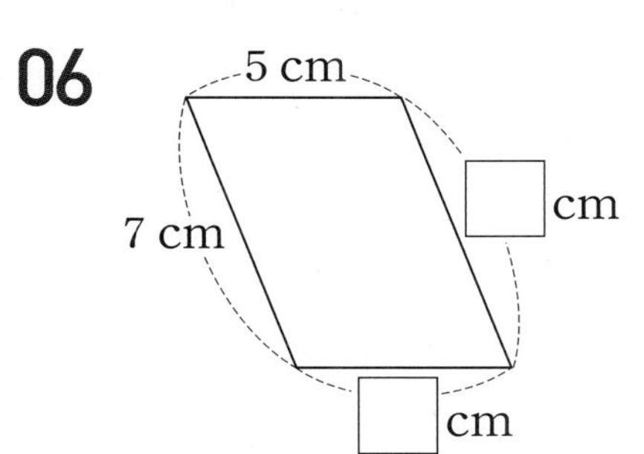

07

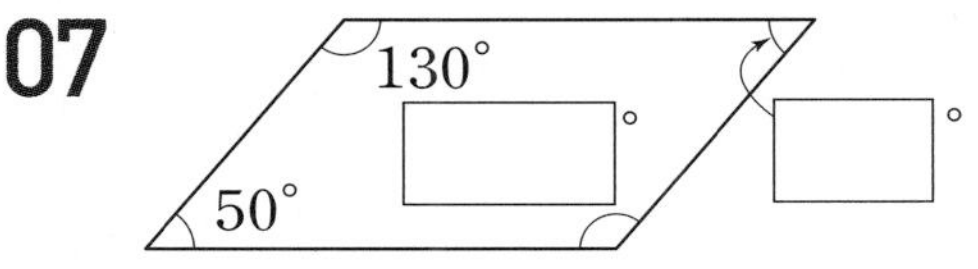

[08 ~ 09] 마름모입니다. □ 안에 알맞은 수를 써넣으세요.

08

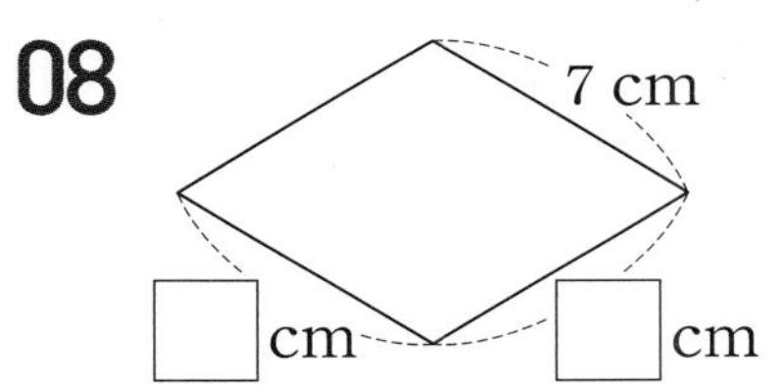

09

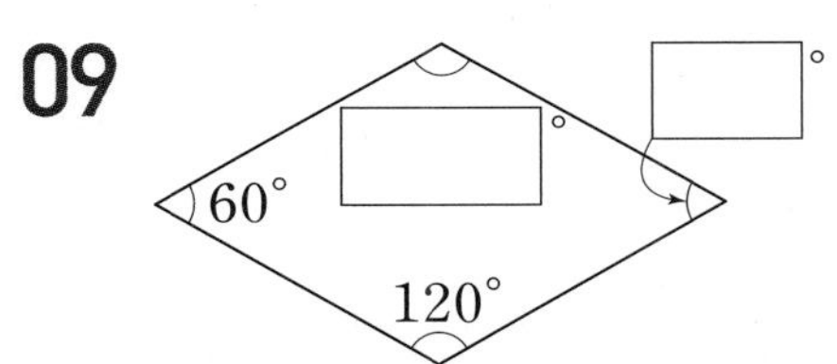

10 평행사변형의 네 변의 길이의 합은 몇 cm일까요?

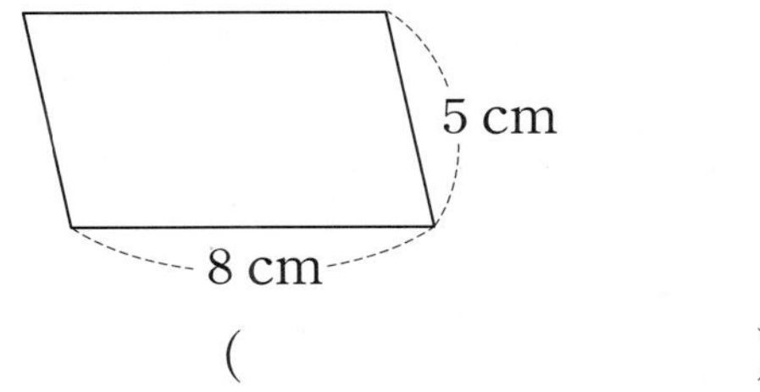

(　　　　　　　　)

쪽지시험 4회

사각형

점수

▶ 여러 가지 사각형 알아보기

스피드 정답표 8쪽, 정답 및 풀이 33쪽

[01 ~ 04] 여러 가지 도형을 보고 물음에 답하세요.

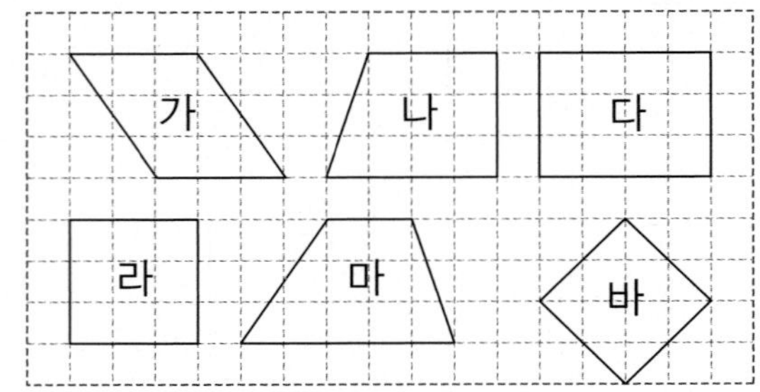

01 평행사변형을 모두 찾아 기호를 쓰세요.

( )

02 마름모를 모두 찾아 기호를 쓰세요.

( )

03 직사각형을 모두 찾아 기호를 쓰세요.

( )

04 정사각형을 모두 찾아 기호를 쓰세요.

( )

05 정사각형을 직사각형이라고 할 수 있을까요, 없을까요?

( )

06 직사각형입니다. □ 안에 알맞은 수를 써넣으세요.

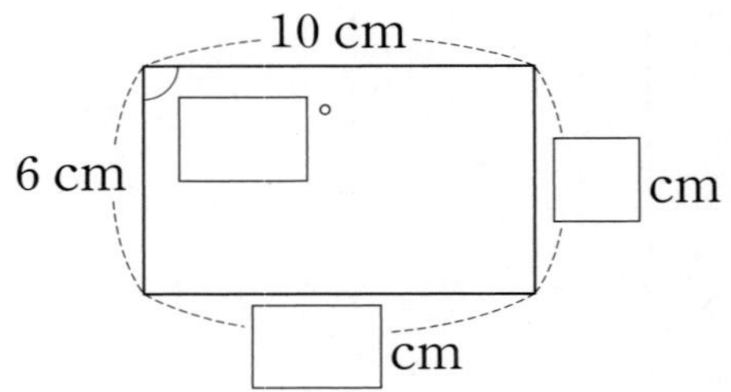

07 정사각형입니다. □ 안에 알맞은 수를 써넣으세요.

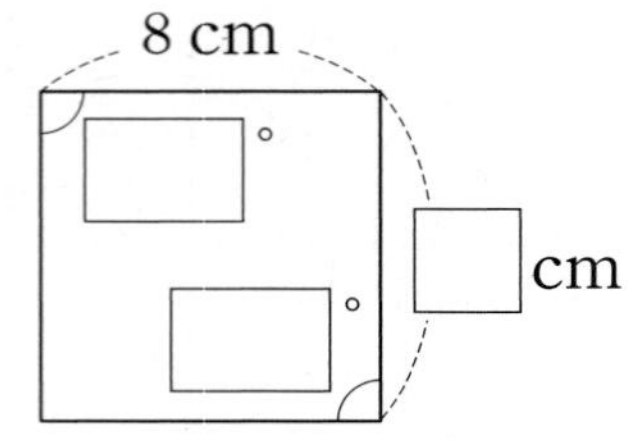

08 다음 도형의 이름이 될 수 있는 것에 모두 ○표 하세요.

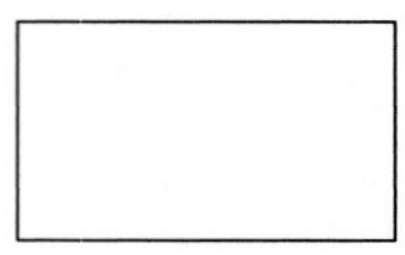

정사각형 사다리꼴 마름모
평행사변형 직사각형

[09 ~ 10] 설명이 옳은 것은 ○표, 틀린 것은 ×표 하세요.

09 직사각형은 마름모입니다.

( )

10 평행사변형은 사다리꼴입니다.

( )

난이도 A B C

단원평가 1회

사각형

점수

스피드 정답표 8쪽, 정답 및 풀이 33쪽

[01 ~ 02] 그림을 보고 물음에 답하세요.

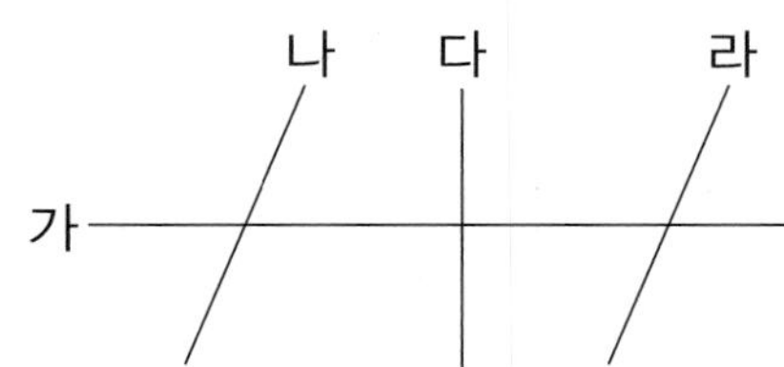

01 □ 안에 알맞은 말을 써넣으세요.

직선 다는 직선 가에 대한 □입니다.

02 직선 라와 평행한 직선을 찾아 쓰세요.

( )

[03 ~ 04] 도형을 보고 물음에 답하세요.

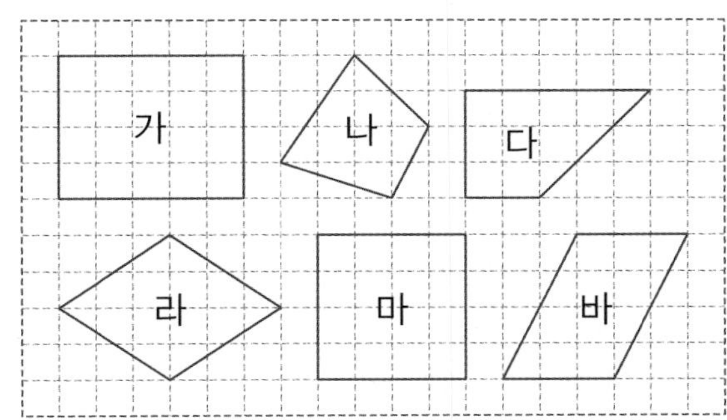

03 사다리꼴을 모두 찾아 기호를 쓰세요.

( )

04 평행사변형을 모두 찾아 기호를 쓰세요.

( )

05 점 ㄱ을 지나고 직선 가에 대한 수선을 그으려고 합니다. 점 ㄱ과 어느 점을 이어야 할까요? ·························( )

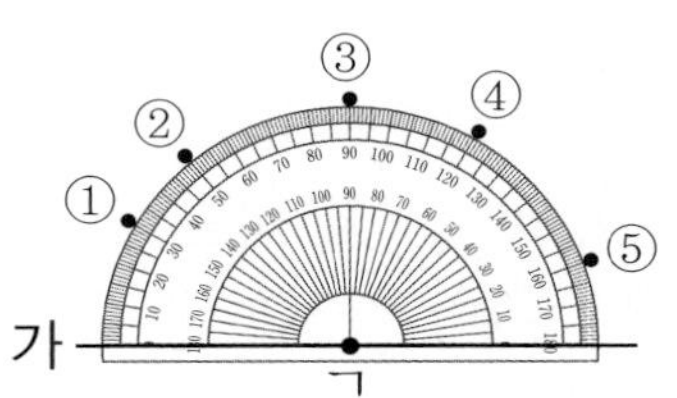

06 변 ㄱㄴ과 수직인 변을 모두 찾아 쓰세요.

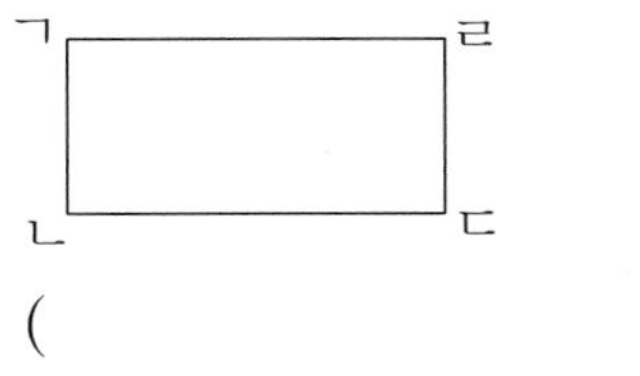

( )

07 평행선은 모두 몇 쌍일까요?

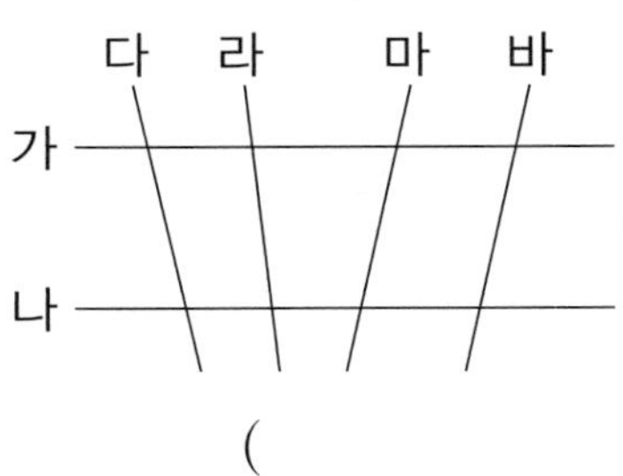

( )

[08 ~ 09] 그림을 보고 물음에 답하세요.

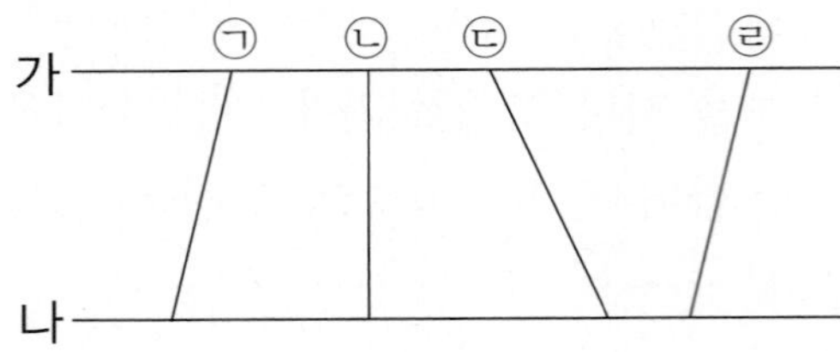

08 직선 가와 직선 나는 서로 평행합니다. 평행선 사이의 거리를 바르게 나타낸 것을 찾아 기호를 쓰세요.

( )

09 평행선 사이의 거리는 몇 cm인지 자로 재어 보세요.

( )

10 삼각자를 사용하여 평행선을 바르게 그은 것에 ○표 하세요.

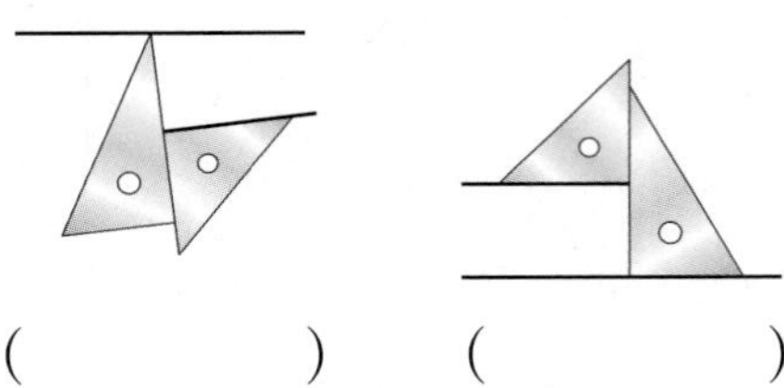

( ) ( )

11 평행사변형입니다. □ 안에 알맞은 수를 써넣으세요.

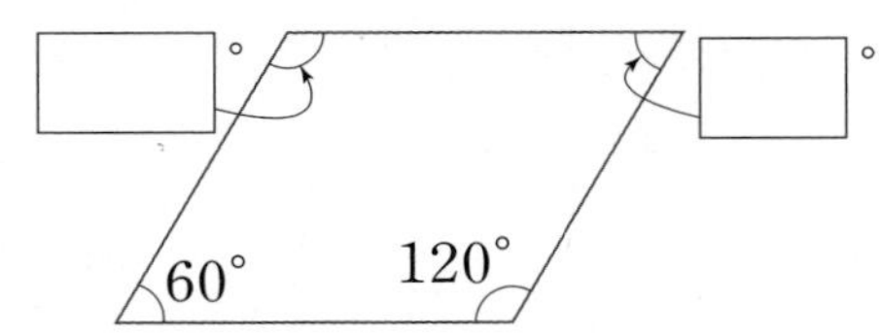

12 직사각형입니다. □ 안에 알맞은 수를 써넣으세요.

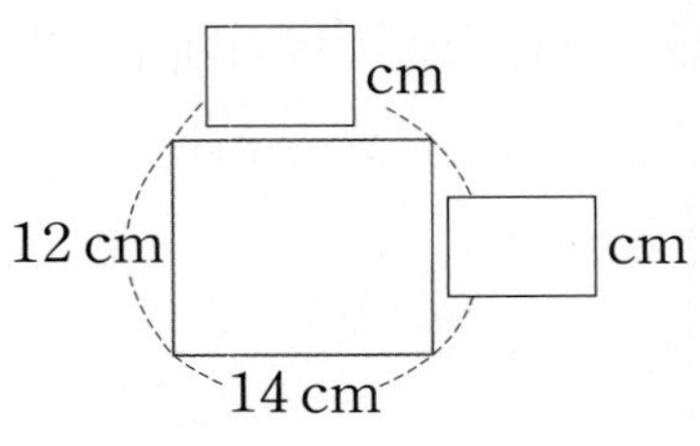

13 직선 ㄱㄴ과 평행한 직선은 몇 개 그을 수 있을까요? ························( )

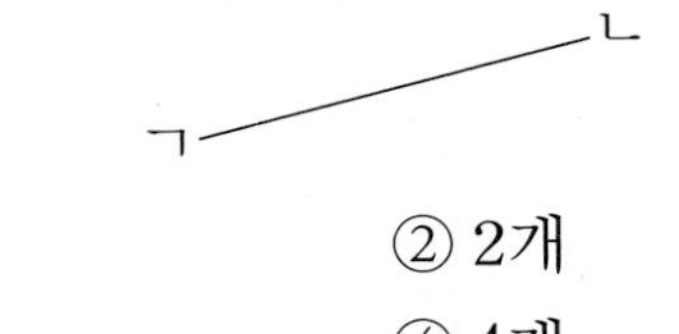

① 1개 ② 2개
③ 3개 ④ 4개
⑤ 셀 수 없이 많이 그을 수 있습니다.

14 마름모입니다. □ 안에 알맞은 수를 써넣으세요.

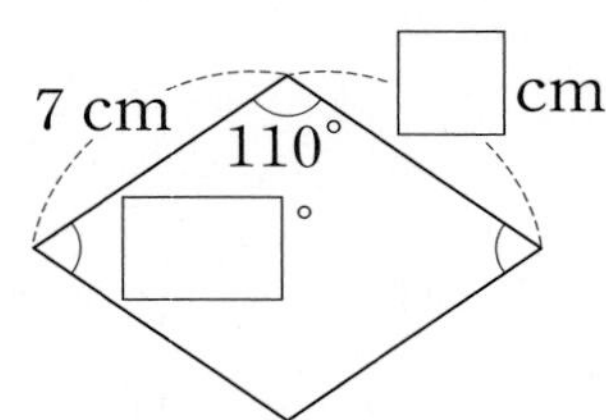

15 도형에서 평행선 사이의 거리는 몇 cm일까요?

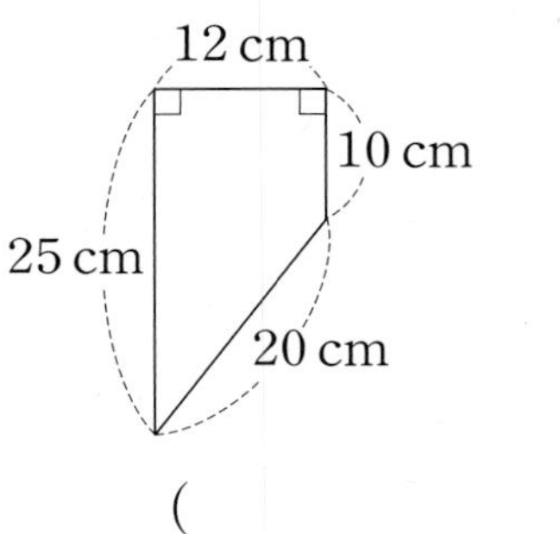

( )

16 주어진 직선에 대한 수선을 그어 보세요.

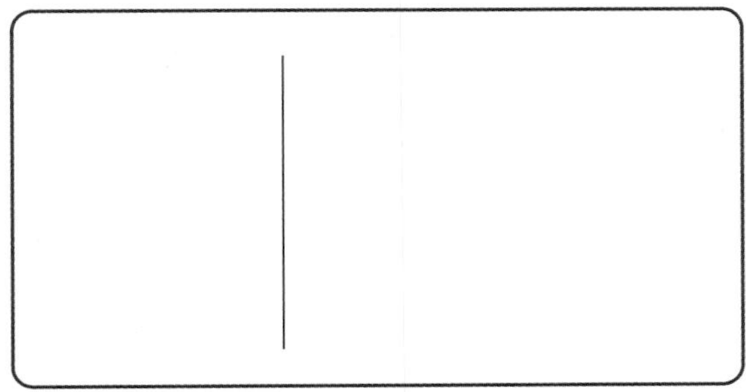

17 직사각형과 정사각형에 대한 설명입니다. 옳은 것을 찾아 기호를 쓰세요.

㉠ 직사각형은 정사각형입니다.
㉡ 직사각형은 마름모입니다.
㉢ 정사각형은 마주 보는 두 각의 크기가 다릅니다.
㉣ 정사각형은 직사각형입니다.

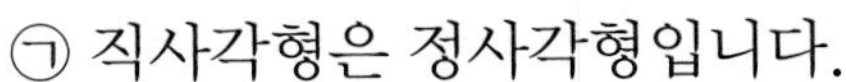

( )

18 직사각형 모양의 종이띠를 선을 따라 잘랐을 때 잘라 낸 도형들 중 사다리꼴은 모두 몇 개일까요?

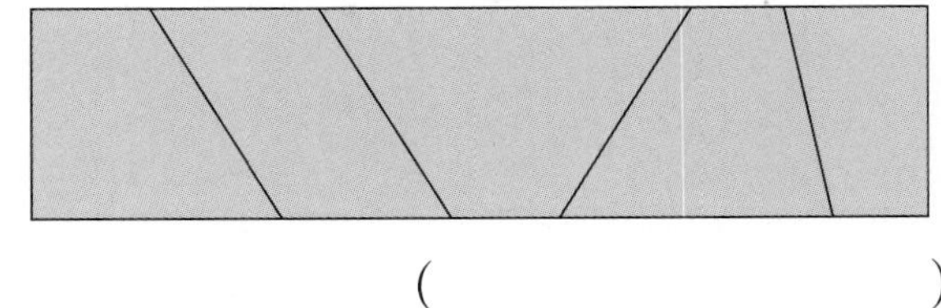

( )

19 네 변의 길이의 합이 28 cm인 평행사변형입니다. 변 ㄷㄹ의 길이는 몇 cm일까요?

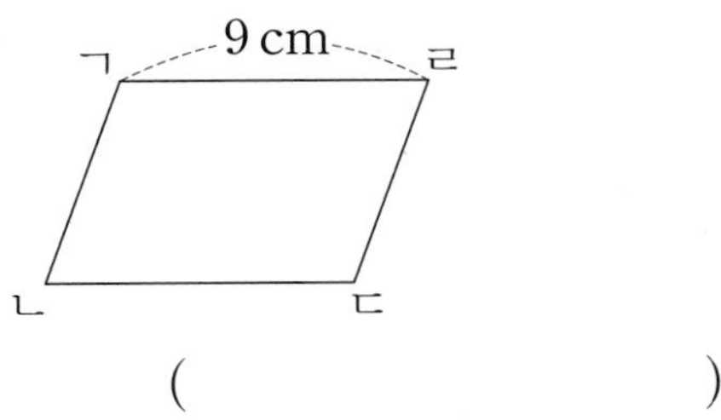

( )

20 선분 ㄴㅁ은 선분 ㅁㄷ에 대한 수선입니다. 각 ㄴㅁㄱ의 크기를 구하세요.

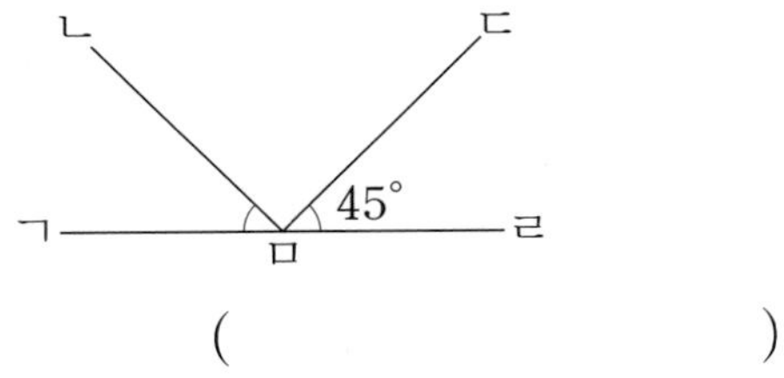

( )

4 사각형

단원평가 2회

사각형

점수

스피드 정답표 8쪽, 정답 및 풀이 34쪽

01 두 직선이 서로 수직인 것은 어느 것일까요? ·································· (　　　　)

① 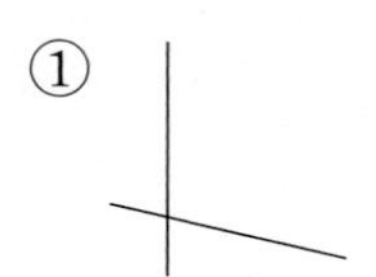
② 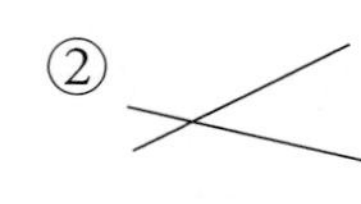
③ 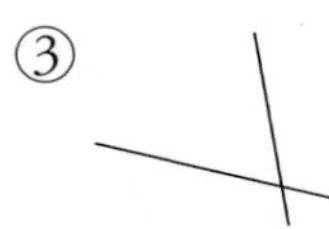
④ 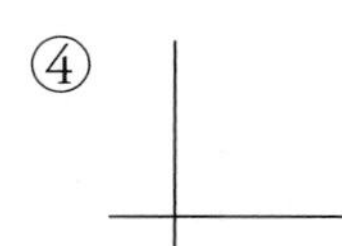
⑤ 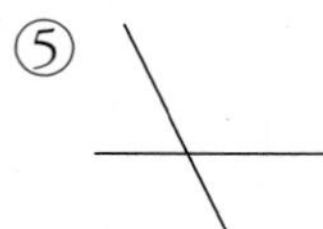

[02 ~ 03] 그림을 보고 □ 안에 알맞은 말을 써넣으세요.

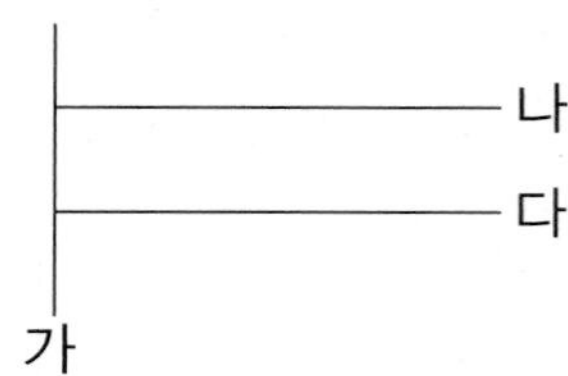

02 직선 가와 직선 나는 서로 □입니다.

03 직선 나와 직선 다는 서로 □합니다.

04 사다리꼴을 찾아 기호를 쓰세요.

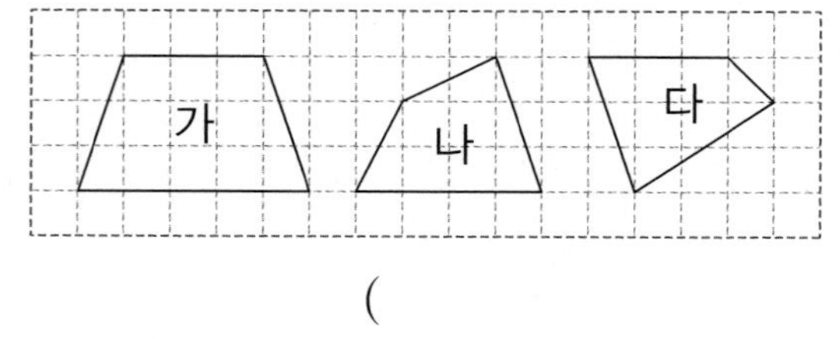

(　　　　　　　　　　)

[05 ~ 07] 사각형을 보고 물음에 답하세요.

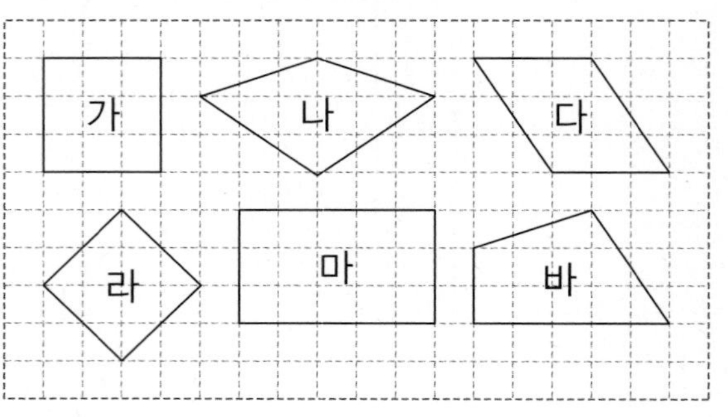

05 평행사변형을 모두 찾아 기호를 쓰세요.

(　　　　　　　　　　)

06 마름모를 모두 찾아 기호를 쓰세요.

(　　　　　　　　　　)

07 직사각형과 정사각형을 모두 찾아 빈칸에 기호를 쓰세요.

직사각형	정사각형

08 그림에서 직선 가에 대한 수선을 찾아 쓰세요.

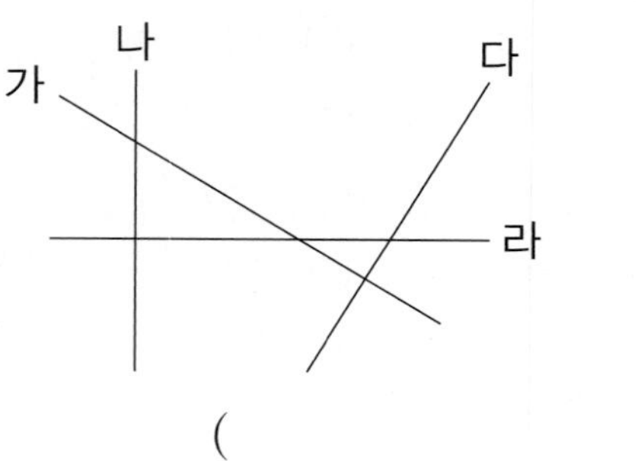

(　　　　　　　　　　)

09 서로 평행한 직선은 모두 몇 쌍일까요?

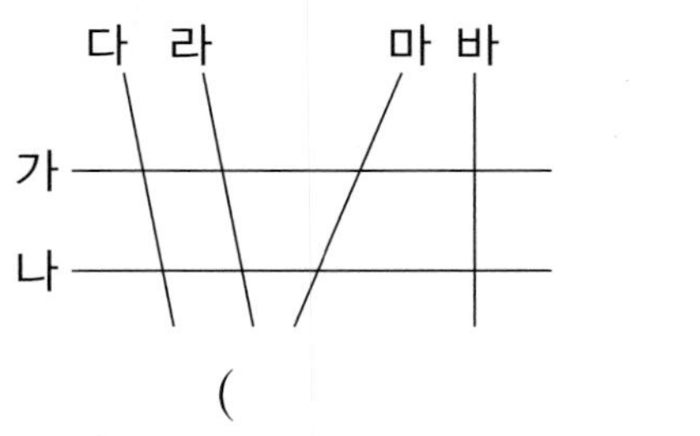

( )

10 평행선 사이의 거리를 나타내는 선분을 찾아 기호를 쓰세요.

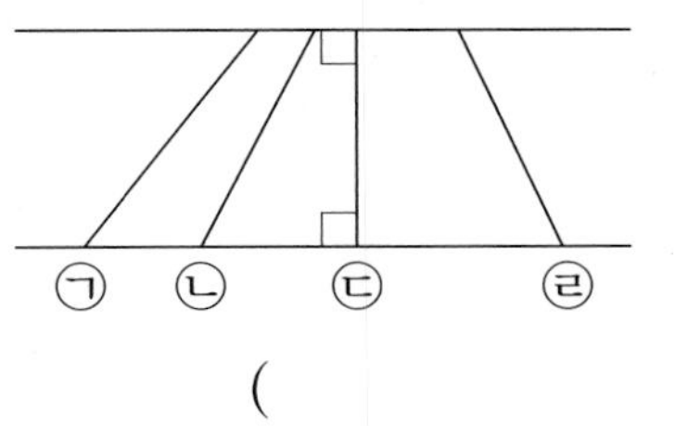

( )

11 사다리꼴입니다. 서로 평행한 변을 찾아 쓰세요.

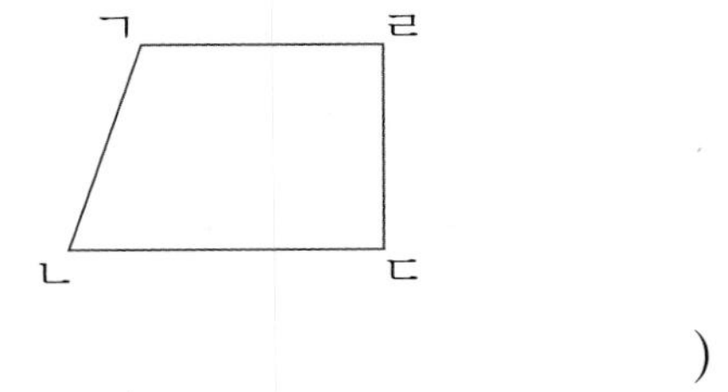

( )

12 평행사변형입니다. □ 안에 알맞은 수를 써넣으세요.

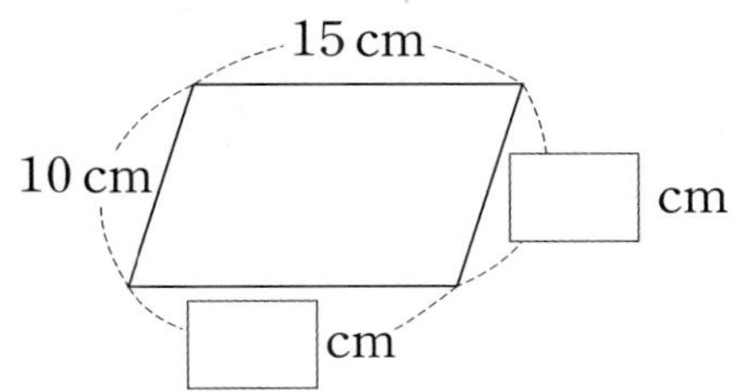

13 마름모입니다. □ 안에 알맞은 수를 써넣으세요.

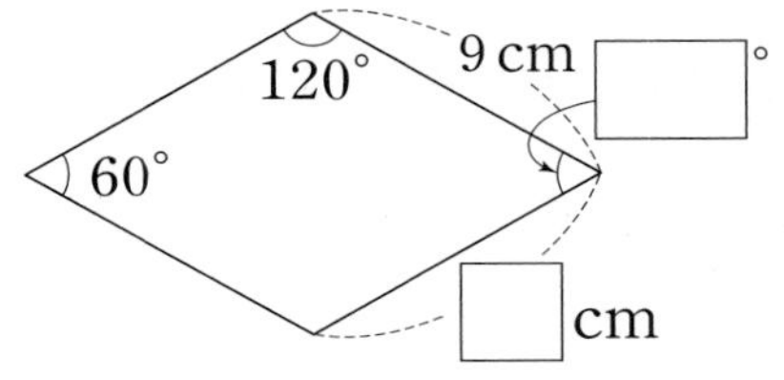

14 사각형 ㄱㄴㄷㄹ에 대한 설명으로 틀린 것은 어느 것일까요? ··············· ( )

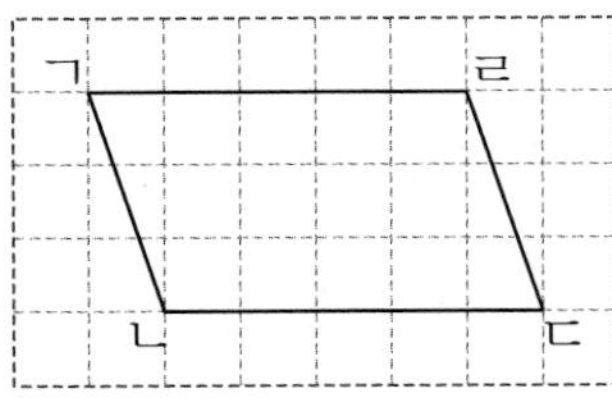

① 평행사변형입니다.
② 서로 평행한 변이 2쌍 있습니다.
③ 마주 보는 두 각의 크기가 같습니다.
④ 변 ㄱㄹ과 변 ㄴㄷ은 길이가 같습니다.
⑤ 각 ㄱㄴㄷ과 각 ㄴㄷㄹ의 크기는 같습니다.

단원평가 2회

15 도형에서 평행선 사이의 거리는 몇 cm일까요?

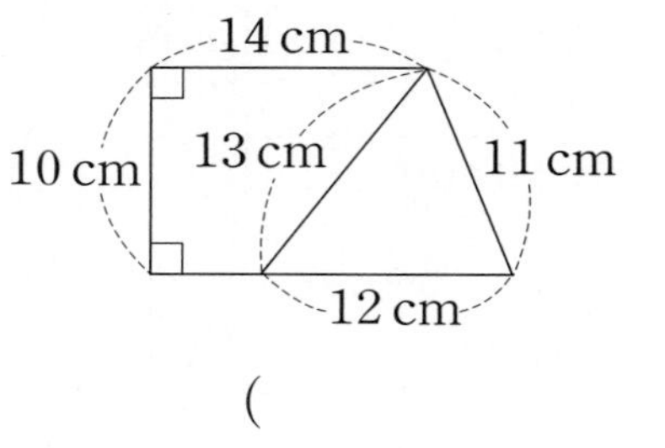

( )

16 점 종이에서 도형의 한 꼭짓점만 옮겨서 평행사변형을 만들어 보세요.

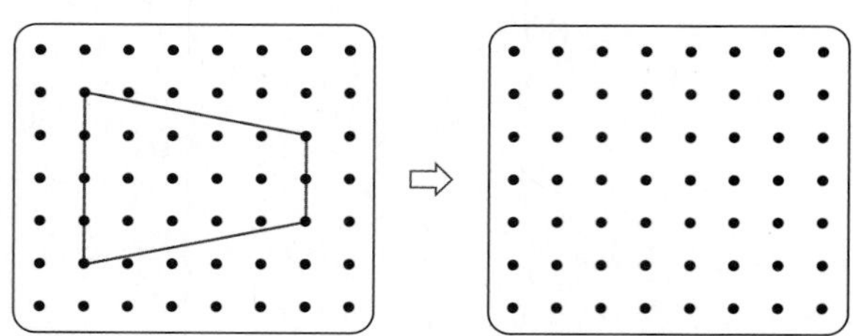

17 평행선 사이의 거리가 2 cm가 되도록 주어진 직선과 평행한 직선을 그어 보세요.

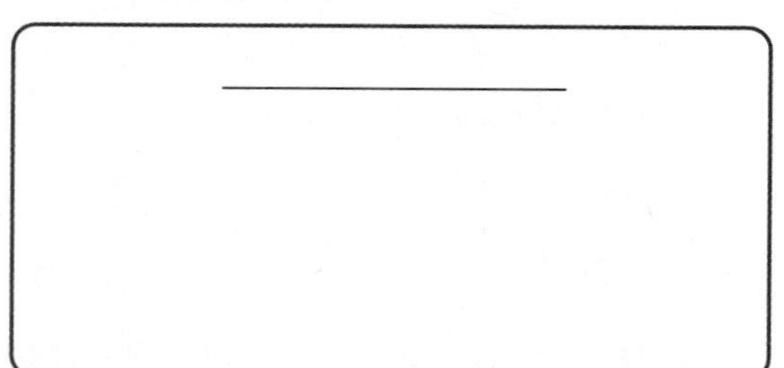

18 마름모의 네 변의 길이의 합은 몇 cm일까요?

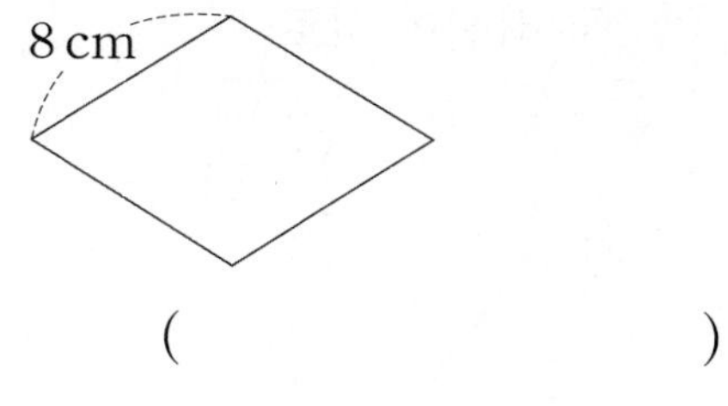

( )

19 다음 설명에 알맞은 사각형의 이름을 쓰세요.

- 마주 보는 두 쌍의 변이 서로 평행합니다.
- 네 각의 크기가 모두 같습니다.
- 네 변의 길이가 모두 같습니다.

( )

20 도형에서 변 ㄱㄴ과 평행한 변을 모두 찾아 쓰세요.

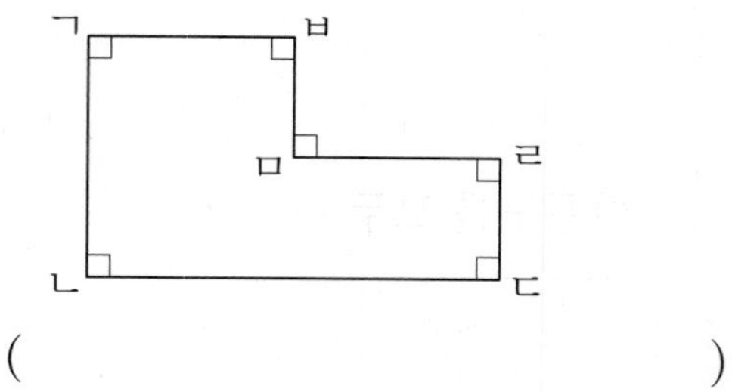

( )

난이도 A B C

단원평가 3회

사각형

점수

스피드 정답표 9쪽, 정답 및 풀이 34쪽

01 두 직선이 서로 평행한 것은 어느 것일까요? ··································· (　　　　)

① 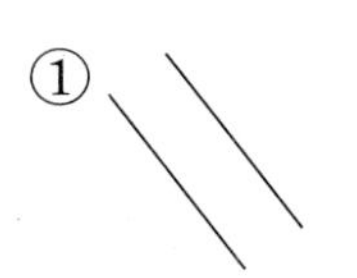

② 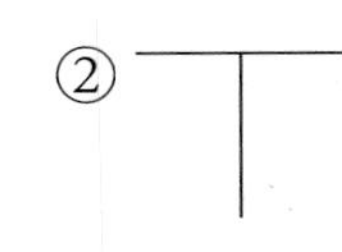

③ 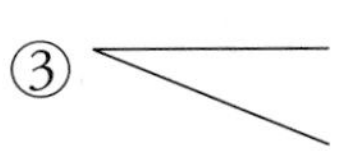

④

⑤ 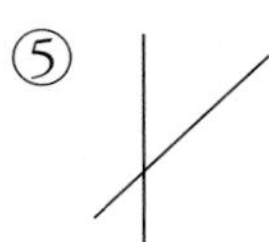

[02 ~ 03] 그림을 보고 물음에 답하세요.

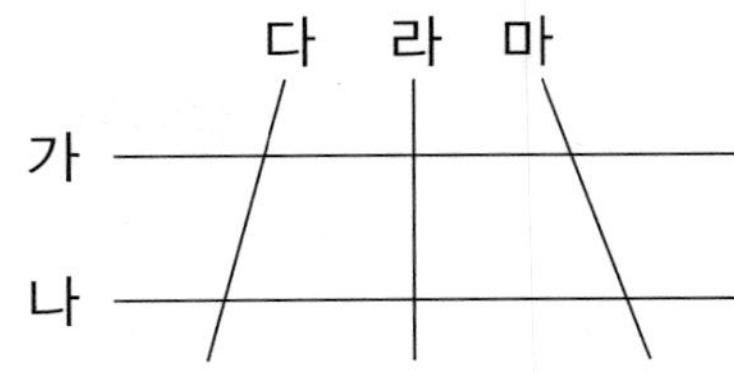

02 직선 가에 수직인 직선을 찾아 쓰세요.

(　　　　　　　　　　)

03 서로 평행한 직선을 찾아 쓰세요.

(　　　　　　　　　　)

04 마름모를 모두 찾아 기호를 쓰세요.

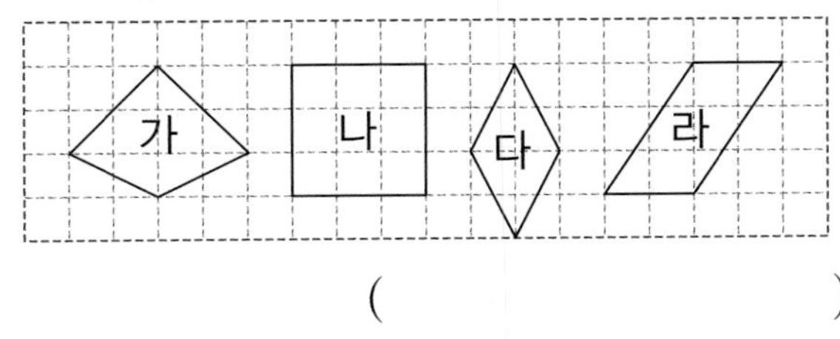

(　　　　　　　　　　)

05 그림을 보고 알맞은 사각형을 모두 찾아 빈칸에 기호를 쓰세요.

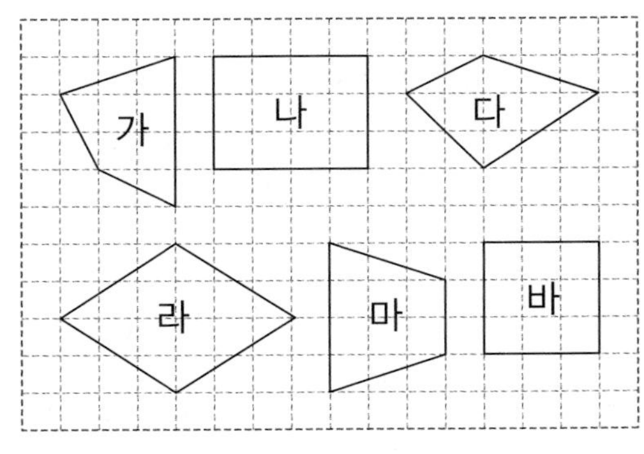

평행사변형	
사다리꼴	
정사각형	

06 직선 가에 대한 수선은 직선 나입니다. ㉠의 각도를 구하세요.

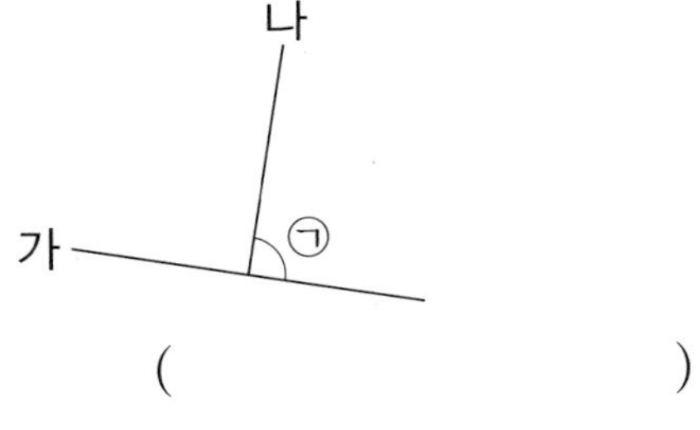

(　　　　　　　　　　)

07 마름모입니다. □ 안에 알맞은 수를 써넣으세요.

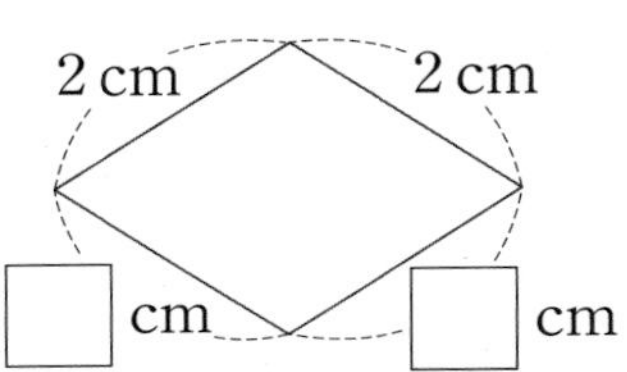

08 삼각자를 사용하여 직선 가에 수직인 직선을 바르게 그은 것에 ○표 하세요.

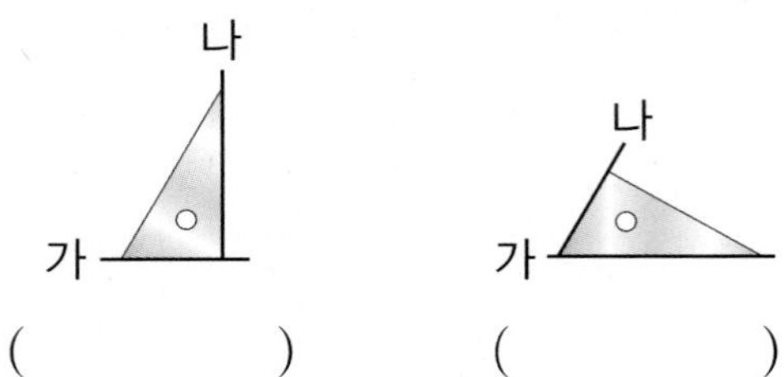

( ) ( )

09 평행사변형입니다. □ 안에 알맞은 수를 써넣으세요.

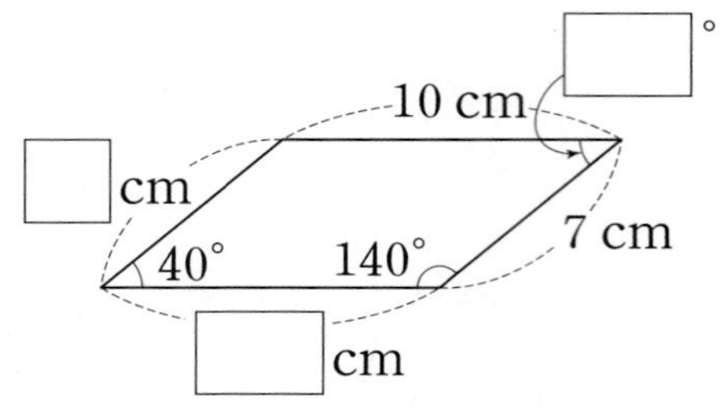

10 직선 가와 직선 나는 서로 평행합니다. 평행선 사이의 거리는 몇 cm일까요?

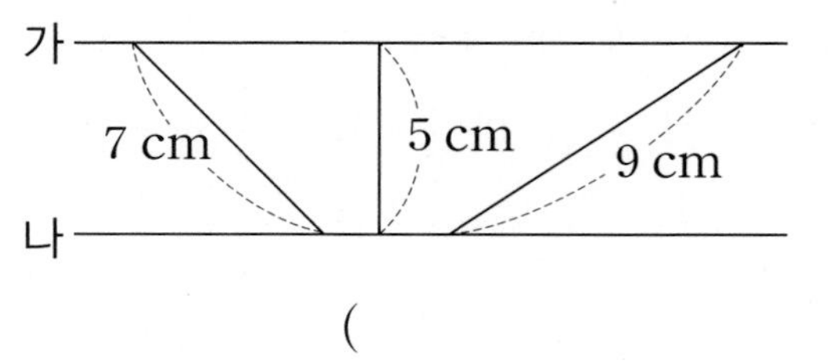

( )

11 오른쪽 도형에 대한 설명 중 잘못된 것은 어느 것일까요?

......................................( )

① 마주 보는 두 각의 크기가 같습니다.
② 마주 보는 두 변의 길이가 같습니다.
③ 네 각의 크기의 합은 360°입니다.
④ 이웃한 두 각의 크기의 합은 90°입니다.
⑤ 마주 보는 두 쌍의 변이 서로 평행합니다.

12 설명이 옳은 것은 ○표, 틀린 것은 ×표 하세요.

- 직사각형은 마름모입니다. ( )
- 정사각형은 직사각형입니다. ( )
- 사다리꼴은 평행사변형입니다.( )

13 오른쪽 도형의 이름이 될 수 있는 것에 모두 ○표 하세요.

(마름모 , 사다리꼴 , 직사각형)

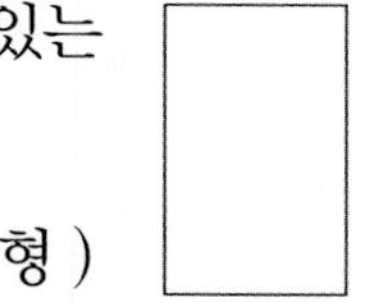

14 도형에서 평행선 사이의 거리는 몇 cm일까요?

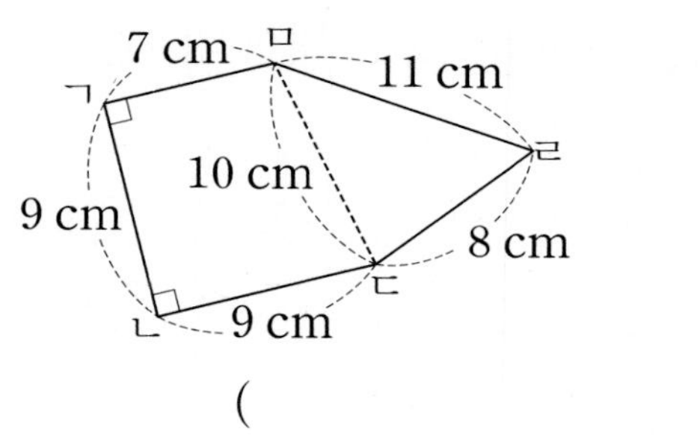

( )

15 마름모입니다. ㉠의 각도를 구하세요.

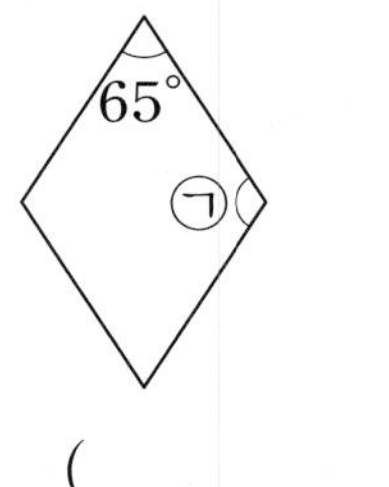

(   )

16 점 ㄱ을 지나고 직선 가에 수직인 직선을 그어 보세요.

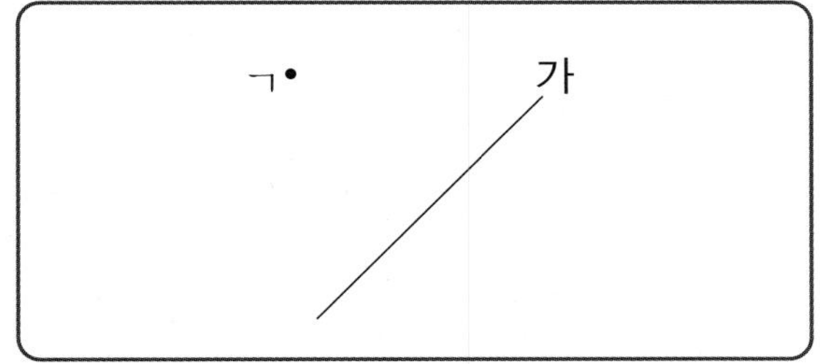

서술형

17 평행선은 모두 몇 쌍인지 풀이 과정을 쓰고 답을 구하세요.

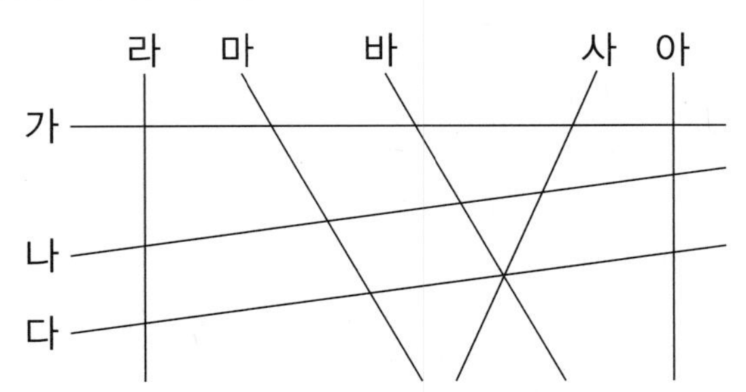

풀이

답 ______________

18 다음 도형이 마름모인지 아닌지 알맞은 말에 ◯표 하고 이유를 쓰세요.

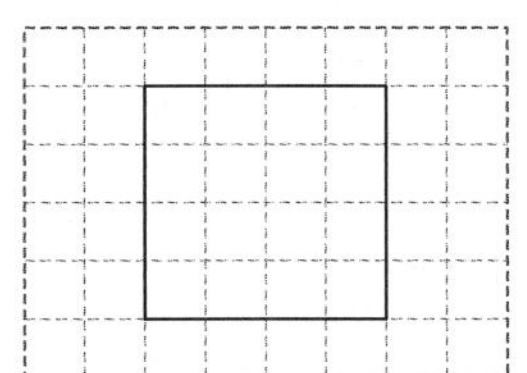

마름모라고 할 수 (없습니다 , 있습니다).

이유 ______________

19 크기가 같은 마름모 2개를 겹치지 않게 이어 붙여서 만든 도형입니다. 굵은 선의 길이는 몇 cm일까요?

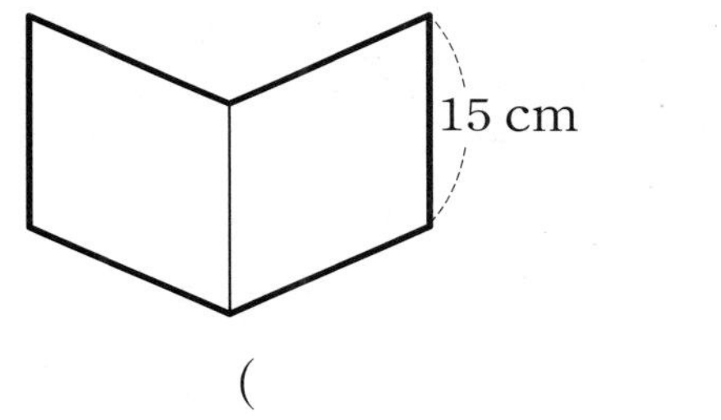

(   )

20 직선 가와 직선 나는 서로 평행하고, 직선 가와 직선 다는 서로 수직입니다. ㉠의 각도를 구하세요.

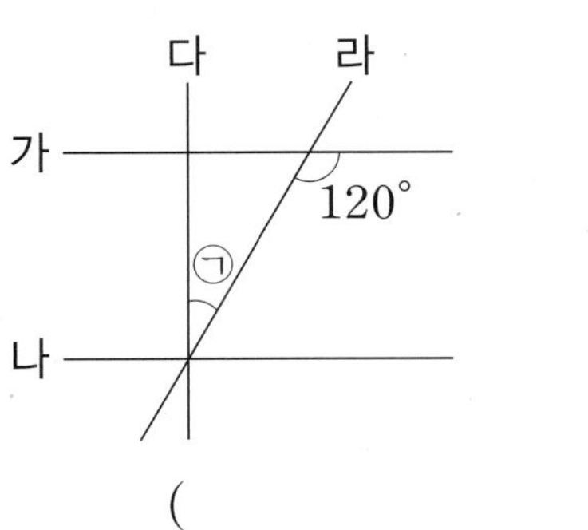

(   )

4 사각형

단원평가 4회

사각형

점수

스피드 정답표 9쪽, 정답 및 풀이 35쪽

[01 ~ 02] 그림을 보고 물음에 답하세요.

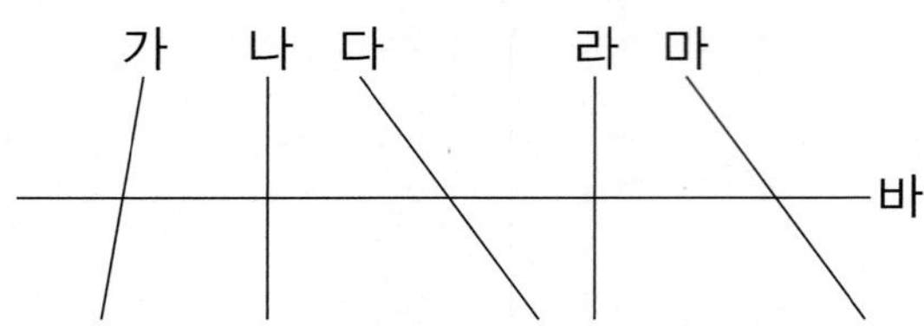

01 직선 바에 대한 수선을 모두 찾아 쓰세요.

(　　　　　　　　　　)

02 서로 평행한 직선은 모두 몇 쌍일까요?

(　　　　　　　　　　)

03 사다리꼴을 모두 찾아 ○표 하세요.

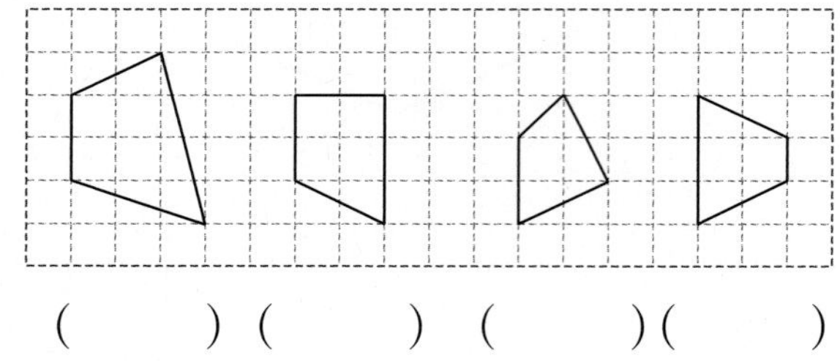

(　　　) (　　　) (　　　) (　　　)

04 도형에서 변 ㄴㄷ과 평행한 변을 찾아 쓰세요.

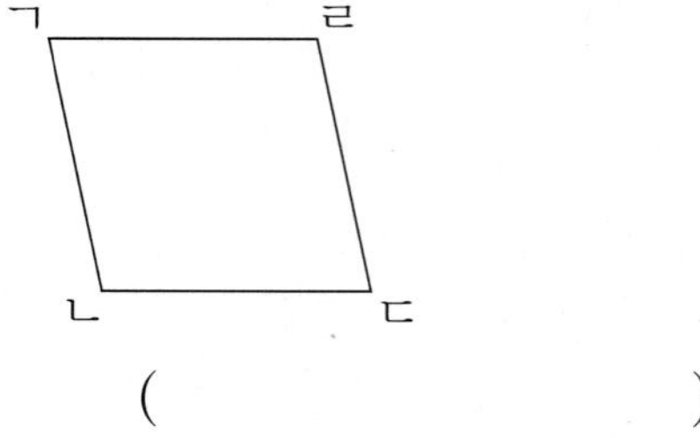

(　　　　　　　　　　)

05 도형에서 선분 ㄱㄴ에 대한 수선을 찾아 쓰세요.

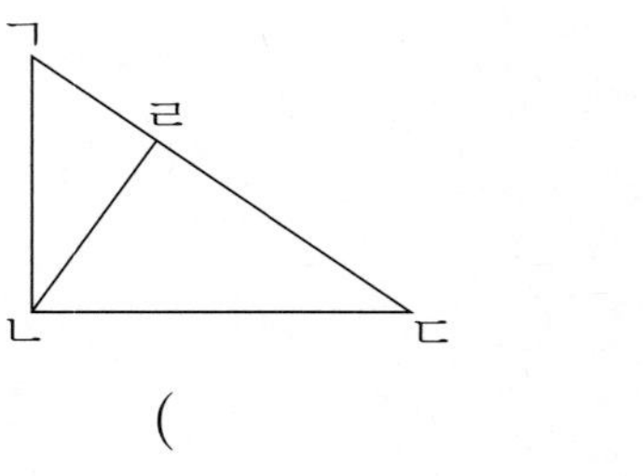

(　　　　　　　　　　)

06 평행사변형입니다. □ 안에 알맞은 수를 써넣으세요.

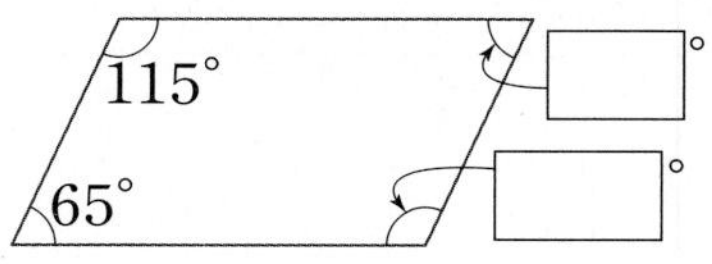

07 도형에서 평행선 사이의 거리를 알려면 어느 변의 길이를 재어야 할까요? (　　　　)

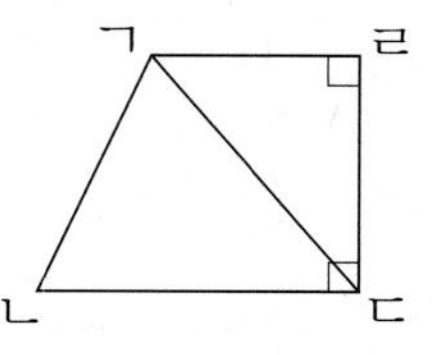

① 변 ㄱㄴ　　② 변 ㄱㄹ
③ 변 ㄱㄷ　　④ 변 ㄴㄷ
⑤ 변 ㄹㄷ

08 평행선 사이의 거리는 몇 cm인지 자로 재어 보세요.

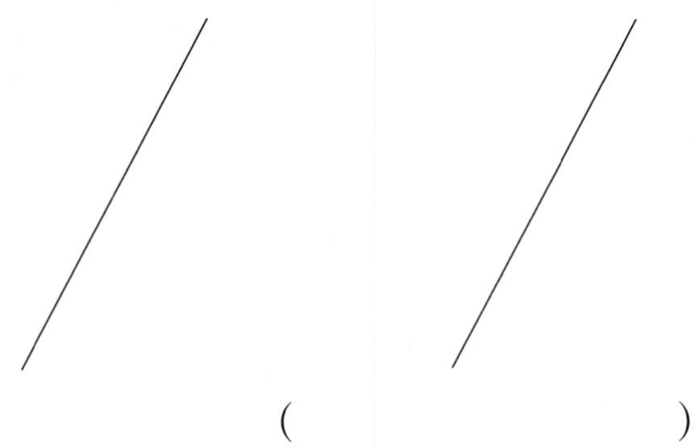

(　　　　　　　　)

09 평행선에 대하여 잘못 설명한 사람은 누구일까요?

(　　　　　　　　)

10 주어진 선분을 사용하여 마름모를 2개 그려 보세요.

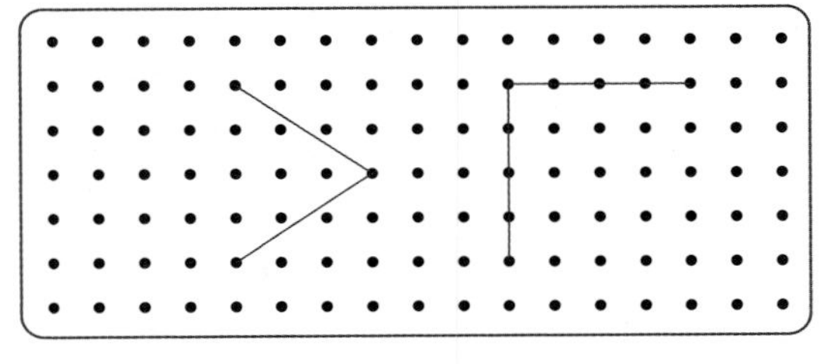

11 다음 중 직사각형에 대한 설명으로 바르지 않은 것은 어느 것일까요? ·······(　　　)

① 네 각이 모두 직각입니다.
② 네 변의 길이가 모두 같습니다.
③ 사다리꼴이라고 할 수 있습니다.
④ 평행사변형이라고 할 수 있습니다.
⑤ 마주 보는 두 변의 길이가 같습니다.

12 두 사각형의 공통된 이름이 될 수 있는 것에 ○표 하세요.

(직사각형 , 정사각형 , 마름모)

13 점 ㄱ을 지나고 직선 ㄴㄷ에 평행한 직선을 그어 보세요.

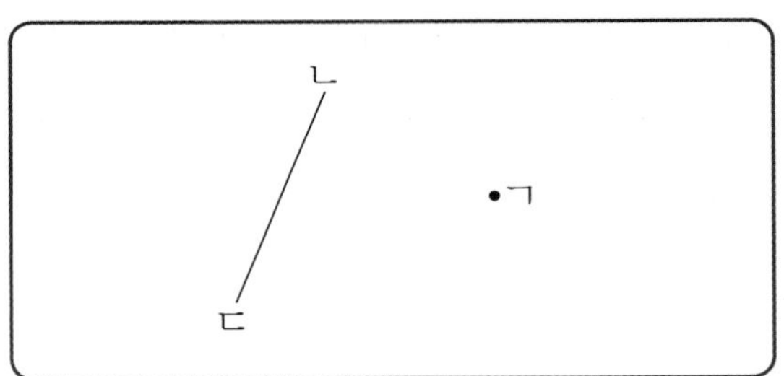

14 평행사변형입니다. ㉠의 각도를 구하세요.

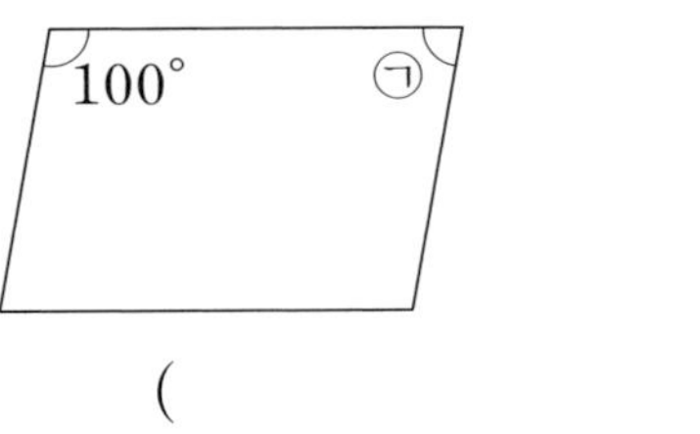

(　　　　　　　　)

4 사각형

15 그림에서 찾을 수 있는 크고 작은 사다리꼴은 모두 몇 개일까요?

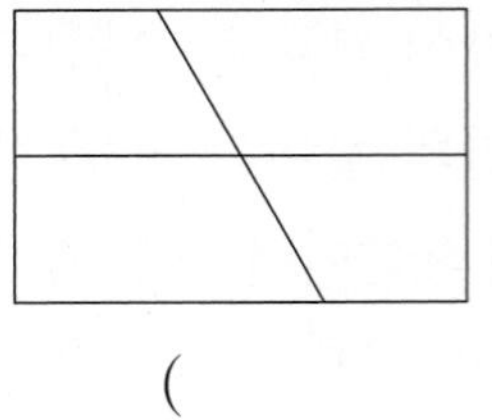

(　　　　　　　　　)

16 오른쪽 도형은 마름모입니다. 정사각형이라고 할 수 없는 이유를 쓰세요.

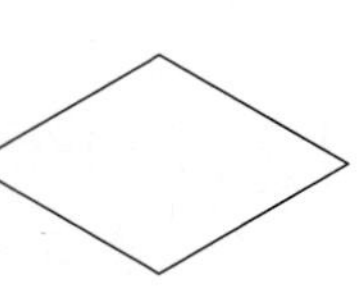

이유 ____________________

____

____

서술형

17 직선 가와 직선 나는 서로 수직입니다. ㉠의 각도는 몇 도인지 풀이 과정을 쓰고 답을 구하세요.

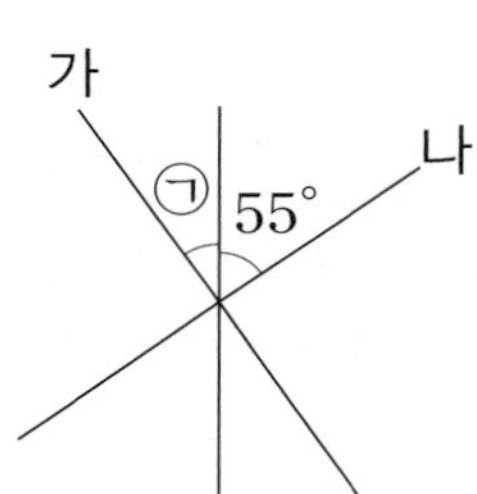

풀이

답 ____________________

18 도형에서 변 ㄱㅂ과 변 ㄹㅁ은 서로 평행합니다. 변 ㄱㅂ과 변 ㄹㅁ 사이의 거리는 몇 cm일까요?

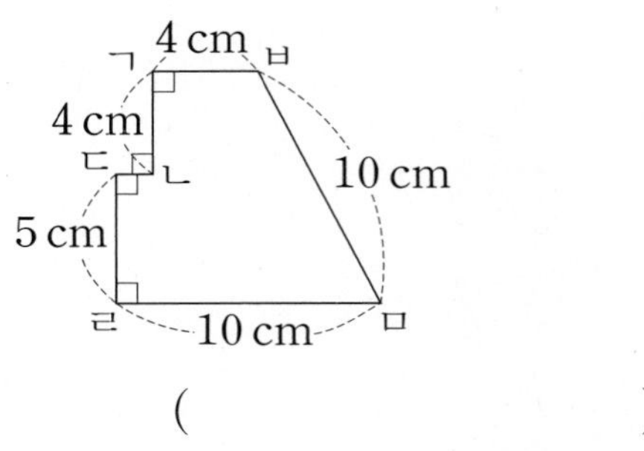

(　　　　　　　　　)

19 네 변의 길이의 합이 64 cm인 평행사변형입니다. 변 ㄱㄹ의 길이는 몇 cm일까요?

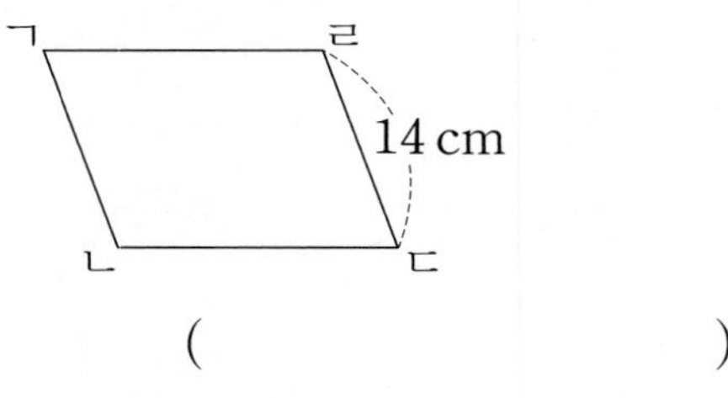

(　　　　　　　　　)

20 오른쪽 도형은 마름모입니다. ㉠의 각도를 구하세요.

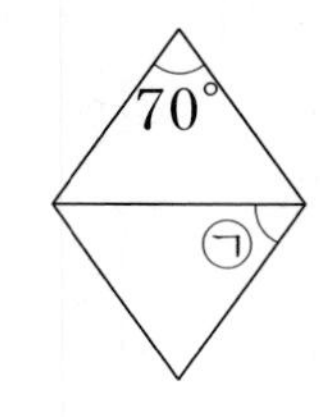

(　　　　　　　　　)

단원평가 5회 사각형

점수

스피드 정답표 9쪽, 정답 및 풀이 36쪽

[01 ~ 02] 그림을 보고 물음에 답하세요.

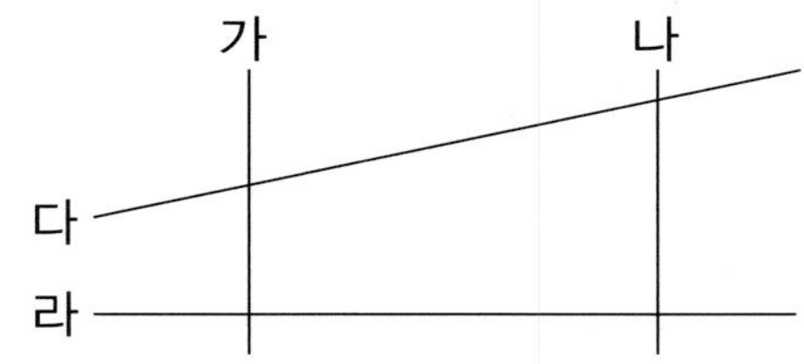

01 직선 가와 평행한 직선을 찾아 쓰세요.

(　　　　　　　　)

02 직선 나에 대한 수선을 찾아 쓰세요.

(　　　　　　　　)

03 서로 수직인 변이 있는 도형을 모두 찾아 기호를 쓰세요.

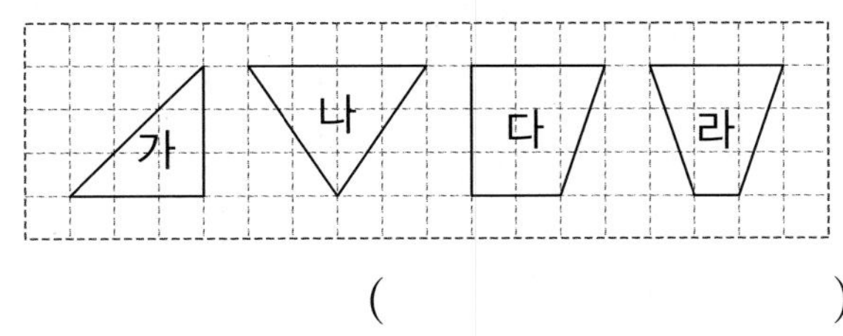

(　　　　　　　　)

04 도형에서 서로 수직인 선분을 찾아 쓰세요.

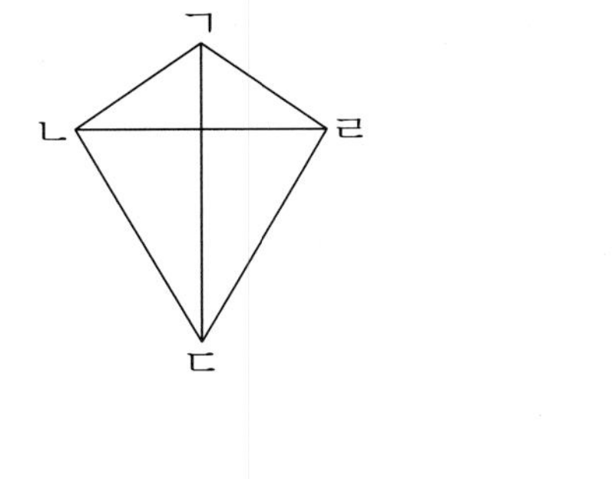

(　　　　　　　　)

05 도형에서 서로 평행한 변을 찾아 쓰세요.

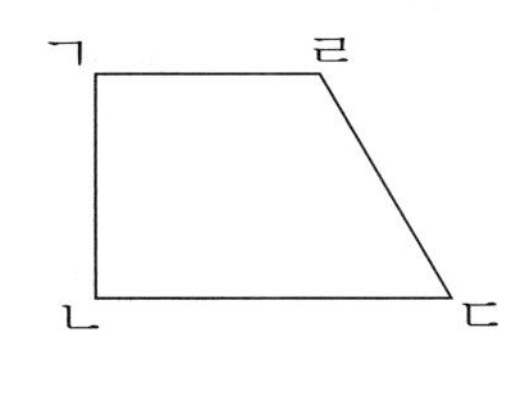

(　　　　　　　　)

06 직선 가와 직선 나는 서로 평행합니다. 평행선 사이의 거리를 나타내는 선분을 찾아 쓰세요.

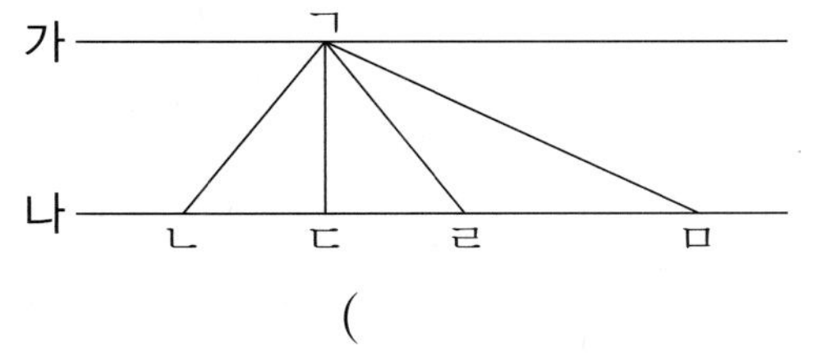

(　　　　　　　　)

07 직사각형 모양의 종이띠를 선을 따라 모두 잘랐습니다. 사각형의 이름으로 가능한 것을 모두 찾아 빈칸에 기호를 쓰세요.

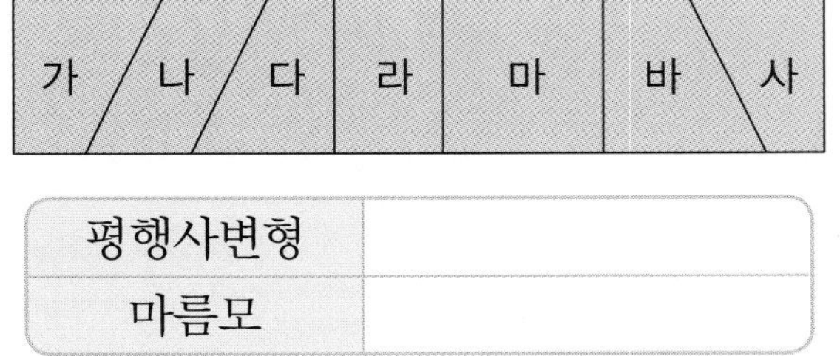

평행사변형	
마름모	

08 평행사변형입니다. ㉠과 ㉡에 알맞은 수의 합을 구하세요.

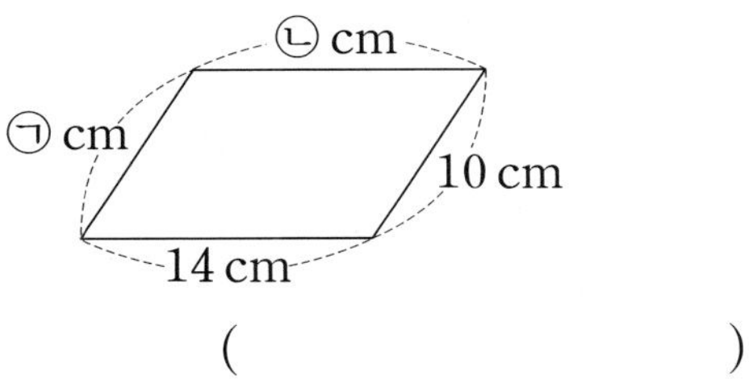

(　　　　　　　　)

09 점 ㅇ에서 직선 ㄱㄴ에 그을 수 있는 수선은 모두 몇 개일까요?

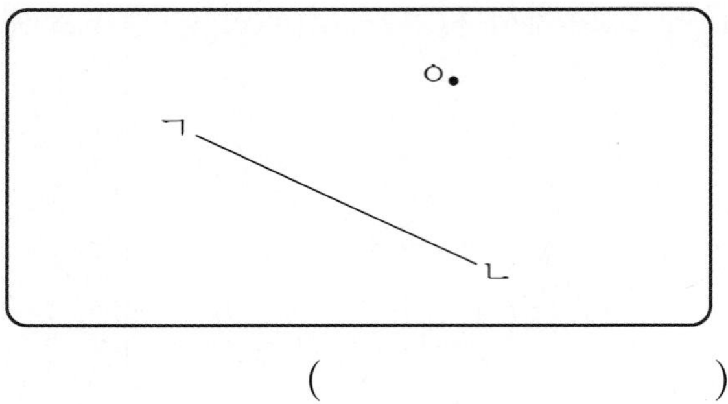

( )

10 오른쪽 사각형 ㄱㄴㄷㄹ에 대한 설명으로 틀린 것은 어느 것일까요? ( )

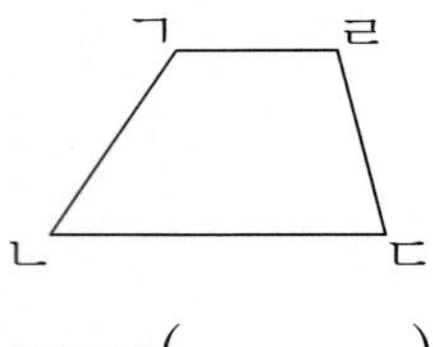

① 서로 평행한 변은 한 쌍입니다.
② 사각형 ㄱㄴㄷㄹ은 사다리꼴입니다.
③ 변 ㄱㄴ과 변 ㄹㄷ은 서로 평행하지 않습니다.
④ 서로 평행한 변은 변 ㄱㄹ과 변 ㄴㄷ입니다.
⑤ 사각형 ㄱㄴㄷㄹ은 평행사변형입니다.

11 변 ㅇㅅ과 평행한 변을 모두 찾아 쓰세요.

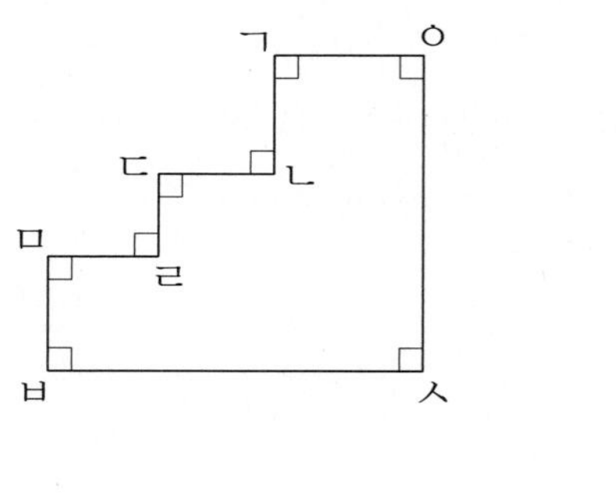

( )

12 오른쪽 도형은 마름모입니다. 점선을 따라 잘라 변의 길이에 따라 분류하면 어떤 삼각형이 될까요?

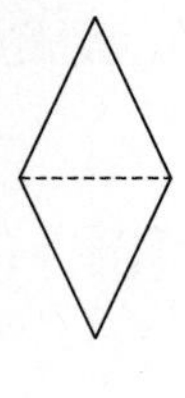

( )

13 도형에서 평행선을 찾아 평행선 사이의 거리를 재어 보세요.

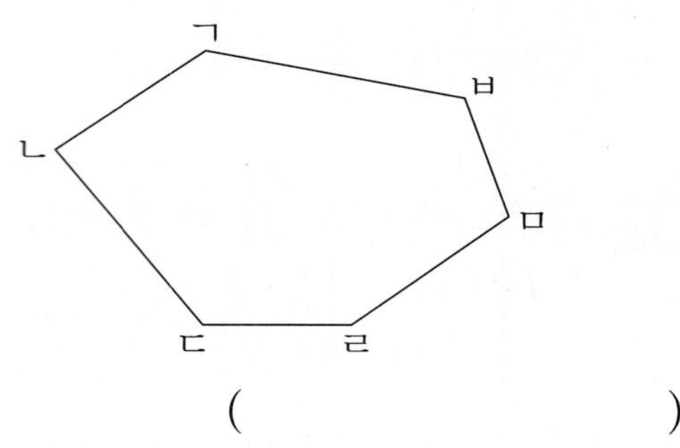

( )

서술형

14 마름모 가의 네 변의 길이의 합과 직사각형 나의 네 변의 길이의 합은 같습니다. ㉠에 알맞은 수는 얼마인지 풀이 과정을 쓰고 답을 구하세요.

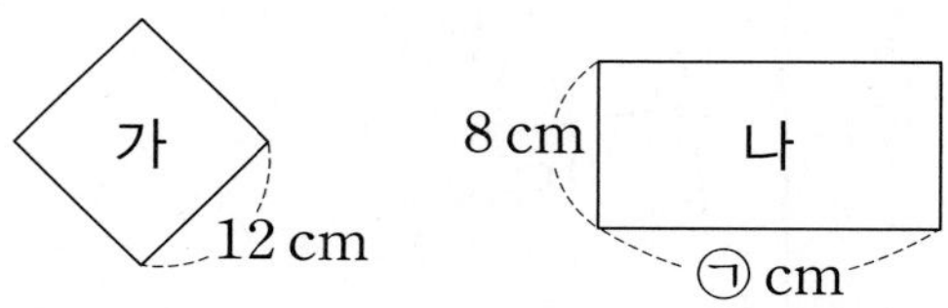

풀이

답

15 마름모 ㄱㄴㄷㄹ에서 각 ㄱㄴㄷ의 크기를 구하세요.

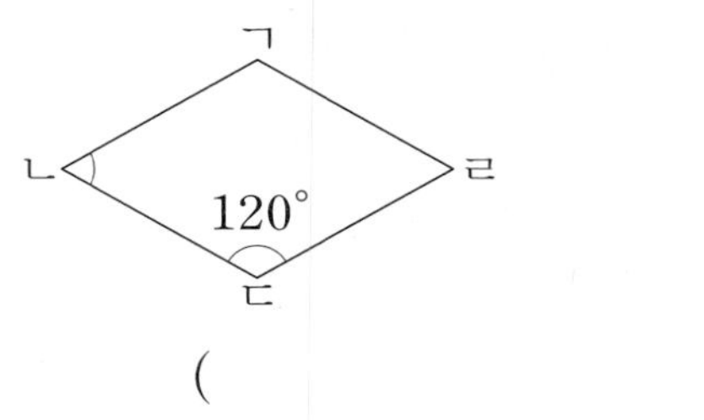

( )

16 변 ㄱㅂ과 변 ㄷㄹ은 서로 평행합니다. 이 평행선 사이의 거리는 몇 cm일까요?

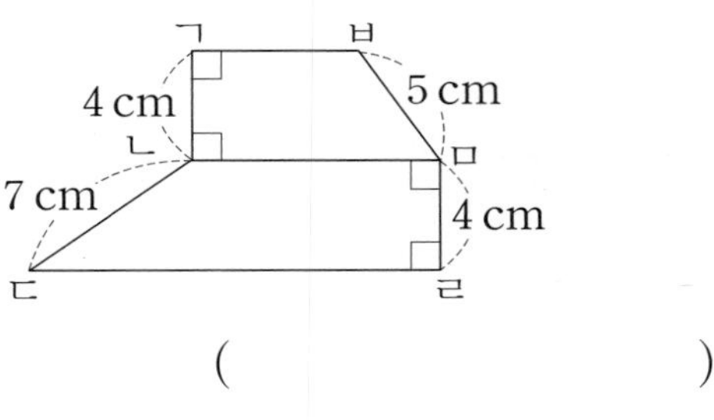

( )

서술형

17 직선 가, 직선 나, 직선 다는 서로 평행합니다. 직선 가와 직선 다 사이의 거리가 20 cm일 때, 직선 나와 직선 다 사이의 거리는 몇 cm인지 풀이 과정을 쓰고 답을 구하세요.

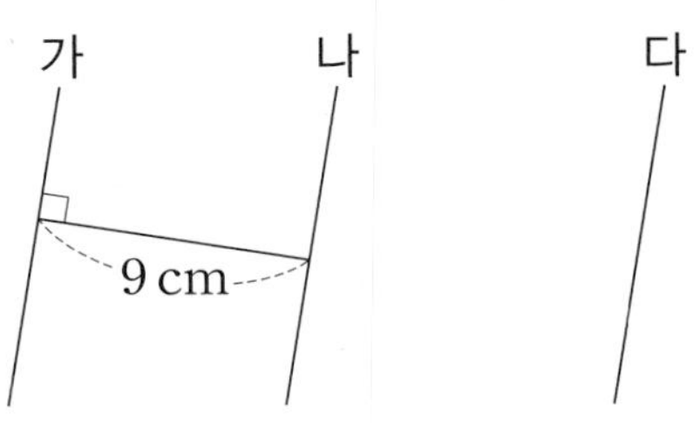

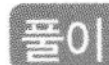

답 ______

18 사각형 ㄱㄴㄷㄹ은 사다리꼴이고, 사각형 ㄱㄴㅁㄹ은 마름모입니다. 선분 ㅁㄷ의 길이는 몇 cm일까요?

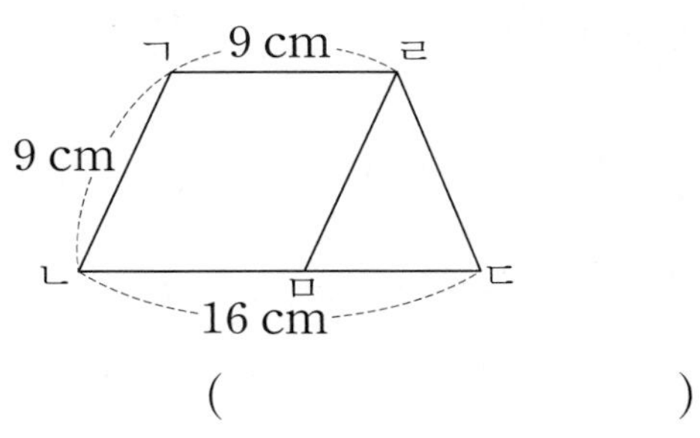

( )

19 사각형 ㄱㄴㄷㄹ은 평행사변형입니다. 각 ㄴㄱㄷ의 크기를 구하세요.

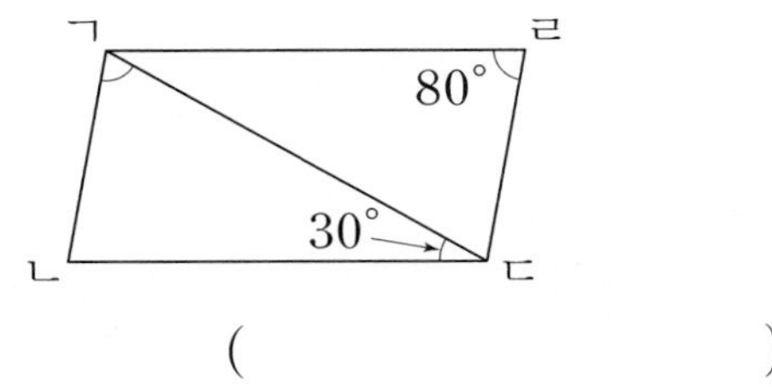

( )

20 직선 가와 직선 나는 서로 평행합니다. ㉠의 각도를 구하세요.

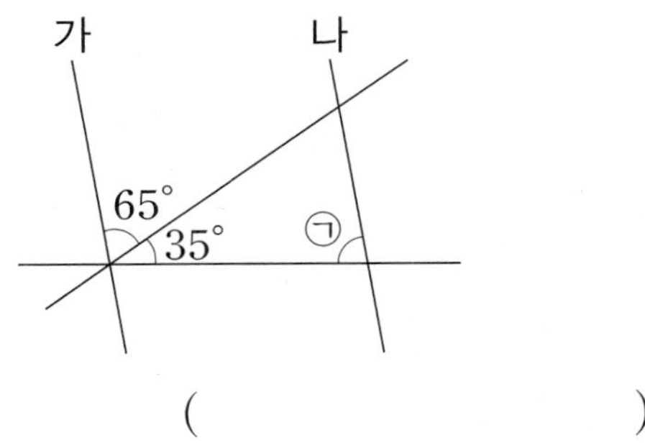

( )

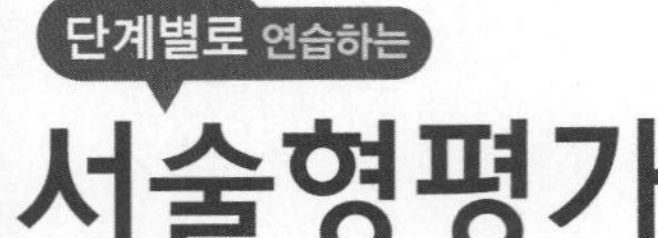

사각형

점수

01 다음 중에서 수선도 있고 평행선도 있는 도형은 모두 몇 개인지 구하세요.

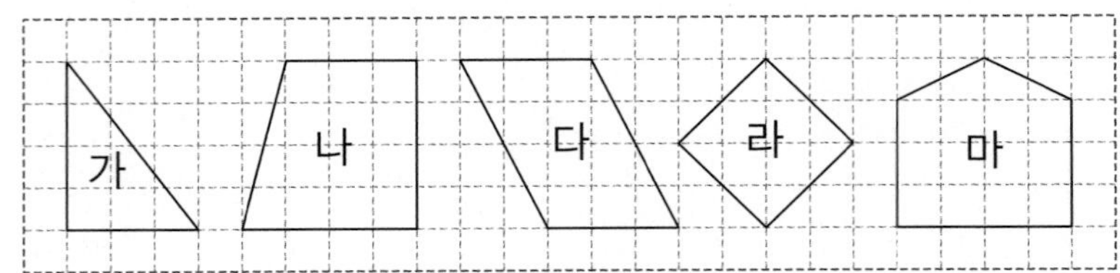

❶ 수선이 있는 도형을 모두 찾아 기호를 쓰세요.

( )

❷ 평행선이 있는 도형을 모두 찾아 기호를 쓰세요.

( )

❸ 수선도 있고 평행선도 있는 도형은 모두 몇 개일까요?

( )

02 도형에서 평행선 사이의 거리는 몇 cm인지 구하세요.

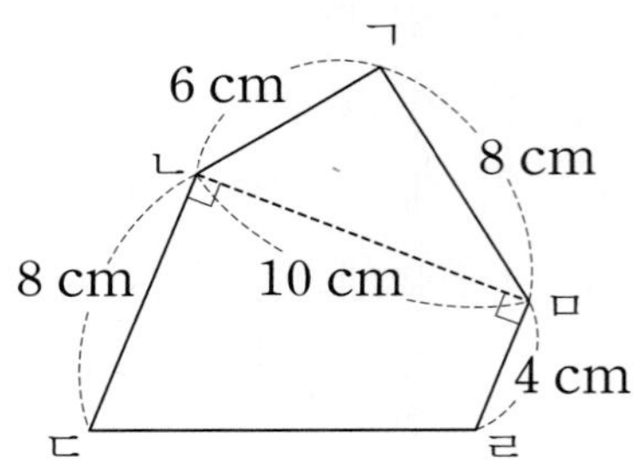

❶ 도형에서 서로 평행한 두 변을 찾아 쓰세요.

( )

❷ ❶에서 찾은 평행선 사이의 거리를 나타내는 선분을 쓰세요.

( )

❸ 도형에서 평행선 사이의 거리는 몇 cm일까요?

( )

03 평행사변형 ㄱㄴㄷㄹ의 네 변의 길이의 합과 정사각형 ㅁㅂㅅㅇ의 네 변의 길이의 합은 같습니다. 정사각형 ㅁㅂㅅㅇ의 한 변의 길이는 몇 cm인지 구하세요.

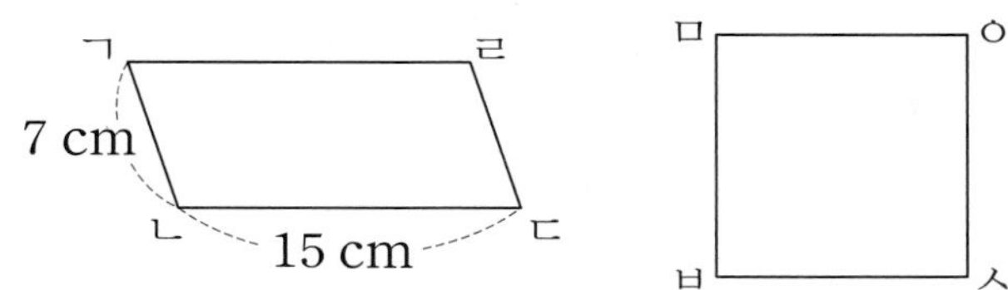

❶ 평행사변형 ㄱㄴㄷㄹ의 네 변의 길이의 합은 몇 cm일까요?

( )

❷ 정사각형 ㅁㅂㅅㅇ의 네 변의 길이의 합은 몇 cm일까요?

( )

❸ 정사각형 ㅁㅂㅅㅇ의 한 변의 길이는 몇 cm일까요?

( )

04 사각형 ㄱㄴㄷㄹ은 평행사변형입니다. 네 변의 길이의 합이 40 cm일 때, 변 ㄴㄷ의 길이는 몇 cm인지 구하세요.

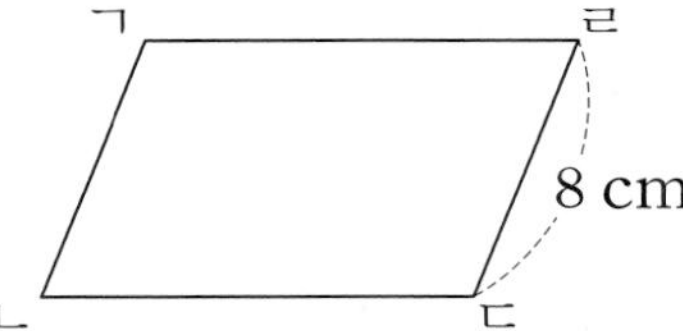

❶ 변 ㄱㄴ의 길이는 몇 cm일까요?

(변 ㄱㄴ)=(변 ☐)=☐ cm

( )

❷ 변 ㄱㄹ과 변 ㄴㄷ의 길이의 합은 몇 cm일까요?

(변 ㄱㄹ)+(변 ㄴㄷ)=40−8−☐=☐(cm)

( )

❸ 변 ㄴㄷ의 길이는 몇 cm일까요?

( )

4 사각형

서술형평가

사각형

점수

01 다음 중에서 수선도 있고 평행선도 있는 도형은 모두 몇 개인지 풀이 과정을 쓰고 답을 구하세요.

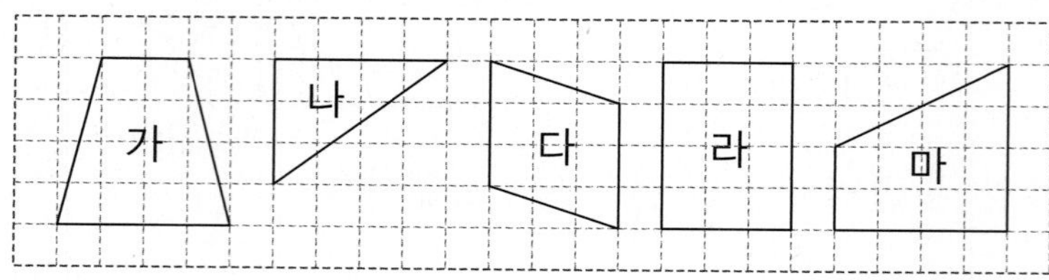

풀이

답 ______________

어떻게 풀까요?

- 서로 수직으로 만나는 두 변이 있는 도형과 아무리 늘여도 서로 만나지 않는 두 변이 있는 도형을 각각 찾아 수선과 평행선이 모두 있는 도형을 찾습니다.

02 도형에서 평행선 사이의 거리는 몇 cm인지 풀이 과정을 쓰고 답을 구하세요.

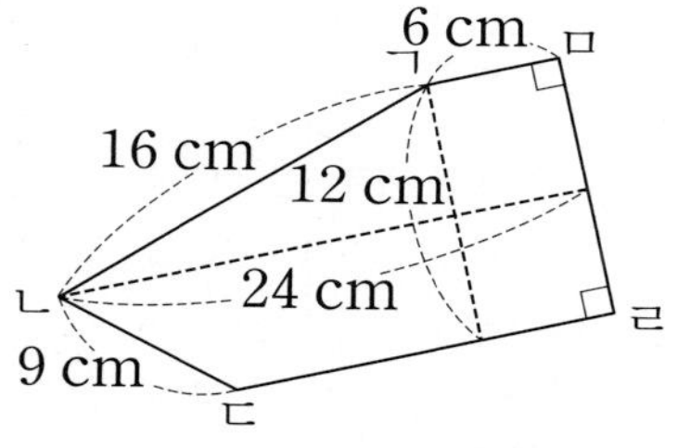

풀이

답 ______________

어떻게 풀까요?

- 아무리 늘여도 서로 만나지 않는 두 변을 찾아 평행선 사이의 수선의 길이를 알아봅니다.

03 평행사변형 ㄱㄴㄷㄹ의 네 변의 길이의 합과 마름모 ㅁㅂㅅㅇ의 네 변의 길이의 합은 같습니다. 마름모 ㅁㅂㅅㅇ의 한 변의 길이는 몇 cm인지 풀이 과정을 쓰고 답을 구하세요.

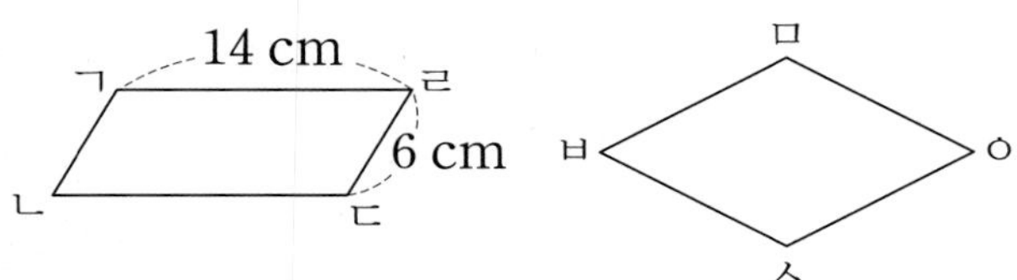

풀이

답 ______________

어떻게 풀까요?

- 평행사변형은 마주 보는 두 변의 길이가 같고 마름모는 네 변의 길이가 모두 같음을 이용하여 마름모의 한 변의 길이를 구합니다.

04 사각형 ㄱㄴㄷㄹ은 평행사변형입니다. 네 변의 길이의 합이 52 cm일 때, 변 ㄱㄴ의 길이는 몇 cm인지 풀이 과정을 쓰고 답을 구하세요.

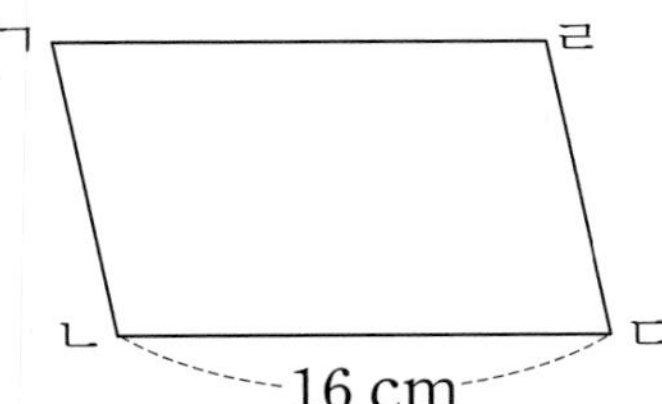

풀이

답 ______________

어떻게 풀까요?

- 평행사변형의 마주 보는 두 변의 길이가 같으므로 변 ㄱㄹ의 길이를 구하여 변 ㄱㄴ과 변 ㄹㄷ의 길이의 합을 구할 수 있습니다.

4 사각형

• 스피드 정답표 **10쪽**, 정답 및 풀이 **37쪽**

오답률 14%

01 마름모를 보고 □ 안에 알맞은 수를 써넣으세요.

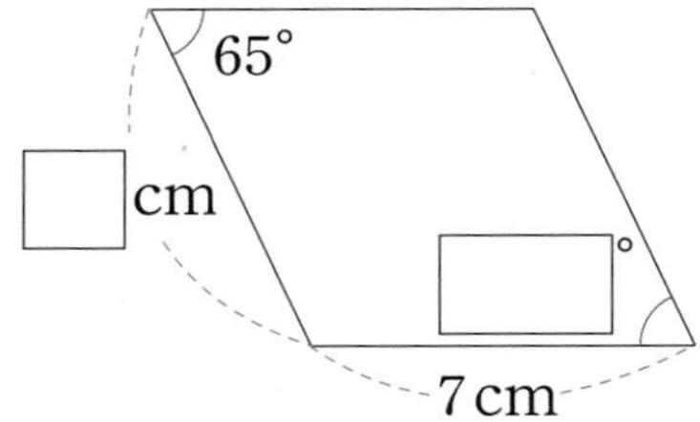

오답률 15%

02 4개의 점 중 한 점과 연결하여 평행사변형을 완성하려고 합니다. 평행사변형을 완성할 수 있는 점을 고르세요.

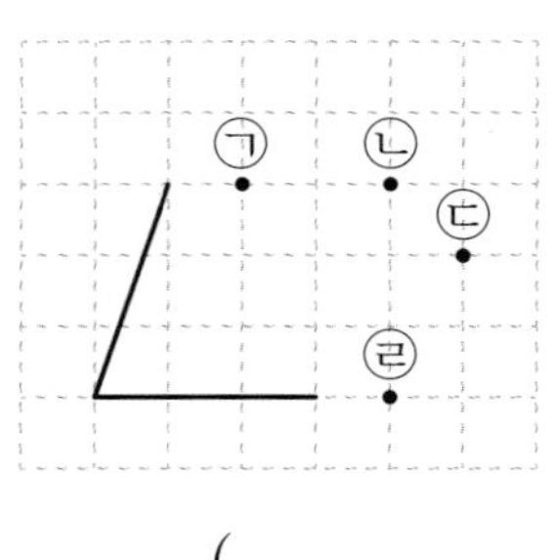

(　　　　　　　　　　)

오답률 25%

03 직사각형 모양의 종이띠를 선을 따라 잘랐을 때 평행사변형은 모두 몇 개 만들어질까요?

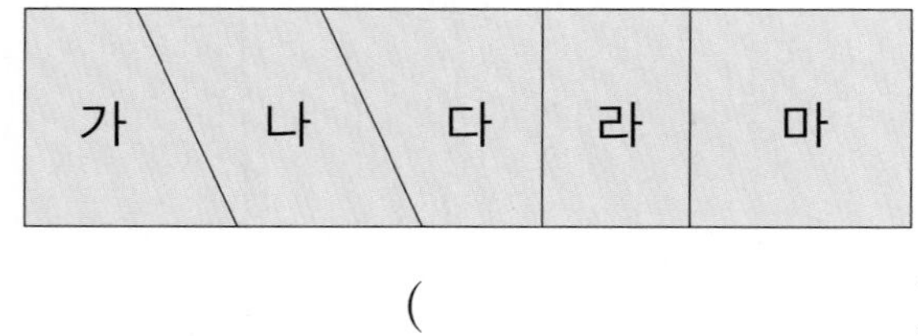

(　　　　　　　　　　)

오답률 28%

04 다음 중 잘못된 설명을 찾아 기호를 쓰세요.

㉠ 직사각형은 마름모입니다.
㉡ 평행사변형은 사다리꼴입니다.
㉢ 마름모는 사다리꼴입니다.

(　　　　　　　　　　)

오답률 34%

05 마름모에서 ㉠과 ㉡은 각각 몇 도일까요?

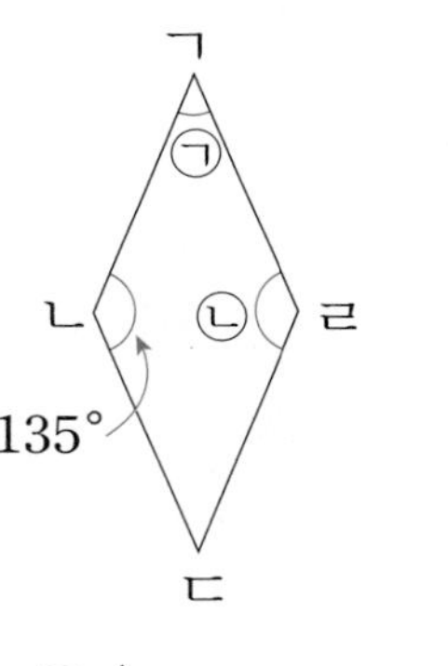

㉠ (　　　　　　　　　　)
㉡ (　　　　　　　　　　)

5

꺾은선그래프

개념 1 꺾은선그래프 알아보기

● 꺾은선그래프: 수량을 점으로 표시하고, 그 점들을 선분으로 이어 그린 그래프

나은이의 키

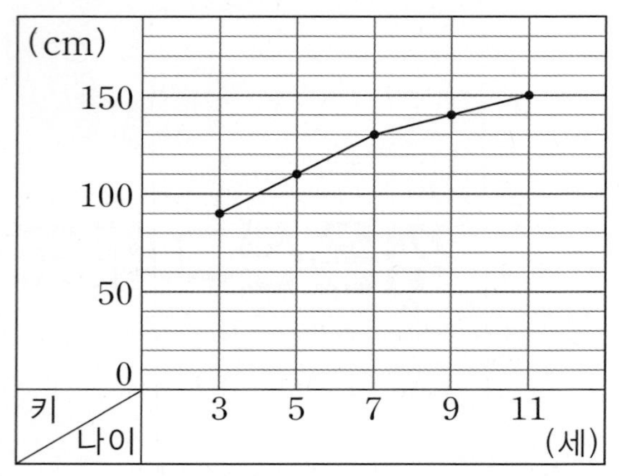

- 나은이의 나이별 키를 나타낸 꺾은선그래프입니다.
- 꺾은선그래프에서 가로는 나이를, 세로는 ❶ ☐ 를 나타냅니다.
- 세로 눈금 한 칸은 10 cm를 나타냅니다.
- 꺾은선은 나은이의 키를 나타냅니다.

참고

- 막대그래프: 조사한 자료를 막대 모양으로 나타낸 그래프

나은이의 키

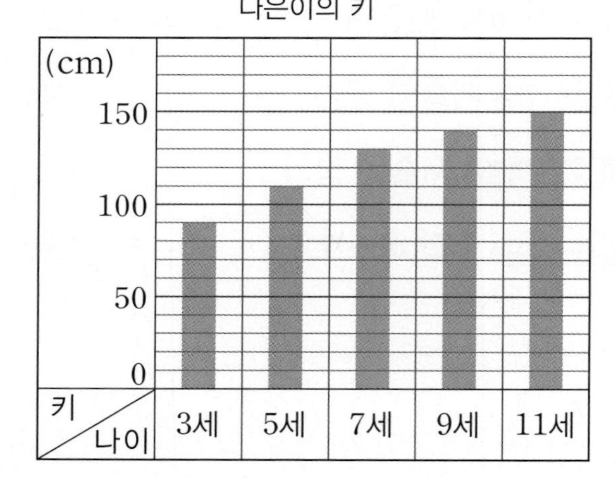

개념 2 꺾은선그래프의 내용 알아보기

● 꺾은선그래프를 보고 내용 알아보기

황사가 발생한 날수

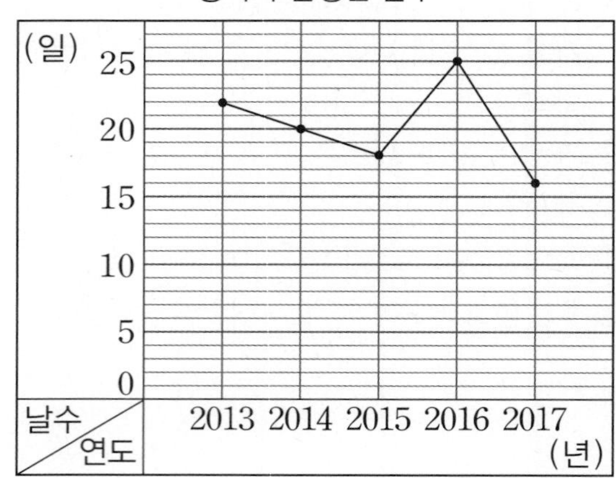

- 꺾은선그래프에서 가로는 ❷ ☐ 를, 세로는 날수를 나타냅니다.
- 세로 눈금 한 칸은 ❸ ☐ 일을 나타냅니다.
- 전년에 비해 황사가 발생한 날수가 가장 많이 줄어든 때는 ❹ ☐ 년입니다.

● 물결선이 있는 꺾은선그래프

황사가 발생한 날수

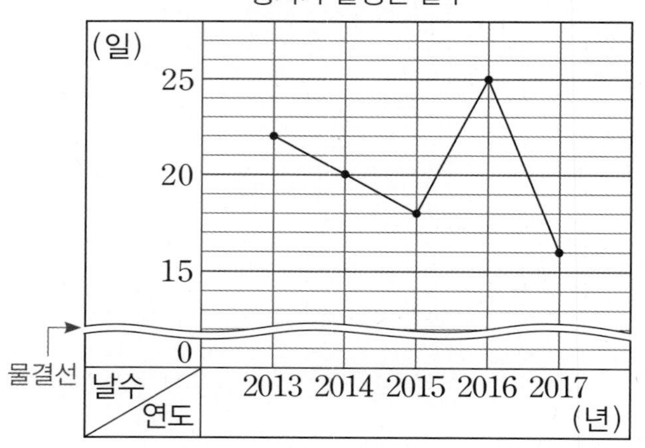

꺾은선그래프에서 필요 없는 부분은 물결선으로 그리고 물결선 위로 시작할 수를 15로 정하여 그리면 변화하는 모습이 더 잘 나타납니다.

| 정답 | ❶ 키 ❷ 연도 ❸ 1 ❹ 2017

개념 3 꺾은선그래프로 나타내기

● 꺾은선그래프로 나타내는 방법

① 가로와 세로 중 어느 쪽에 조사한 수를 나타낼 것인가를 정합니다.

② 눈금 한 칸의 크기를 정하고, 조사한 수 중에서 가장 큰 수를 나타낼 수 있도록 눈금의 수를 정합니다.

③ 가로 눈금과 세로 눈금이 만나는 자리에 점을 찍습니다.

④ 점들을 선분으로 잇습니다.

⑤ 꺾은선그래프에 알맞은 제목을 붙입니다.

예) 토마토 싹의 키 (오후 6시에 측정)

날짜(일)	1	8	15	22	29
키(cm)	1	3	4	7	12

조사한 수 중 가장 큰 12cm까지 나타낼 수 있도록 눈금의 수를 정합니다.

⇨ 가로는 날짜를, 세로는 ❺ ☐ 를 나타내고 세로 눈금 한 칸을 1 cm로 하여 꺾은선그래프로 나타냅니다.

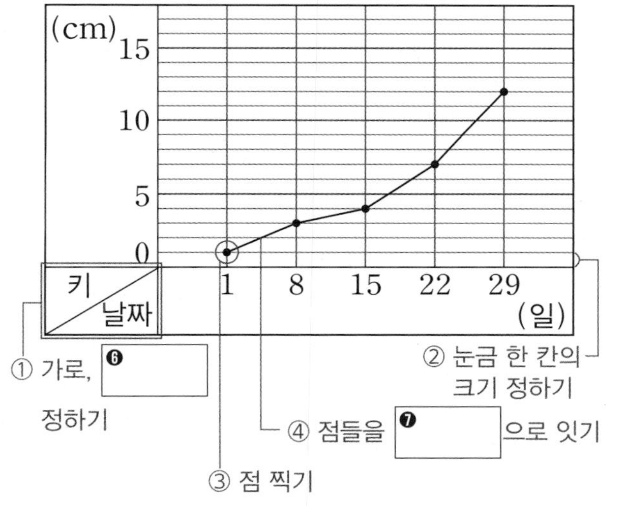

개념 4 자료를 수집하여 꺾은선그래프로 나타내기

● 자료를 수집하여 꺾은선그래프로 나타내는 방법

① 조사할 내용을 정합니다.

② 자료를 어떻게 수집할지 방법을 정합니다.

③ 수집한 자료를 표로 정리하고 꺾은선그래프로 나타냅니다.

참고

• 자료를 수집하는 방법
인터넷 조사, 전화 조사, 우편 조사 등 다양한 방법을 이용하여 자료를 수집할 수 있습니다.

개념 5 꺾은선그래프를 사용하는 경우

● 꺾은선그래프 해석하기

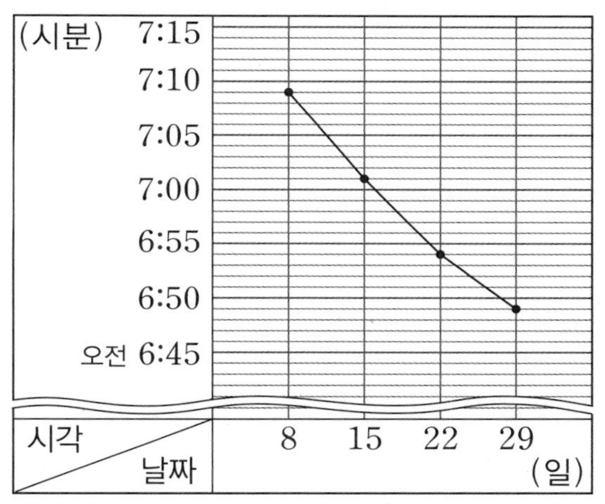

• 해 뜨는 시각은 빨라지고 있습니다.

• 일주일 후에는 해 뜨는 시각이 오전 6시 49분보다 빨라질 것으로 예상할 수 있습니다.

● 우리 주변에서 꺾은선그래프를 사용하는 예

꺾은선그래프를 보면 자료의 변화 정도와 앞으로 변화될 모습을 예상할 수 있어 신문, 잡지, 인터넷 등 다양한 곳에 사용됩니다.

| 정답 | ❺ 키 ❻ 세로 ❼ 선분

5 꺾은선그래프

쪽지시험 1회

꺾은선그래프

점수

▶ 꺾은선그래프 알아보기
~ 꺾은선그래프의 내용 알아보기

스피드 정답표 10쪽, 정답 및 풀이 38쪽

[01 ~ 05] 지은이가 키우는 고구마 싹의 키를 일주일 간격으로 재어 나타낸 그래프입니다. 물음에 답하세요.

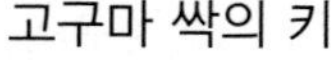

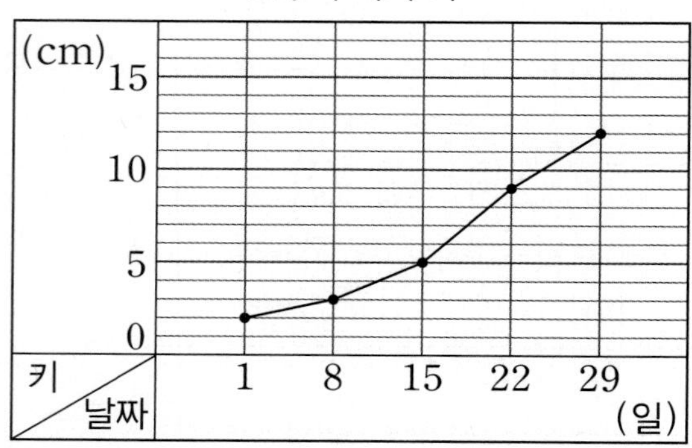

01 위와 같은 그래프를 무슨 그래프라고 할까요?

( )

02 그래프에서 가로는 무엇을 나타낼까요?

( )

03 그래프에서 세로는 무엇을 나타낼까요?

( )

04 세로 눈금 한 칸은 몇 cm를 나타낼까요?

( )

05 꺾은선은 무엇을 나타낼까요?

( )

[06 ~ 10] 어느 날 운동장의 온도를 측정하여 나타낸 꺾은선그래프입니다. 물음에 답하세요.

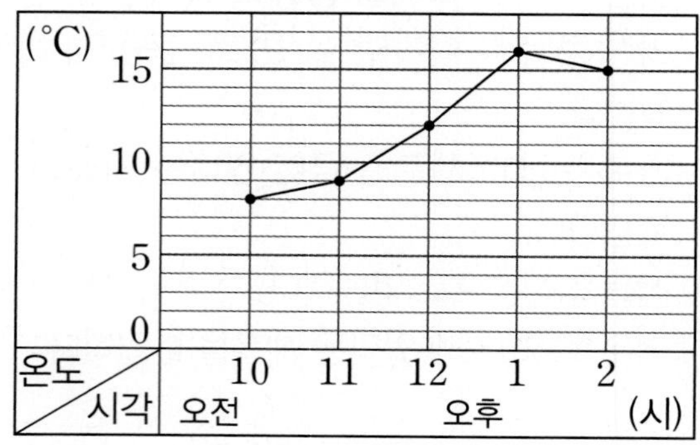

06 그래프에서 가로와 세로는 각각 무엇을 나타낼까요?

가로 ( )

세로 ( )

07 오전 11시에 운동장의 온도는 몇 °C일까요?

( )

08 온도가 가장 높은 때는 몇 시일까요?

( )

09 온도가 가장 낮은 때는 몇 시일까요?

( )

10 전시각에 비해 온도가 가장 많이 오른 때는 몇 시일까요?

( )

쪽지시험 2회

꺾은선그래프

점수

▶ 꺾은선그래프로 나타내기

스피드 정답표 10쪽, 정답 및 풀이 38쪽

[01 ~ 05] 어느 도시의 아침 최저 기온을 조사하여 나타낸 표를 보고 꺾은선그래프로 나타내려고 합니다. 물음에 답하세요.

아침 최저 기온

날짜(일)	2	4	6	8	10
기온(℃)	11	13	10	12	14

01 가로에 날짜를 쓴다면 세로에는 무엇을 나타내어야 할까요?

( )

02 세로 눈금 한 칸은 몇 ℃로 나타내면 좋을까요?

( )

03 꺾은선그래프의 세로 눈금은 적어도 몇 ℃까지 나타낼 수 있어야 할까요?

( )

04 위 표를 보고 꺾은선그래프로 나타내어 보세요.

아침 최저 기온

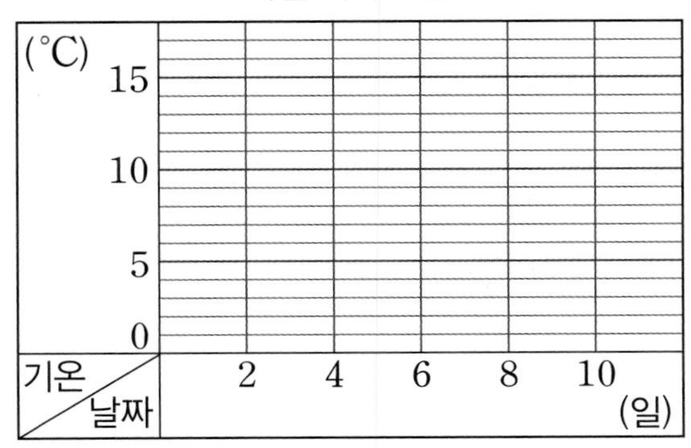

05 아침 최저 기온이 가장 낮은 날은 며칠일까요?

( )

[06 ~ 10] 영주의 몸무게를 조사하여 나타낸 표를 보고 꺾은선그래프로 나타내려고 합니다. 물음에 답하세요.

영주의 몸무게

월	3	4	5	6	7
몸무게(kg)	28.2	28.5	28.9	29.2	29.4

06 가로에 월을 쓴다면 세로에는 무엇을 나타내어야 할까요?

( )

07 세로 눈금 한 칸은 몇 kg으로 나타내면 좋을까요?

( )

08 물결선을 어디와 어디 사이에 넣으면 좋을까요?

( )

09 위 표를 보고 꺾은선그래프로 나타내어 보세요.

영주의 몸무게

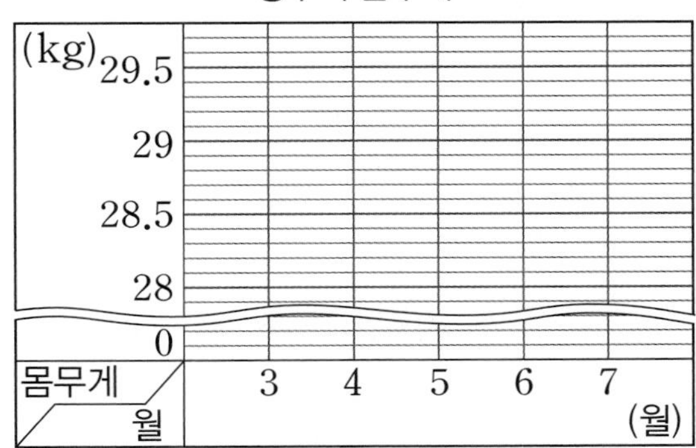

10 전월과 비교하여 몸무게가 가장 많이 늘어난 때는 몇 월일까요?

( )

쪽지시험 3회

꺾은선그래프

점수

▶ 자료를 수집하여 꺾은선그래프로 나타내기 ~ 꺾은선그래프를 사용하는 경우

스피드 정답표 10쪽, 정답 및 풀이 38쪽

[01 ~ 05] 주원이가 5일 동안 두 발로 앞으로 줄넘기를 한 횟수를 조사하여 나타낸 표입니다. 물음에 답하세요.

두 발로 앞으로 줄넘기를 한 횟수

요일	월	화	수	목	금	합계
횟수(회)	54	60	64	56	74	

01 위 표의 합계에 알맞은 수를 써넣으세요.

02 위 표를 보고 꺾은선그래프로 나타낼 때 가로에 요일을 쓴다면 세로에는 무엇을 나타내어야 할까요?

( )

03 꺾은선그래프의 세로 눈금은 적어도 몇 회까지 나타낼 수 있어야 할까요?

( )

04 물결선을 어디와 어디 사이에 넣으면 좋을까요?

( )

05 위 표를 보고 꺾은선그래프로 나타내어 보세요.

두 발로 앞으로 줄넘기를 한 횟수

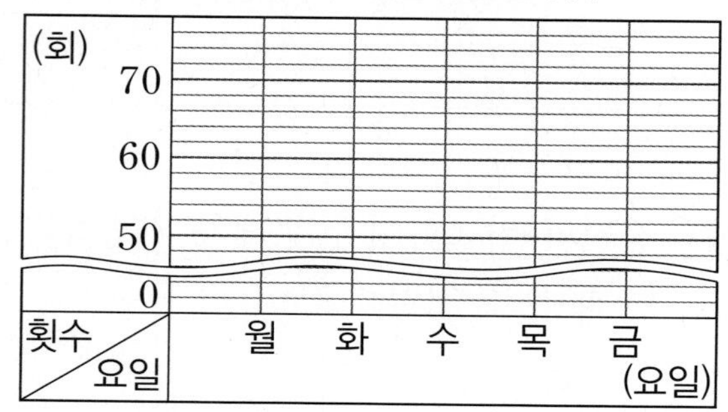

[06 ~ 10] 미주의 50 m 달리기 기록을 조사하여 나타낸 표입니다. 물음에 답하세요.

50 m 달리기 기록

날짜(일)	1	2	3	4	5
시간(초)	14	12	11	10	9

06 위 표를 보고 꺾은선그래프로 나타낼 때 세로 눈금 한 칸은 몇 초로 나타내면 좋을까요?

( )

07 위 표를 보고 꺾은선그래프로 나타내어 보세요.

50 m 달리기 기록

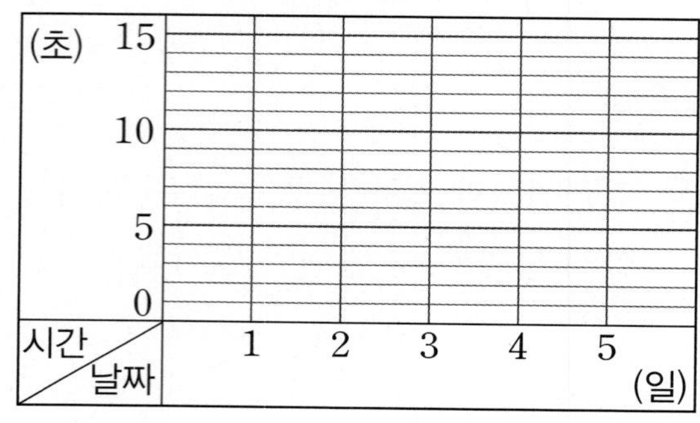

08 미주의 50 m 달리기 기록은 어떻게 변하고 있을까요?

( )

09 미주의 50 m 달리기 기록이 전날에 비해 가장 많이 빨라진 때는 며칠일까요?

( )

10 6일에 미주의 50 m 달리기 기록은 어떻게 변할지 써 보세요.

( )

단원평가 1회

난이도 A B C

꺾은선그래프

점수

스피드 정답표 11쪽, 정답 및 풀이 39쪽

[01 ~ 04] 어느 날 학교 운동장의 온도를 조사하여 나타낸 그래프입니다. 물음에 답하세요.

학교 운동장의 온도

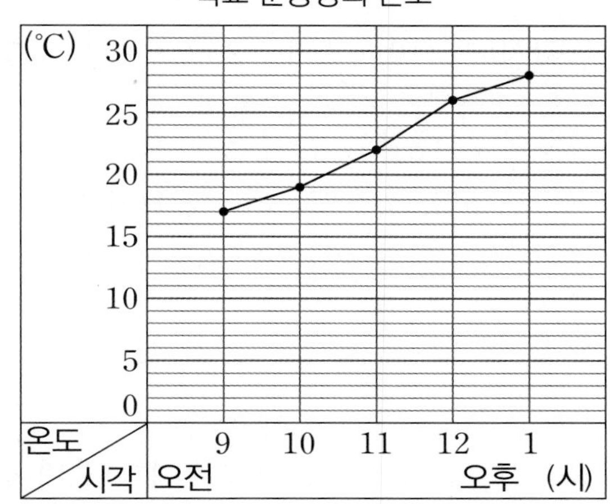

01 위와 같은 그래프를 무슨 그래프라고 할까요?

(　　　　　　　　)

02 세로 눈금 한 칸은 몇 ℃를 나타낼까요?

(　　　　　　　　)

03 오전 10시에 학교 운동장의 온도는 몇 ℃일까요?

(　　　　　　　　)

04 오후 1시에 학교 운동장의 온도는 몇 ℃일까요?

(　　　　　　　　)

[05 ~ 07] 준수의 제기차기 횟수를 조사하여 나타낸 표를 보고 꺾은선그래프로 나타내려고 합니다. 물음에 답하세요.

제기차기 횟수

요일	월	화	수	목	금
횟수(회)	10	13	14	16	21

05 가로에 요일을 쓴다면 세로에는 무엇을 나타내어야 할까요?

(　　　　　　　　)

06 세로 눈금 한 칸은 몇 회로 나타내면 좋을까요?

(　　　　　　　　)

07 위 표를 보고 꺾은선그래프로 나타내어 보세요.

제기차기 횟수

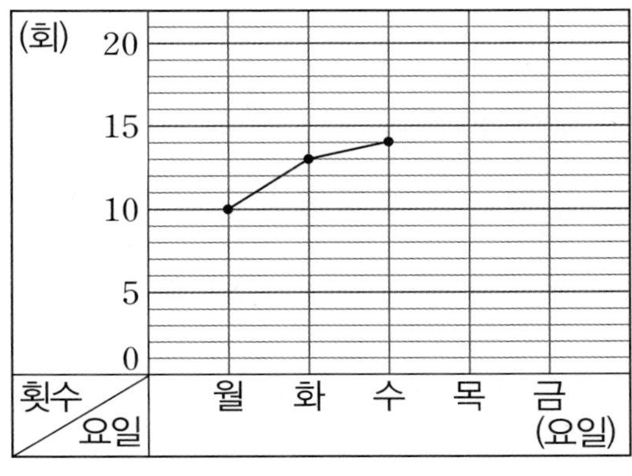

5 꺾은선그래프

[08 ~ 10] 유라네 마당에 심은 나무의 키를 조사하여 나타낸 꺾은선그래프입니다. 물음에 답하세요.

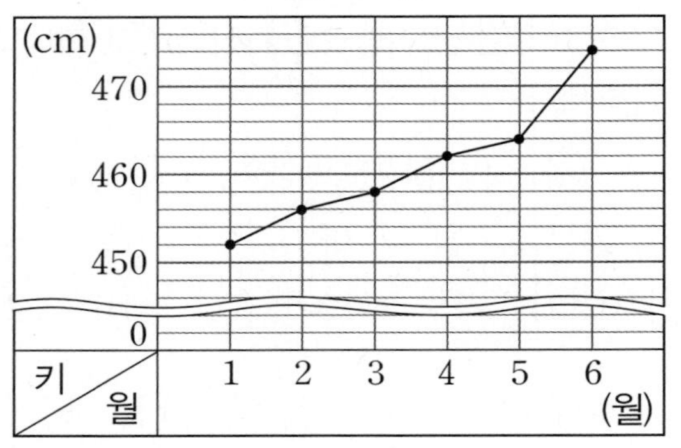

08 세로 눈금 한 칸은 몇 cm를 나타낼까요?

(　　　　　　　　)

09 6월에 나무의 키는 몇 cm일까요?

(　　　　　　　　)

10 전월과 비교하여 나무의 키가 가장 많이 변한 때는 몇 월일까요?

(　　　　　　　　)

[11 ~ 14] 어느 가게의 매월 아이스크림 판매량을 조사하여 나타낸 표를 보고 꺾은선그래프로 나타내려고 합니다. 물음에 답하세요.

아이스크림 판매량

월	4	5	6	7	8
판매량(개)	210	220	250	310	350

11 세로에 판매량을 쓴다면 가로에는 무엇을 나타내어야 할까요?

(　　　　　　　　)

12 물결선을 어디와 어디 사이에 넣으면 좋을까요?

(　　　　　　　　)

13 위 표를 보고 꺾은선그래프로 나타내어 보세요.

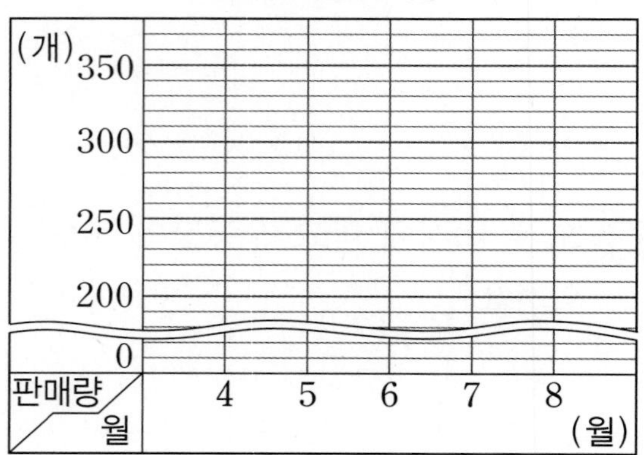

14 전달에 비해 아이스크림 판매량이 가장 많이 늘어난 때는 몇 월일까요?

(　　　　　　　　)

15 꺾은선그래프를 그리는 순서에 따라 □ 안에 차례로 알맞은 기호를 써넣으세요.

㉠ 세로 눈금 한 칸의 크기를 정합니다.
㉡ 꺾은선그래프의 제목을 붙입니다.
㉢ 가로 눈금과 세로 눈금이 만나는 자리에 점을 찍습니다.
㉣ 점들을 선분으로 잇습니다.
㉤ 가로와 세로 중 어느 쪽에 조사한 수를 나타낼 지 정합니다.

□ ⇨ □ ⇨ □ ⇨ □ ⇨ ㉡

[16~17] 다음을 그래프로 나타낼 때 막대그래프와 꺾은선그래프 중에서 더 좋은 것에 ○표 하세요.

16 동계올림픽에서 각 나라별 금메달 개수의 많고 적음을 알아보고 싶은 경우

(막대그래프 , 꺾은선그래프)

17 어느 도시의 연도별 강수량의 변화를 알아보고 싶은 경우

(막대그래프 , 꺾은선그래프)

[18~20] 미진이의 몸무게를 매월 1일에 재어 나타낸 표를 보고 꺾은선그래프로 나타내려고 합니다. 물음에 답하세요.

미진이의 몸무게

월	3	4	5	6	7
몸무게 (kg)	38.0	38.4	38.5	39.0	39.6

18 위 표를 보고 꺾은선그래프로 나타내어 보세요.

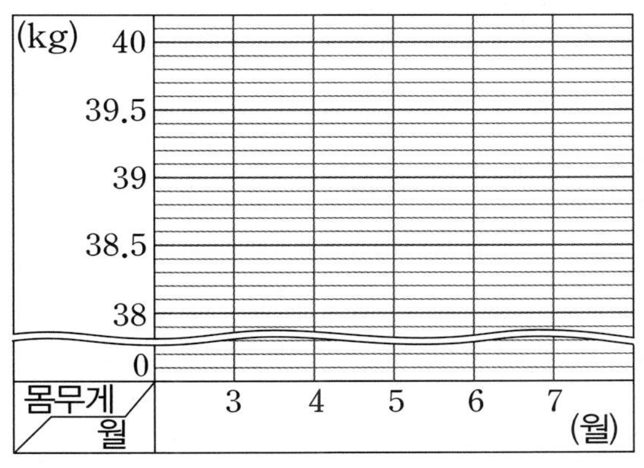

19 미진이의 몸무게는 어떻게 변하고 있을까요?

( )

20 8월에 미진이의 몸무게는 어떻게 될지 써 보세요.

( )

난이도 A B C

단원평가 2회

꺾은선그래프

점수

스피드 정답표 11쪽, 정답 및 풀이 39쪽

[01 ~ 04] 영호의 팔 굽혀펴기 횟수를 조사하여 나타낸 꺾은선그래프입니다. 물음에 답하세요.

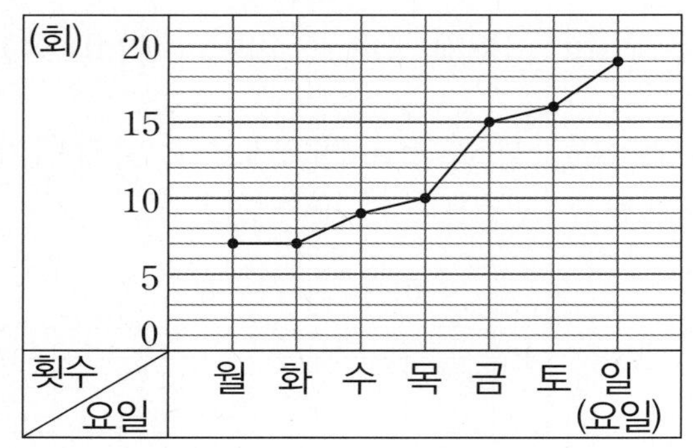

01 그래프에서 가로와 세로는 각각 무엇을 나타낼까요?

가로 (　　　　　　　)
세로 (　　　　　　　)

02 세로 눈금 한 칸은 몇 회를 나타낼까요?

(　　　　　　　)

03 금요일의 팔 굽혀펴기 횟수는 몇 회일까요?

(　　　　　　　)

04 팔 굽혀펴기 횟수가 가장 많은 때는 무슨 요일일까요?

(　　　　　　　)

[05 ~ 07] 윤지의 체온을 조사하여 나타낸 꺾은선그래프입니다. 물음에 답하세요.

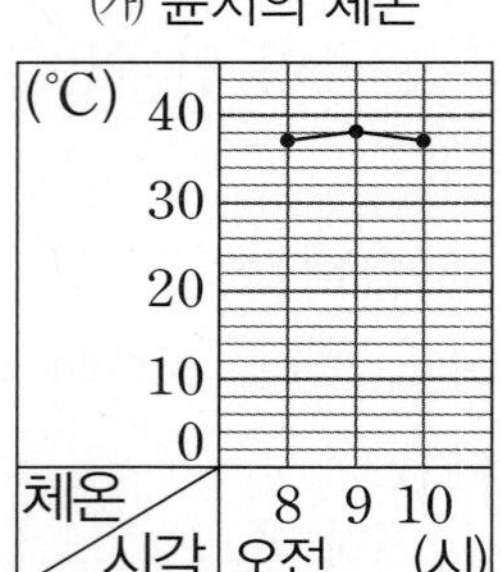

05 □ 안에 알맞은 수를 써넣으세요.

(가) 그래프의 세로 눈금 한 칸은 □ ℃를 나타내고 (나) 그래프의 세로 눈금 한 칸은 □ ℃를 나타냅니다.

06 (나) 그래프에서 필요 없는 부분을 줄이기 위해서 사용한 것은 무엇일까요?

(　　　　　　　)

07 (가)와 (나) 그래프 중 체온의 변화를 더 뚜렷하게 알 수 있는 그래프의 기호를 쓰세요.

(　　　　　　　)

[08~10] 어느 마을의 9월의 최저 기온을 조사하여 나타낸 표를 보고 꺾은선그래프로 나타내려고 합니다. 물음에 답하세요.

최저 기온

날짜(일)	1	3	5	7	9	11
기온(℃)	15	13	12	12	10	9

08 가로에 날짜를 쓴다면 세로에는 무엇을 나타내어야 할까요?

( )

09 세로 눈금 한 칸은 몇 ℃로 나타내면 좋을까요?

( )

10 위 표를 보고 꺾은선그래프로 나타내어 보세요.

최저 기온

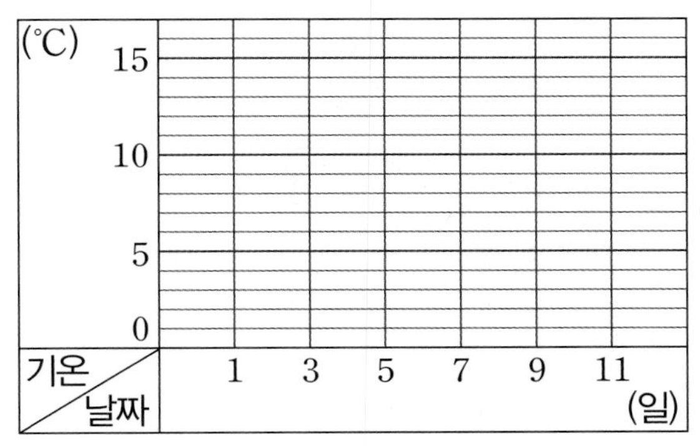

[11~13] 영준이의 요일별 100 m 달리기 기록을 조사하여 나타낸 꺾은선그래프입니다. 물음에 답하세요.

100 m 달리기 기록

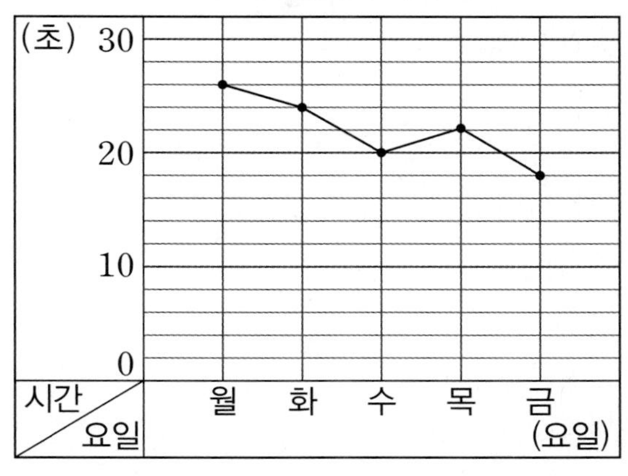

11 세로 눈금 한 칸은 몇 초를 나타낼까요?

( )

12 월요일부터 금요일까지 영준이의 100 m 달리기 기록이 24초보다 느렸던 때는 무슨 요일일까요?

( )

13 월요일부터 금요일까지 영준이의 100 m 달리기 기록이 가장 빨랐던 때는 몇 초일까요?

( )

14 윤하와 재윤이 중 꺾은선그래프로 나타내기에 알맞은 경우를 말한 사람은 누구일까요?

( )

5 꺾은선그래프

단원평가 2회

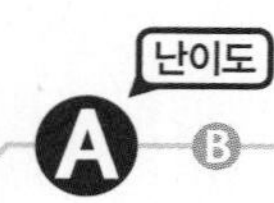

[15~17] 선경이의 키를 6개월 동안 조사하여 나타낸 표를 보고 꺾은선그래프로 나타내려고 합니다. 물음에 답하세요.

선경이의 키

월	1	2	3	4	5	6
키(cm)	137.2	137.5	137.6	137.9	138.3	138.6

15 위 표를 보고 꺾은선그래프로 나타내어 보세요.

선경이의 키

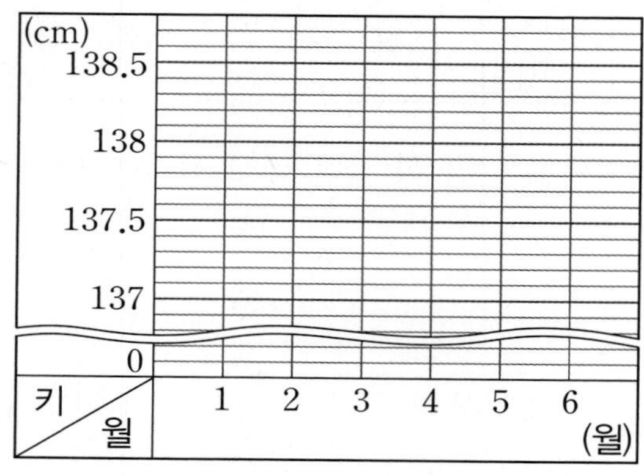

16 전월과 비교하여 선경이의 키가 가장 많이 자란 때는 몇 월일까요?

( )

17 7월에 선경이의 키는 어떻게 될지 예상해 보세요.

( )

[18~20] 소라네 학교의 연도별 학생 수를 조사하여 나타낸 꺾은선그래프입니다. 물음에 답하세요.

연도별 학생 수

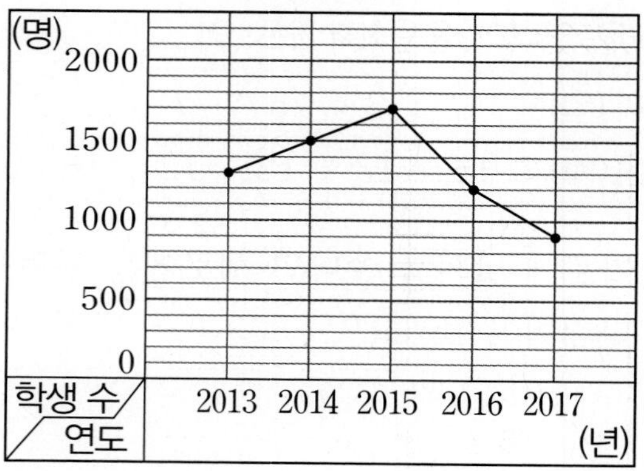

18 2014년의 소라네 학교의 학생은 몇 명일까요?

( )

19 전년과 비교하여 학생 수가 가장 많이 변한 때는 몇 년일까요?

( )

20 2018년에 소라네 학교의 학생 수는 어떻게 될까요?

( )

단원평가 3회

꺾은선그래프

점수

스피드 정답표 11쪽, 정답 및 풀이 40쪽

[01 ~ 04] 양파의 키를 매일 조사하여 나타낸 꺾은선그래프입니다. 물음에 답하세요.

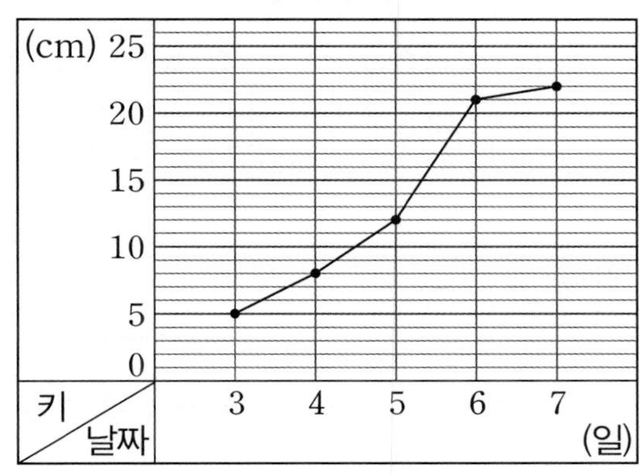

01 그래프에서 가로와 세로는 각각 무엇을 나타낼까요?

가로 ( )
세로 ( )

02 양파의 키가 12 cm인 날은 며칠일까요?

( )

03 4일의 양파의 키는 몇 cm일까요?

( )

04 3일과 7일의 양파의 키의 차는 몇 cm일까요?

( )

[05 ~ 06] 어느날 교실 앞 복도의 온도를 조사하여 나타낸 표를 보고 꺾은선그래프를 나타내려고 합니다. 물음에 답하세요.

교실 앞 복도의 온도

시각	오전 10시	오전 11시	낮 12시	오후 1시	오후 2시
온도(°C)	12	14	16	18	19

05 가로에 시각을 쓴다면 세로에는 무엇을 나타내어야 할까요?

( )

06 위 표를 보고 꺾은선그래프로 나타내어 보세요.

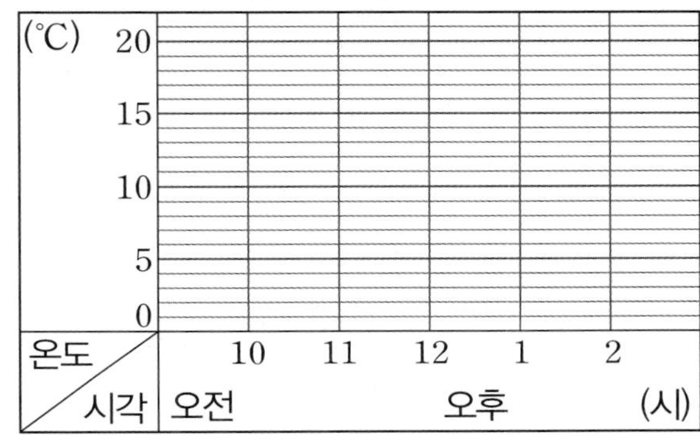

07 꺾은선그래프의 특징을 바르게 설명한 학생은 누구일까요?

( )

[08 ~ 10] 채림이의 요일별 멀리뛰기 최고 기록을 재어 기록한 표를 보고 꺾은선그래프로 나타내려고 합니다. 물음에 답하세요.

멀리뛰기 최고 기록

요일	월	화	수	목	금	토
뛴 거리(cm)	116	124	120	138	136	130

08 물결선을 어디와 어디 사이에 넣으면 좋을까요?

( )

09 위 표를 보고 꺾은선그래프로 나타내어 보세요.

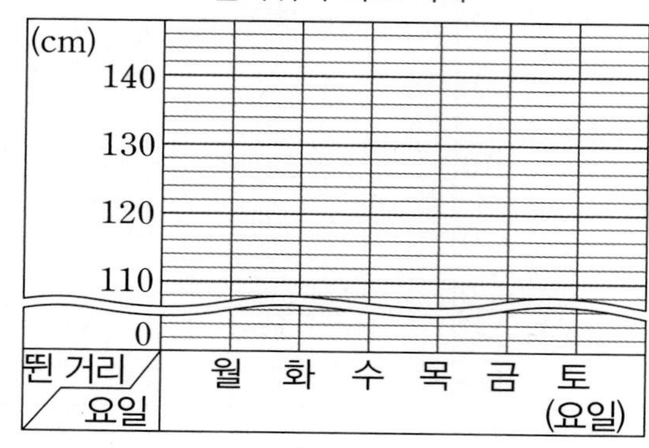

10 멀리뛰기 최고 기록이 가장 좋은 때는 무슨 요일일까요?

( )

[11 ~ 14] 어느 가게의 월별 음료수 판매량을 조사하여 나타낸 꺾은선그래프입니다. 물음에 답하세요.

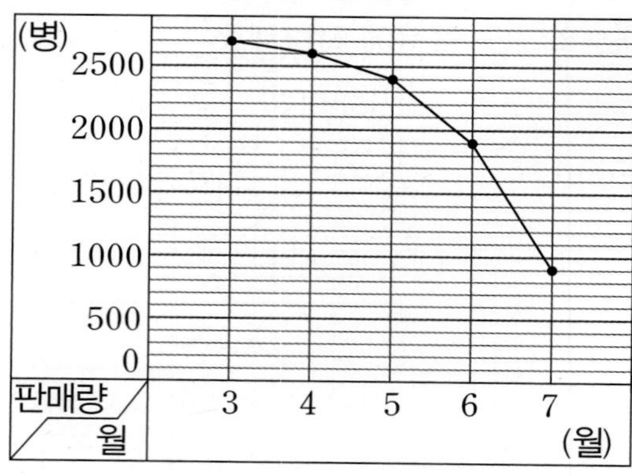

11 위 그래프를 보고 표의 빈칸에 알맞은 수를 써넣으세요.

음료수 판매량

월	3	4	5	6	7
판매량(병)	2700				

12 판매량이 가장 많은 때와 가장 적은 때의 차는 몇 병일까요?

( )

13 5개월 동안의 전체 음료수 판매량은 몇 병일까요?

( )

14 전달에 비해 판매량이 가장 많이 줄어든 때는 몇 월일까요?

( )

[15~17] 어느 도시의 연도별 자원봉사자 수를 조사하여 나타낸 꺾은선그래프입니다. 물음에 답하세요.

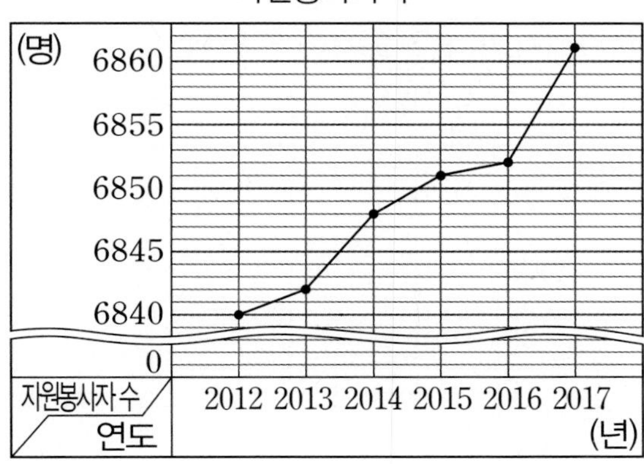

15 자원봉사자 수가 가장 많았던 때는 몇 년일까요?

(　　　　　　　　)

16 자원봉사자 수가 가장 적게 변한 때는 몇 년과 몇 년 사이일까요?

(　　　　　)과 (　　　　　) 사이

서술형

17 2012년과 2013년 사이에 늘어난 자원봉사자는 몇 명인지 풀이 과정을 쓰고 답을 구하세요.

풀이

답 ______________

[18~20] 진규의 몸무게를 매년 1월에 조사하여 나타낸 꺾은선그래프입니다. 물음에 답하세요.

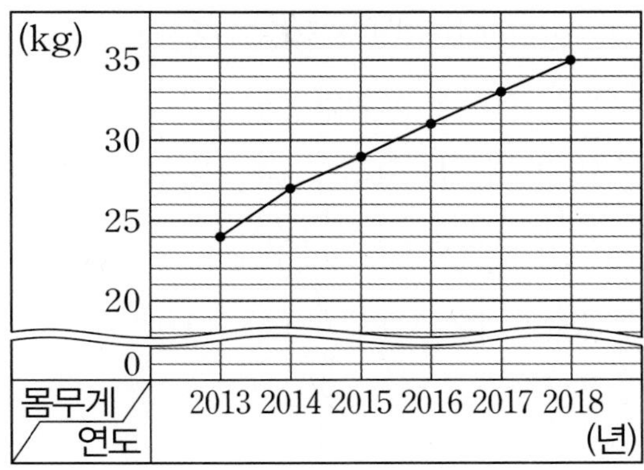

18 2015년 7월에 진규의 몸무게는 몇 kg였을까요?

(　　　　　　　　)

19 진규의 몸무게는 어떻게 변하고 있을까요?

(　　　　　　　　　　　　　　)

20 진규가 2019년 1월에 몸무게를 잰다면 몇 kg이 될까요?

(　　　　　　　　)

5 꺾은선그래프

단원평가 4회

난이도 A B C

꺾은선그래프

점수

스피드 정답표 12쪽, 정답 및 풀이 41쪽

[01~04] 경희가 교실의 온도를 조사하여 나타낸 표와 꺾은선그래프입니다. 물음에 답하세요.

교실의 온도

시각	오전 9시	오전 10시	오전 11시	낮 12시	오후 1시	오후 2시	오후 3시
온도 (℃)	8	12	14	14	19	17	13

교실의 온도

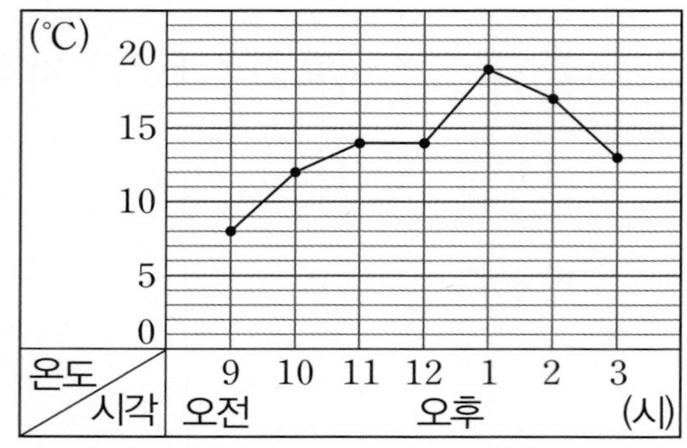

01 교실의 온도가 변화하는 모습을 한눈에 쉽게 알 수 있는 것은 표와 꺾은선그래프 중에서 어느 것일까요?

( )

02 오전 11시의 교실의 온도는 몇 ℃일까요?

( )

03 교실의 온도가 가장 높은 때는 몇 시일까요?

( )

04 교실의 온도가 가장 낮은 때는 몇 시일까요?

( )

[05~07] 연아의 몸무게를 매일 조사하여 나타낸 꺾은선그래프입니다. 물음에 답하세요.

연아의 몸무게

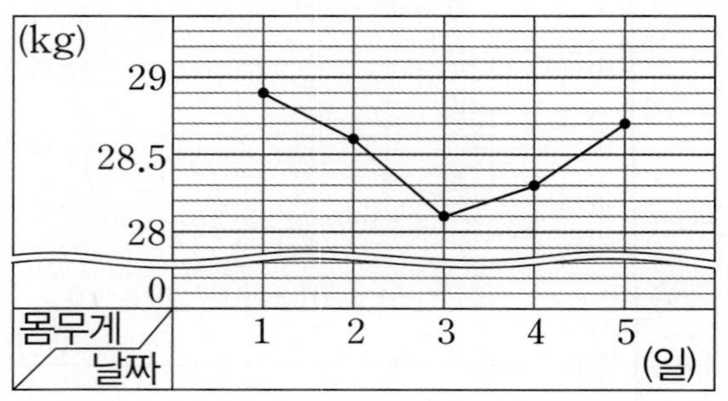

05 세로 눈금 한 칸은 몇 kg을 나타낼까요?

( )

06 연아의 몸무게가 가장 적게 나갈 때는 몇 kg일까요?

( )

07 전월과 비교하여 몸무게가 가장 많이 변한 때는 며칠일까요?

( )

[08 ~ 09] 명호의 몸무게를 조사하여 나타낸 꺾은선그래프입니다. 물음에 답하세요.

(가) 명호의 몸무게

(나) 명호의 몸무게

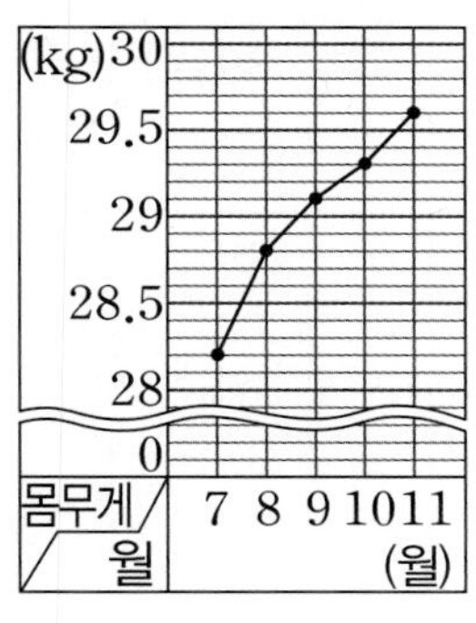

08 (가)와 (나) 그래프의 세로 눈금 한 칸은 각각 몇 kg인지 구하세요.

(가) (　　　　　　), (나) (　　　　　　)

09 (가)와 (나) 그래프에 대한 설명 중 <u>틀린</u> 것을 찾아 기호를 쓰세요.

> ㉠ (가)보다 (나)의 몸무게 변화가 더 큽니다.
> ㉡ (나)에서 몸무게 변화를 더 뚜렷하게 알아볼 수 있습니다.
> ㉢ 7월부터 11월까지의 몸무게 변화를 나타낸 그래프입니다.

(　　　　　　)

10 대화를 읽고 병아리의 몸무게 변화를 알아보려면 막대그래프와 꺾은선그래프 중 어떤 그래프로 나타내는 것이 좋은지 쓰세요.

(　　　　　　)

[11 ~ 14] 정한이의 키를 매월 조사하여 나타낸 표를 보고 꺾은선그래프로 나타내려고 합니다. 물음에 답하세요.

정한이의 키

월	1	2	3	4	5
키(cm)	143.2	143.4	143.8	145	145.8

11 세로 눈금 한 칸은 몇 cm로 나타내면 좋을까요?

(　　　　　　)

12 세로 눈금의 시작은 몇 cm에서 하는 것이 좋을까요?

(　　　　　　)

13 위 표를 보고 꺾은선그래프로 나타내어 보세요.

정한이의 키

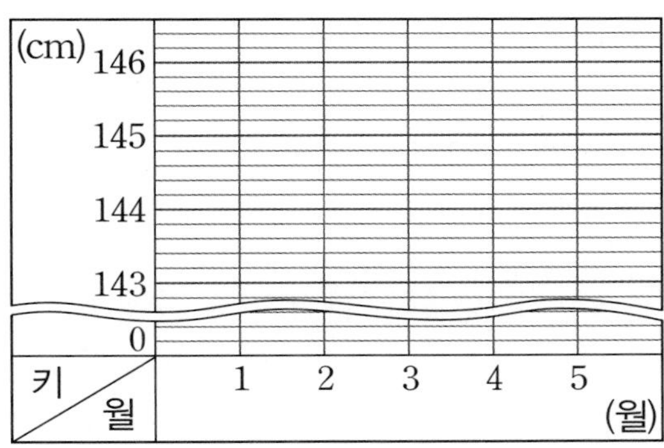

14 전월과 비교하여 정한이의 키가 가장 많이 큰 때는 몇 월일까요?

(　　　　　　)

[15~17] 어느 가게의 1300원짜리 햄버거의 판매량을 매일 조사하여 나타낸 꺾은선그래프입니다. 물음에 답하세요.

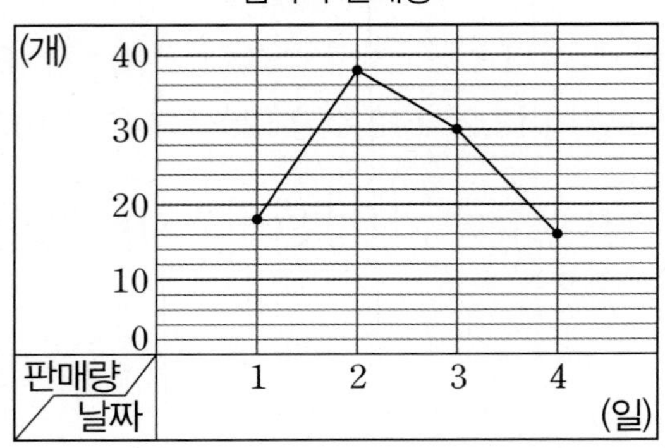

15 햄버거를 가장 많이 판매한 날은 며칠일까요?

(　　　　　　　　)

16 4일 동안 햄버거를 모두 몇 개 팔았을까요?

(　　　　　　　　)

서술형

17 3일에 판매한 햄버거의 판매 금액은 모두 얼마인지 풀이 과정을 쓰고 답을 구하세요.

풀이

답 ________________

[18~20] 지후가 감기에 걸린 동안 매일 잰 체온을 나타낸 꺾은선그래프입니다. 물음에 답하세요.

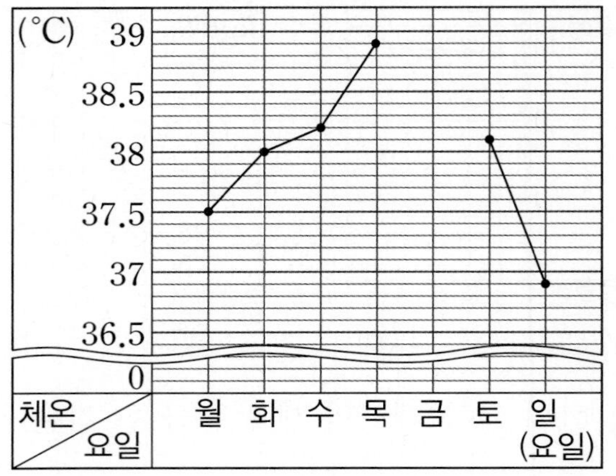

18 월요일에 지후의 체온은 몇 °C일까요?

(　　　　　　　　)

19 수요일은 월요일보다 체온이 몇 °C만큼 올랐을까요?

(　　　　　　　　)

20 금요일에 지후의 체온은 몇 °C였을까요?

(　　　　　　　　)

난이도 A B C

단원평가 5회

꺾은선그래프

점수

스피드 정답표 12쪽, 정답 및 풀이 42쪽

[01~04] 성민이네 거실의 온도를 조사하여 나타낸 꺾은선그래프입니다. 물음에 답하세요.

성민이네 거실의 온도

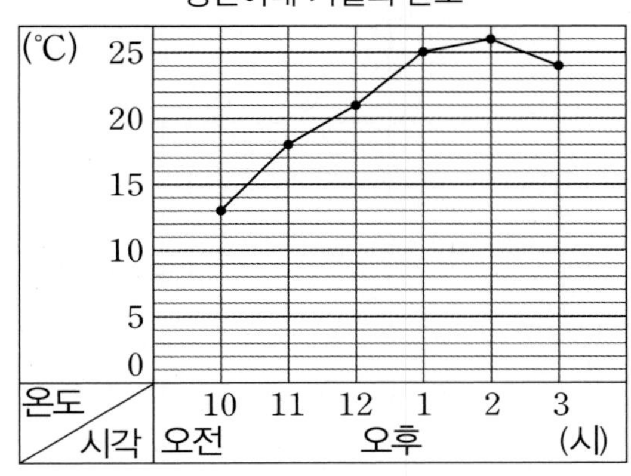

01 그래프에서 세로는 무엇을 나타낼까요?

( )

02 온도가 가장 높은 때는 언제일까요?

( )

03 오후 12시 30분의 온도는 몇 °C였을까요?

( )

04 온도가 가장 높은 때와 가장 낮은 때의 온도 차는 몇 °C일까요?

( )

[05~07] 명한이의 요일별 턱걸이 최고 기록을 조사하여 나타낸 표를 보고 꺾은선그래프로 나타내려고 합니다. 물음에 답하세요.

턱걸이 최고 기록

요일	월	화	수	목	금	토	일
횟수(회)	3	4	6	8	10	11	13

05 가로에 요일을 쓴다면 세로에는 무엇을 나타내어야 할까요?

( )

06 세로 눈금 한 칸은 몇 회로 나타내면 좋을까요?

( )

07 위 표를 보고 꺾은선그래프로 나타내어 보세요.

턱걸이 최고 기록

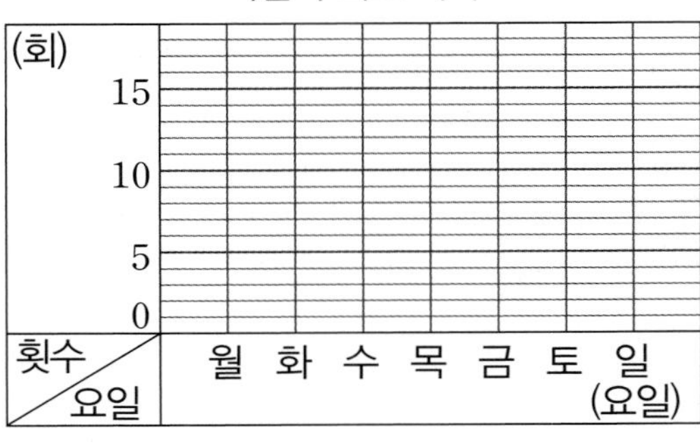

5 꺾은선그래프

[08~10] 어느 놀이공원의 입장객 수를 조사하여 나타낸 표를 보고 꺾은선그래프로 나타내려고 합니다. 물음에 답하세요.

놀이공원의 입장객 수

월	4	5	6	7
입장객 수(명)	2800	3300	3100	3800

08 세로 눈금의 시작은 몇 명에서 하는 것이 좋을까요?

(　　　　　　　　)

09 위 표를 보고 꺾은선그래프로 나타내어 보세요.

놀이공원의 입장객 수

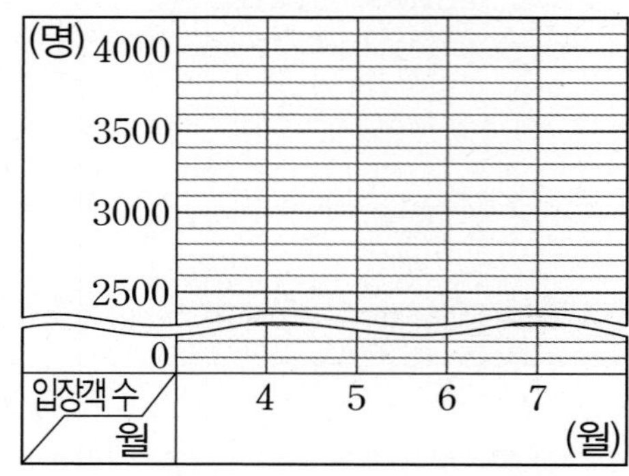

10 전달에 비해 입장객 수가 줄어든 때는 몇 월일까요?

(　　　　　　　　)

[11~13] 어느 회사의 수출액을 2년마다 조사하여 나타낸 꺾은선그래프입니다. 물음에 답하세요.

수출액

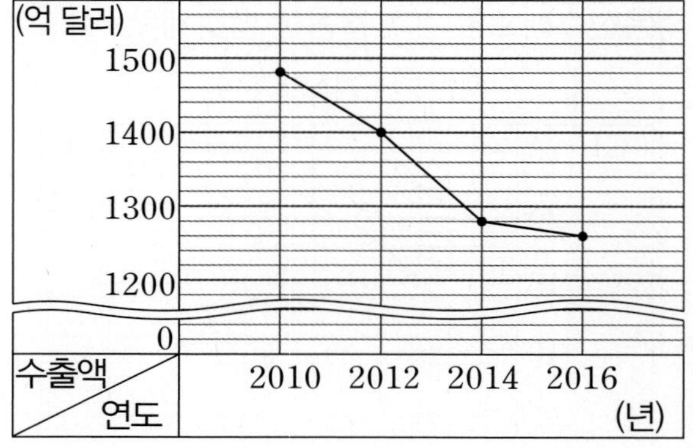

11 세로 눈금 한 칸은 몇 억 달러를 나타낼까요?

(　　　　　　　　)

12 수출액이 1400억 달러였던 때는 몇 년일까요?

(　　　　　　　　)

서술형

13 2014년과 2016년의 수출액은 모두 얼마인지 풀이 과정을 쓰고 답을 구하세요.

풀이

답 ________________

[14~17] 어느 날 땅의 온도를 재어 나타낸 꺾은선그래프입니다. 물음에 답하세요.

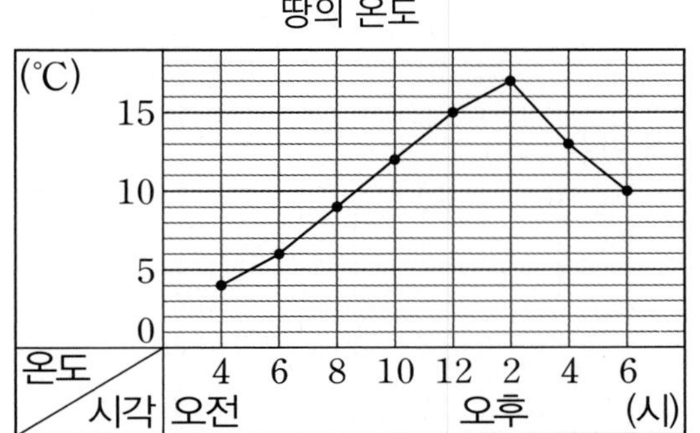

14 땅의 온도가 가장 많이 변한 때는 몇 시와 몇 시 사이일까요?

(　　　　　)와 (　　　　　) 사이

15 땅의 온도가 낮아지기 시작하는 때는 몇 시부터일까요?

(　　　　　)

16 오후 3시에 땅의 온도는 몇 ℃였을까요?

(　　　　　)

17 오후 8시에 땅의 온도가 어떻게 변할지 써 보세요.

(　　　　　)

[18~20] 세 식물의 키의 변화를 조사하여 나타낸 꺾은선그래프입니다. 물음에 답하세요.

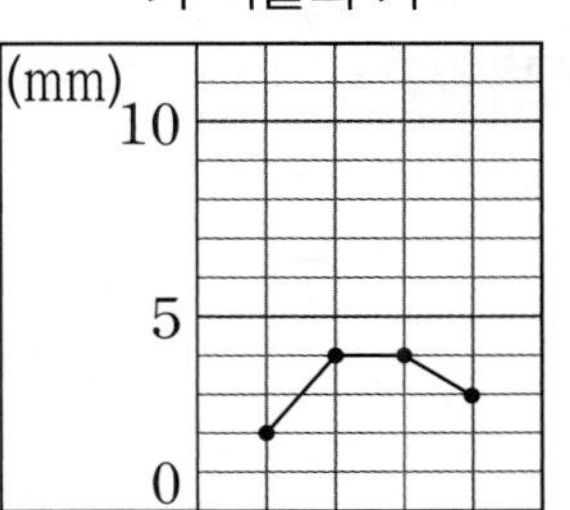

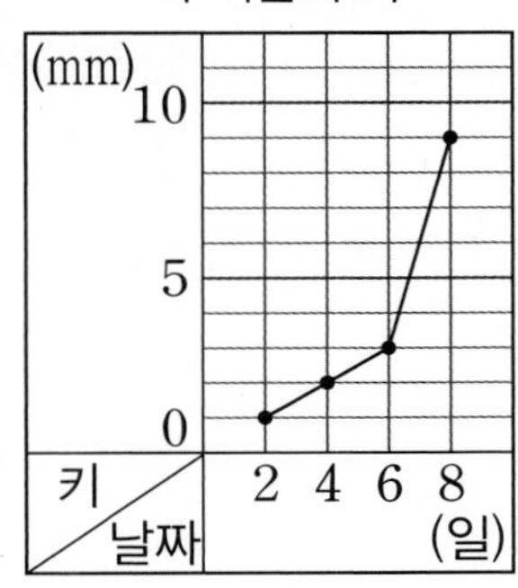

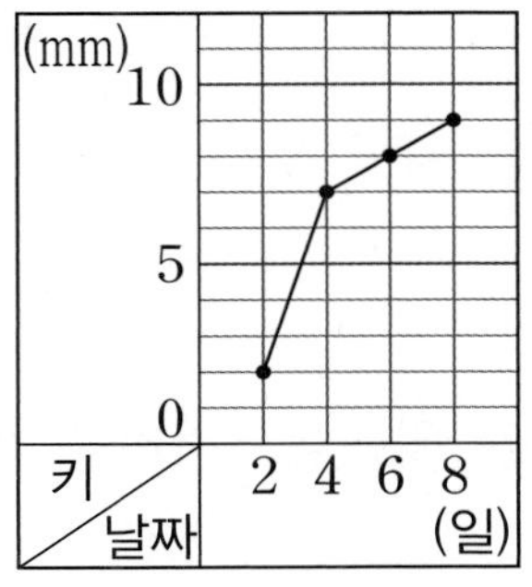

18 처음에는 천천히 자라다가 시간이 지나면서 빠르게 자라는 식물은 어느 것일까요?

(　　　　　)

19 처음에는 빠르게 자라다가 시간이 지나면서 천천히 자라는 식물은 어느 것일까요?

(　　　　　)

서술형

20 조사하는 동안 시들기 시작한 식물은 어느 것인지 쓰고 그렇게 생각한 이유를 설명해 보세요.

(　　　　　)

이유 ______________________

____

____

5 꺾은선그래프

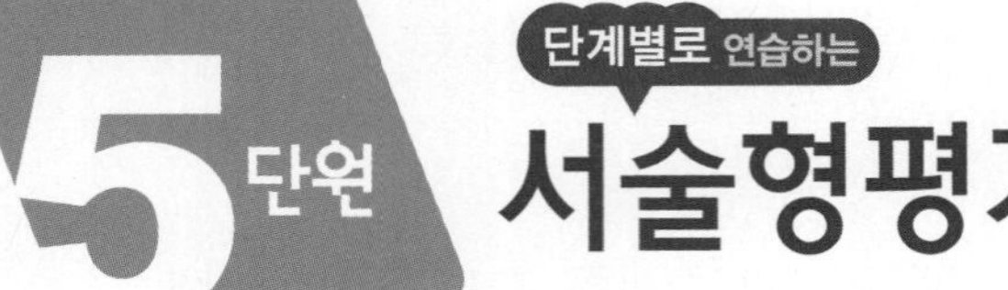

꺾은선그래프

점수

01 우혁이의 윗몸일으키기 횟수를 조사하여 나타낸 꺾은선그래프입니다. 윗몸일으키기를 가장 많이 한 요일의 윗몸일으키기 횟수를 구하세요.

윗몸일으키기 횟수

(회) 15, 10, 5, 0

횟수/요일: 월 화 수 목 금 토 일 (요일)

❶ 세로 눈금 한 칸은 몇 회를 나타낼까요?

( )

❷ 윗몸일으키기를 가장 많이 한 요일은 무슨 요일일까요?

( )

❸ 윗몸일으키기를 가장 많이 한 요일의 윗몸일으키기 횟수를 구하세요.

( )

02 학교 운동장의 온도 변화를 조사하여 나타낸 꺾은선그래프입니다. 전시각에 비해 온도가 가장 많이 오른 때는 몇 시인지 구하세요.

운동장의 온도

(°C) 20, 15, 10, 5, 0

온도/시각: 오전 10, 11, 오후 12, 1, 2 (시)

❶ 그래프의 선이 가장 많이 기울어진 때는 몇 시와 몇 시 사이일까요?

( )와 ( ) 사이

❷ 전시각에 비해 온도가 가장 많이 오른 때는 몇 시일까요?

( )

03 어느 장난감 회사의 월별 장난감 생산량을 조사하여 나타낸 꺾은선그래프입니다. 5월에는 3월보다 장난감을 몇 개 더 많이 생산했는지 구하세요.

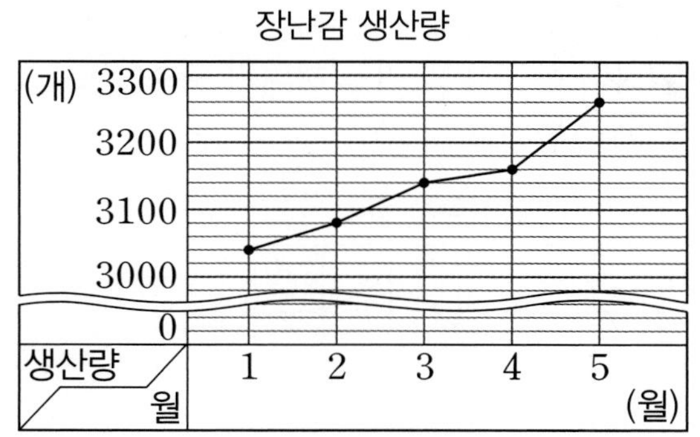

❶ 세로 눈금 한 칸은 몇 개를 나타낼까요?

( )

❷ 3월과 5월의 장난감 생산량은 각각 몇 개일까요?

3월 ( ), 5월 ( )

❸ 5월에는 3월보다 장난감을 몇 개 더 많이 생산했을까요?

( )

04 천재 서점의 월별 책 판매량을 조사하여 나타낸 꺾은선그래프입니다. 가장 많이 팔린 때와 가장 적게 팔린 때의 책의 수의 차는 몇 권인지 구하세요.

책 판매량

❶ 가장 많이 팔린 때는 몇 권이 팔렸을까요?

( )

❷ 가장 적게 팔린 때는 몇 권이 팔렸을까요?

( )

❸ 가장 많이 팔린 때와 가장 적게 팔린 때의 책의 수의 차는 몇 권일까요?

( )

5 꺾은선그래프

01
준수의 팔 굽혀펴기 횟수를 조사하여 나타낸 꺾은선그래프입니다. 팔 굽혀펴기를 가장 많이 한 요일의 팔 굽혀펴기 횟수는 몇 회인지 풀이 과정을 쓰고 답을 구하세요.

팔 굽혀펴기 횟수

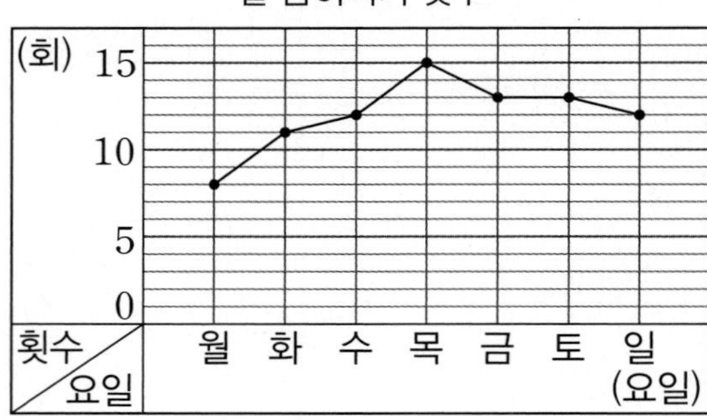

풀이

답 ______

어떻게 풀까요?

- 팔 굽혀펴기를 가장 많이 한 요일은 그래프에서 점이 가장 높은 때입니다.

02
교실의 온도를 조사하여 나타낸 꺾은선그래프입니다. 전시각에 비해 온도가 가장 많이 오른 때는 몇 시인지 풀이 과정을 쓰고 답을 구하세요.

교실의 온도

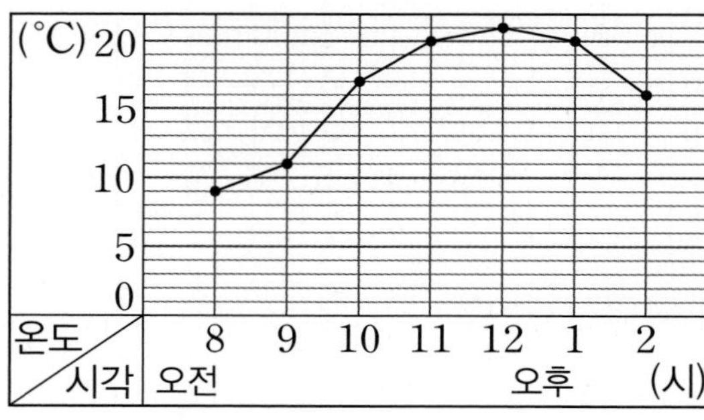

풀이

답 ______

어떻게 풀까요?

- 그래프에서 온도가 가장 많이 오른 때는 선이 오른쪽 위로 가장 많이 기울어진 때입니다.

03 어느 자전거 회사의 월별 자전거 생산량을 조사하여 나타낸 꺾은선그래프입니다. 6월에는 2월보다 자전거를 몇 대 더 많이 생산했는지 풀이 과정을 쓰고 답을 구하세요.

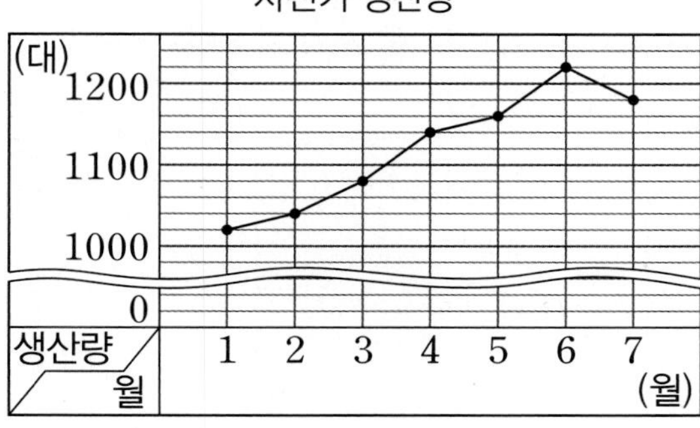

풀이

답 ______________

어떻게 풀까요?

- 가로 눈금 2월, 6월이 각각 만나는 세로 눈금을 읽어 자전거 생산량의 차를 구합니다.

04 어느 가게의 월별 음료수 판매량을 나타낸 꺾은선그래프입니다. 가장 많이 팔린 때와 가장 적게 팔린 때의 음료수 판매량의 차는 몇 병인지 풀이 과정을 쓰고 답을 구하세요.

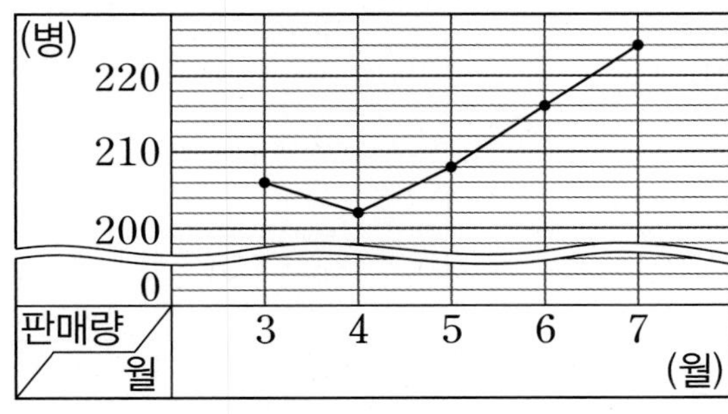

풀이

답 ______________

어떻게 풀까요?

- 가장 많이 팔린 때는 그래프의 점이 가장 높은 때이고, 가장 적게 팔린 때는 그래프의 점이 가장 낮은 때입니다.

5 꺾은선그래프

• 스피드 정답표 **13쪽**, 정답 및 풀이 **43쪽**

오답률 14%

01 어느 마을의 농사를 짓는 가구 수를 매년 1월 1일에 조사하여 나타낸 꺾은선그래프입니다. 농사를 짓는 가구 수가 가장 적은 때의 가구 수는 몇 가구일까요?

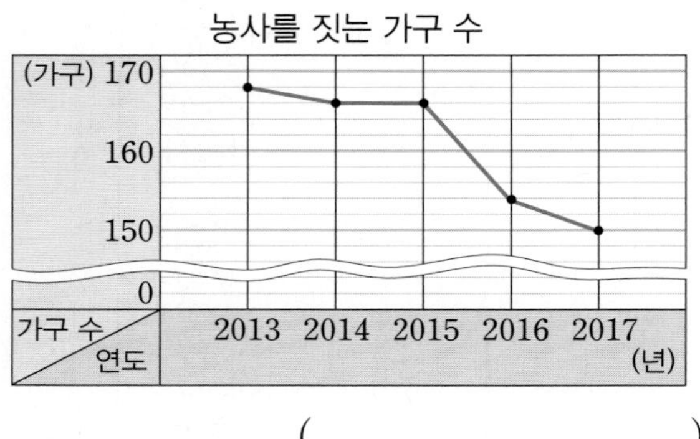

( )

오답률 18%

02 땅의 온도를 2시간 간격으로 재어 나타낸 꺾은선그래프입니다. 오후 4시에 땅의 온도는 약 몇 도일까요? ························( )

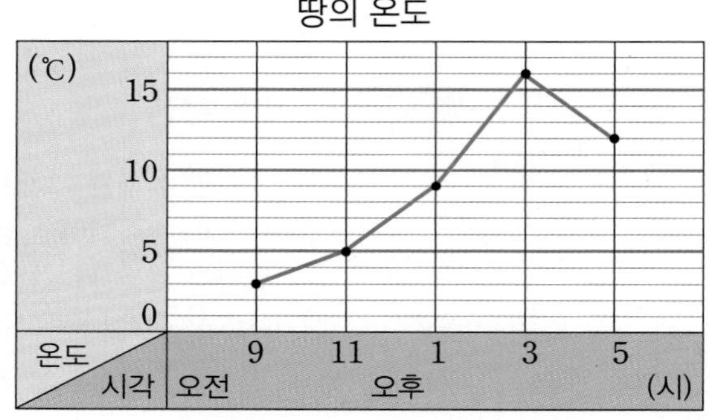

① 약 16 ℃ ② 약 14 ℃ ③ 약 12 ℃
④ 약 10 ℃ ⑤ 약 8 ℃

오답률 20%

03 꺾은선그래프로 나타내는 것이 더 좋은 것은 어느 것일까요? ······················( )

① 나팔꽃 키의 변화
② 과수원별 포도 생산량
③ 지역별 강수량
④ 수진이의 과목별 성적
⑤ 나라별 올림픽 금메달 수

오답률 24%

04 어느 마을의 음식물 쓰레기 배출량을 조사하여 나타낸 꺾은선그래프입니다. 4월은 3월보다 음식물 쓰레기 배출량이 몇 t 더 많을까요?

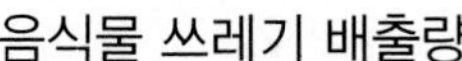

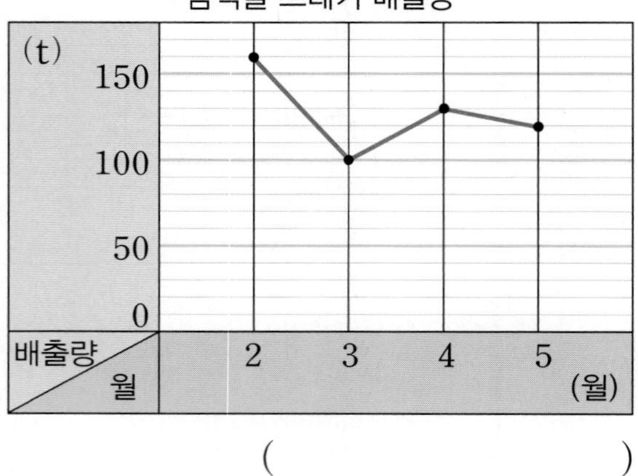

( )

오답률 42%

05 어느 과일 가게의 주별 사과 판매량을 조사하여 나타낸 꺾은선그래프입니다. 1주부터 4주까지 사과 판매량은 모두 몇 개일까요?

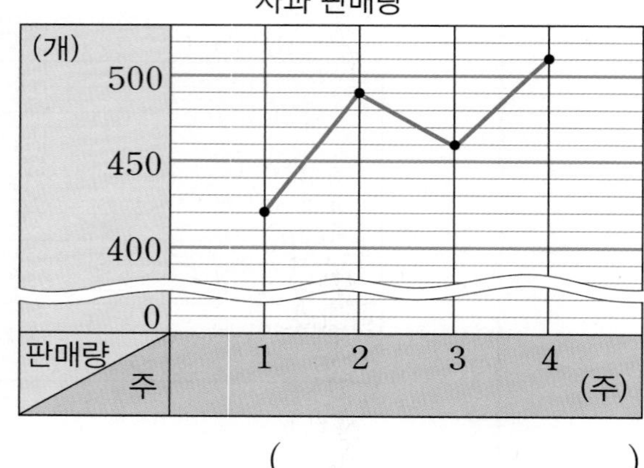

( )

6

다각형

개념 1 다각형

- 다각형: 선분으로만 둘러싸인 도형
- 변의 수에 따른 다각형 알아보기

다각형	(육각형 그림)	(칠각형 그림)	(팔각형 그림)
변의 수	6개	7개	❶ □개
이름	육각형	칠각형	팔각형

개념 2 변의 길이와 각의 크기가 같은 다각형

- 정다각형: 변의 길이가 모두 같고, 각의 크기가 모두 같은 다각형
- 변의 수에 따른 정다각형 알아보기

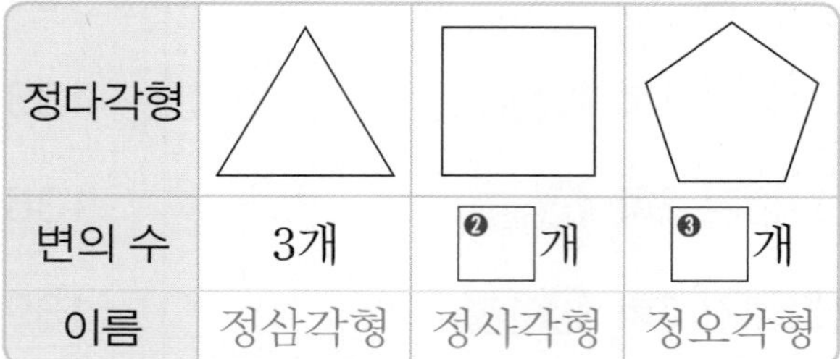

정다각형	(정삼각형 그림)	(정사각형 그림)	(정오각형 그림)
변의 수	3개	❷ □개	❸ □개
이름	정삼각형	정사각형	정오각형

개념 3 대각선

- 대각선: 다각형에서 선분 ㄱㄷ, 선분 ㄴㄹ과 같이 서로 이웃하지 않는 두 꼭짓점을 이은 선분

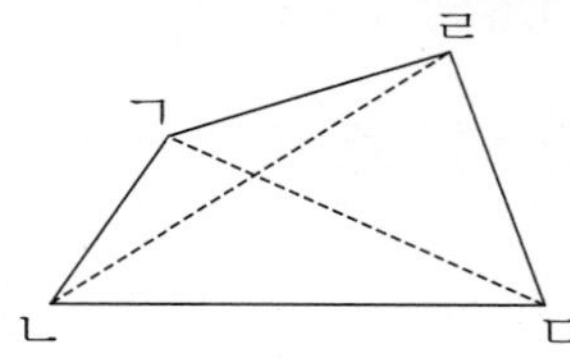

참고

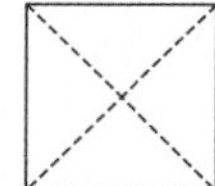 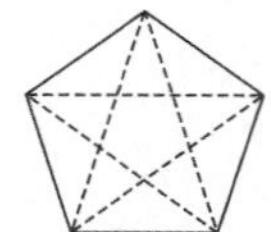

정다각형에 그을 수 있는 대각선은 길이가 모두 같습니다.

- 여러 가지 사각형의 대각선 알아보기
  - 직사각형, 정사각형

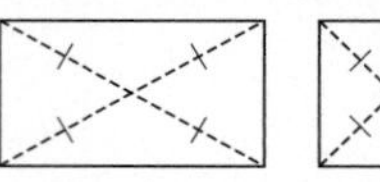 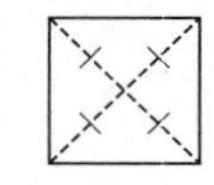

⇨ 두 대각선의 길이가 같습니다.

  - 마름모, 정사각형

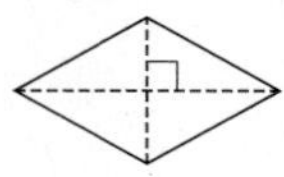 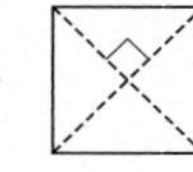

⇨ 두 대각선이 서로  ❹ □으로 만납니다.

  - 평행사변형, 직사각형, 마름모, 정사각형

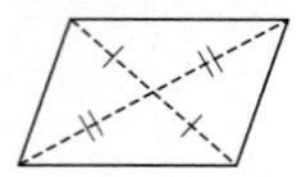 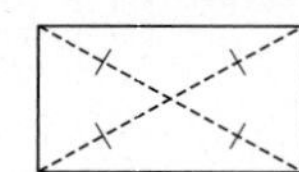 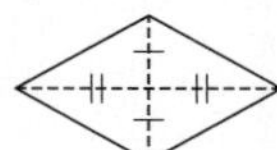 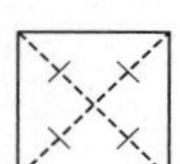

⇨ 한 대각선이 다른 대각선을 똑같이 둘로 나눕니다.

개념 4 모양 만들기

- 모양 조각 알아보기

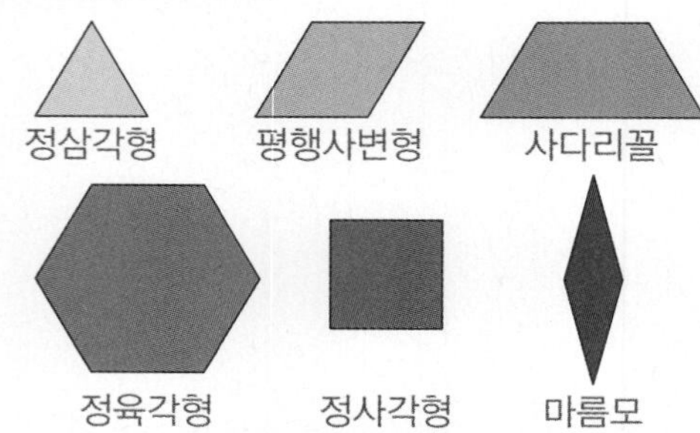

- 모양 조각 2개로 정삼각형 만들기

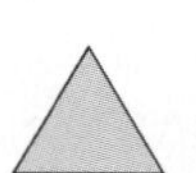 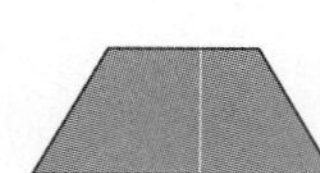  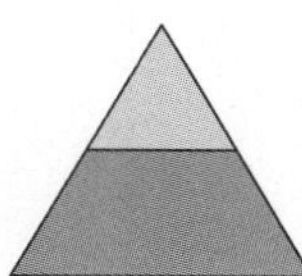

개념 5 모양 채우기

- 한 가지 모양 조각으로 정육각형을 겹치지 않게 빈틈 없이 채우기

| 정답 | ❶ 8 ❷ 4 ❸ 5 ❹ 수직

쪽지시험 1회

다각형

점수

▶ 다각형 ~ 변의 길이와 각의 크기가 같은 다각형

스피드 정답표 13쪽, 정답 및 풀이 44쪽

[01 ~ 02] 다각형에 ○표, 다각형이 아닌 것에 ×표 하세요.

01

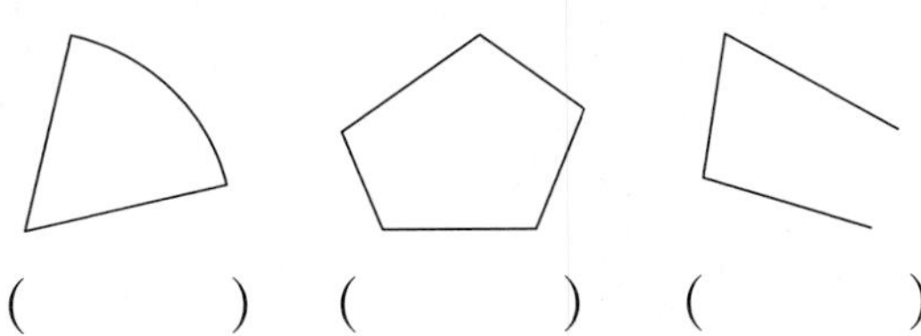

( ) ( ) ( )

02

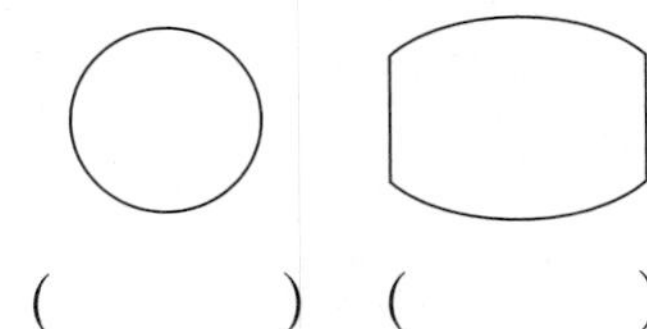

( ) ( ) ( )

[03 ~ 04] 다각형의 이름을 쓰세요.

03

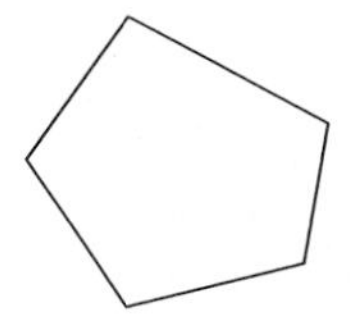

( )

04

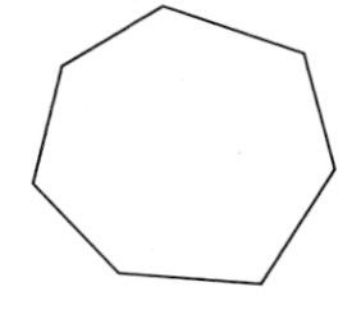

( )

05 정다각형의 이름을 쓰세요.

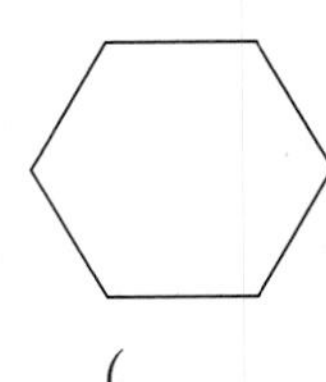

( )

[06 ~ 08] 도형을 보고 물음에 답하세요.

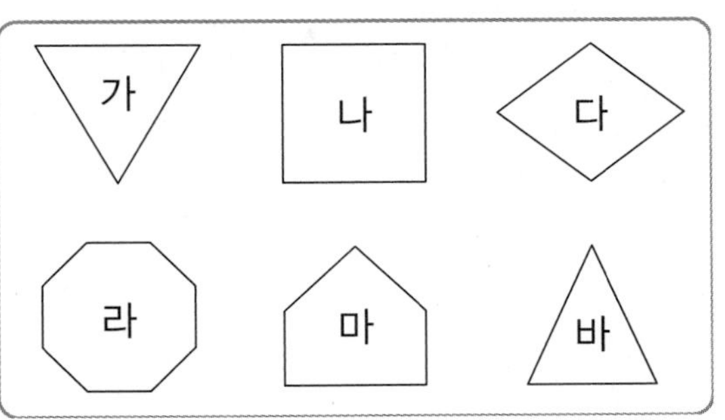

06 변이 5개인 다각형을 찾아 기호를 쓰세요.

( )

07 정다각형을 모두 찾아 기호를 쓰세요.

( )

08 정팔각형을 찾아 기호를 쓰세요.

( )

[09 ~ 10] 정다각형입니다. □ 안에 알맞은 수를 써넣으세요.

09

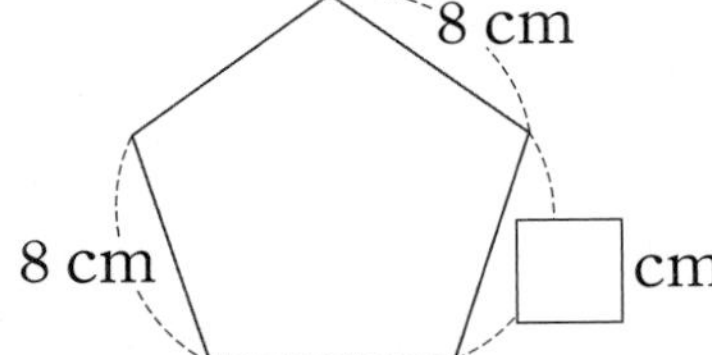

10

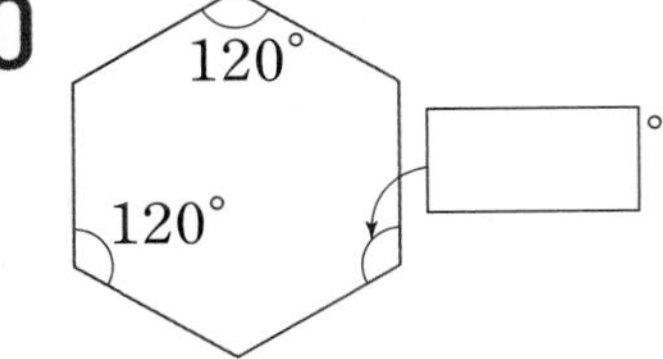

쪽지시험 2회

다각형

점수

▶ 대각선 ~ 모양 채우기

스피드 정답표 13쪽, 정답 및 풀이 44쪽

01 직사각형에 대각선을 바르게 그은 것에 ○표 하세요.

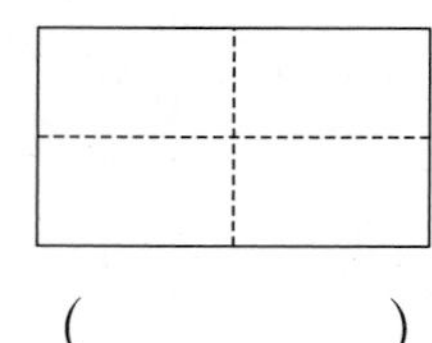

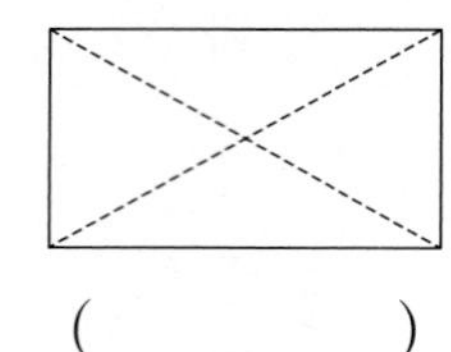

(　　　) (　　　)

[02 ~ 03] 도형에 대각선을 모두 그어 보세요.

02

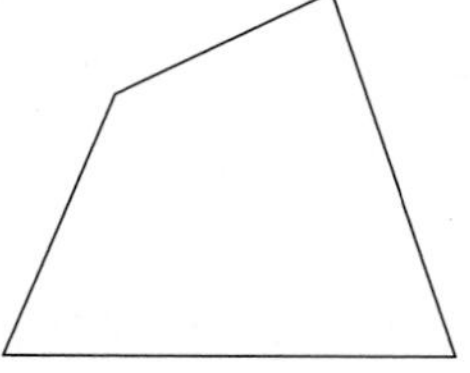

03

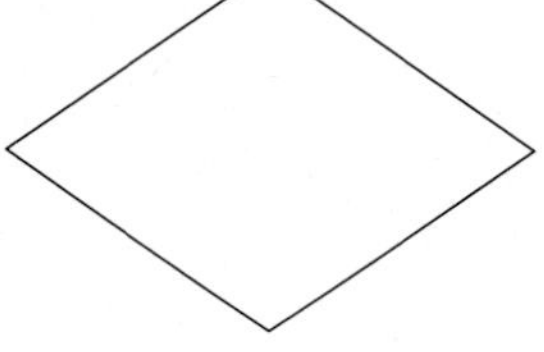

[04 ~ 05] 모양을 만드는 데 사용한 다각형을 모두 찾아 ○표 하세요.

04

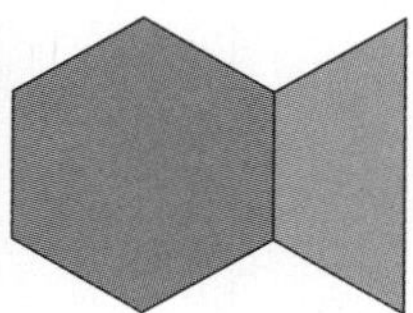

(삼각형 , 사각형 , 육각형)

05

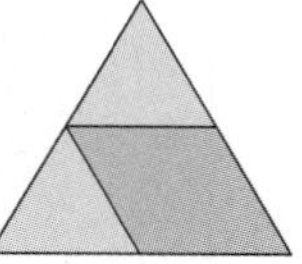

(삼각형 , 사각형 , 오각형)

[06 ~ 07] 한 가지 모양 조각으로 겹치지 않게 빈틈없이 채워 꾸민 모양입니다. 모양을 채우고 있는 다각형을 찾아 ○표 하세요.

06

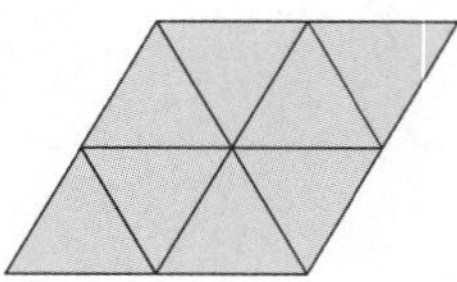

(삼각형 , 오각형 , 육각형)

07

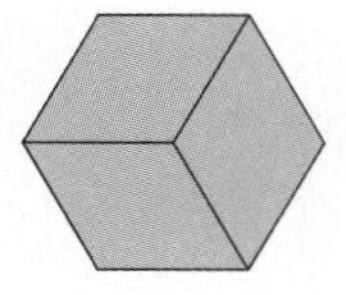

(삼각형 , 사각형 , 오각형)

08 다음 모양을 겹치지 않게 빈틈없이 채우려면 △ 모양 조각은 몇 개 필요할까요?

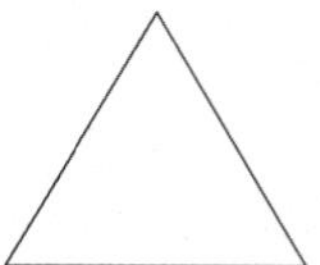

(　　　　　　)

09 대각선을 많이 그을 수 있는 도형부터 차례로 기호를 쓰세요.

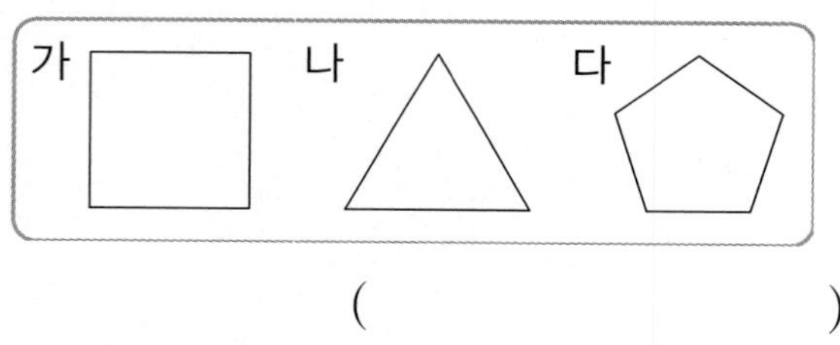

(　　　　　　)

10 두 대각선이 서로 수직으로 만나는 사각형을 모두 찾아 기호를 쓰세요.

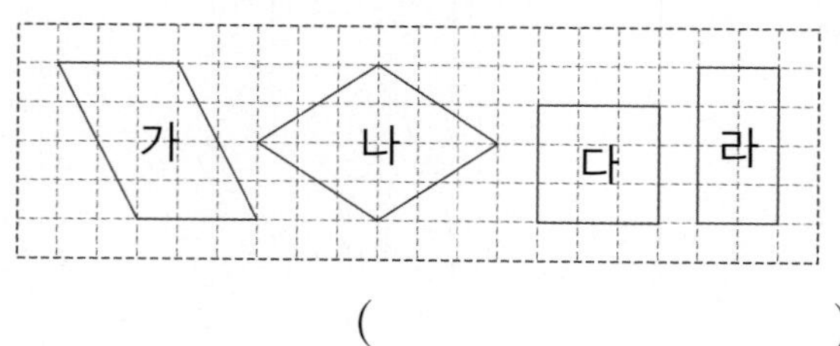

(　　　　　　)

난이도 A B C

단원평가 1회

다각형

점수

스피드 정답표 13쪽, 정답 및 풀이 44쪽

01 □ 안에 알맞은 말을 써넣으세요.

선분으로만 둘러싸인 도형을 □ 이라 하고, 변의 수에 따라 변이 5개이면 □, 6개이면 □, 7개이면 □ 이라고 부릅니다.

[02 ~ 04] 도형을 보고 물음에 답하세요.

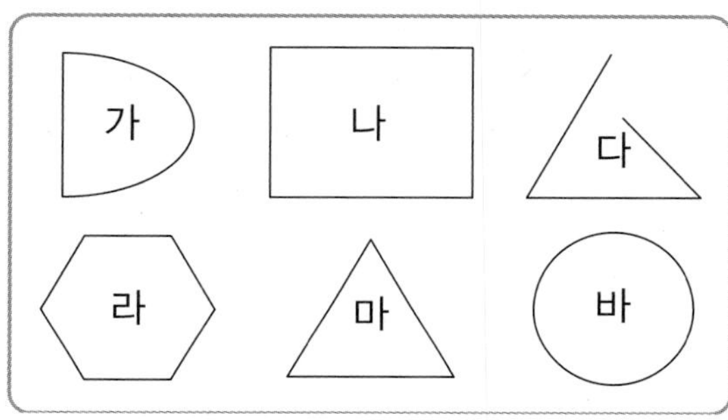

02 다각형을 모두 찾아 기호를 쓰세요.

(　　　　　　　　)

03 정다각형을 모두 찾아 기호를 쓰세요.

(　　　　　　　　)

04 정육각형을 찾아 기호를 쓰세요.

(　　　　　　　　)

05 정다각형의 이름을 쓰세요.

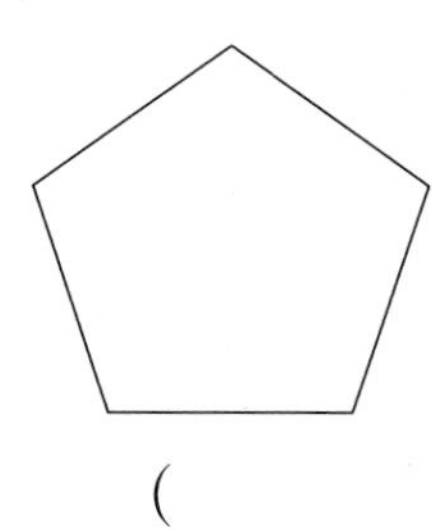

(　　　　　　　　)

06 그림에서 대각선이 아닌 것을 찾아 기호를 쓰세요.

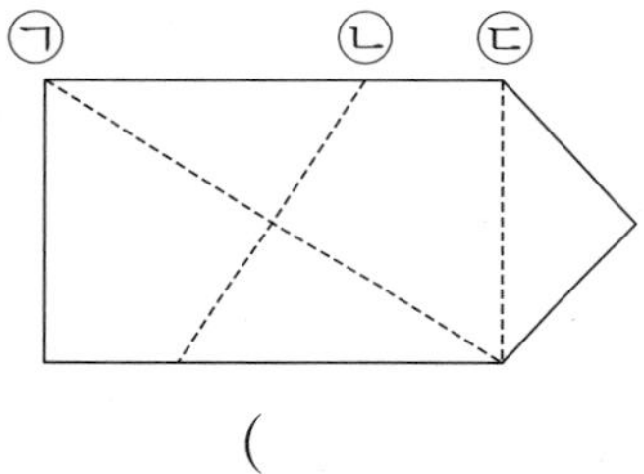

(　　　　　　　　)

07 도형에 대각선을 모두 그어 보세요.

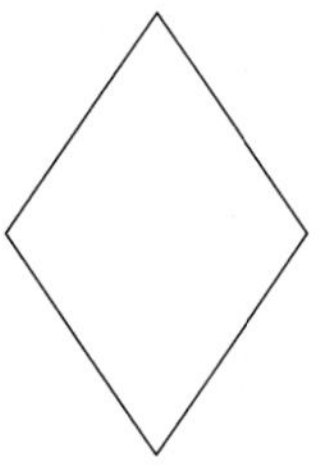

08 도형에 그을 수 있는 대각선은 모두 몇 개일까요?

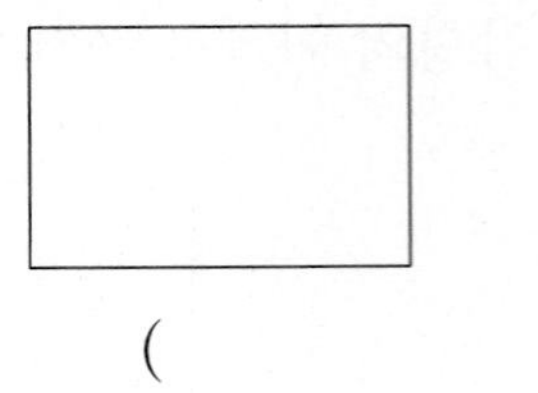

( )

[09~10] 도형을 보고 물음에 답하세요.

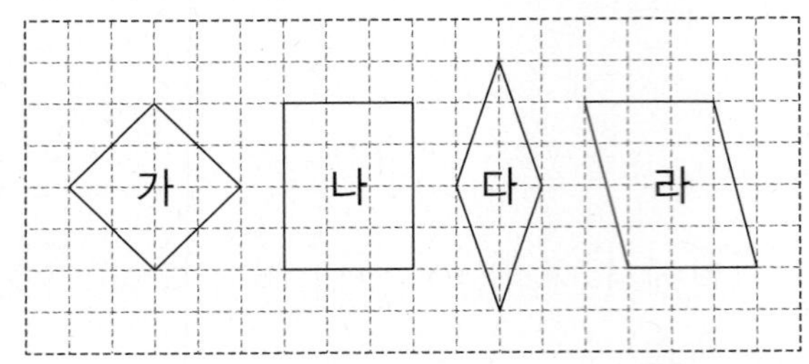

09 두 대각선의 길이가 같은 사각형을 모두 찾아 기호를 쓰세요.

( )

10 두 대각선이 서로 수직으로 만나는 사각형을 모두 찾아 기호를 쓰세요.

( )

11 정다각형입니다. □ 안에 알맞은 수를 써넣으세요.

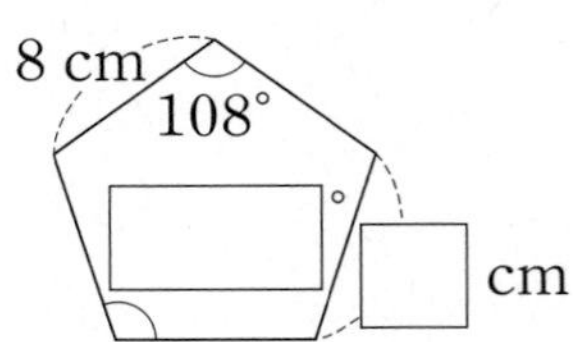

12 모양을 만드는 데 사용한 다각형을 모두 찾아 ○표 하세요.

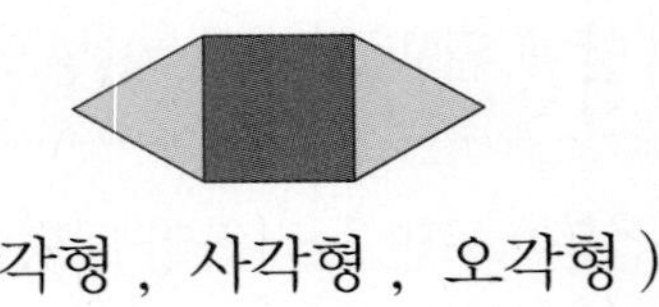

(삼각형 , 사각형 , 오각형)

13 보기의 모양 조각으로 오른쪽 모양을 겹치지 않게 빈틈없이 채우려면 모양 조각이 몇 개 필요할까요?

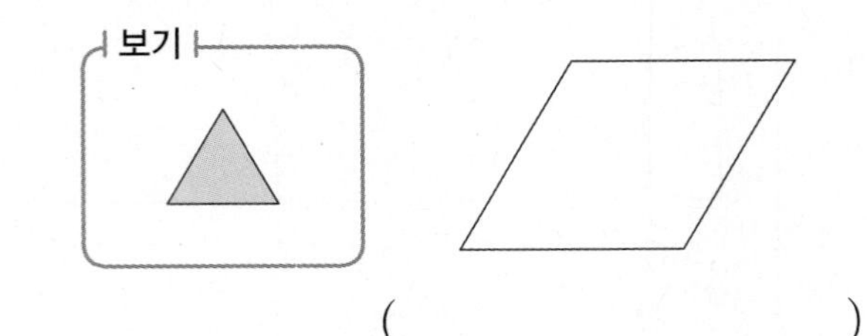

( )

14 정오각형의 모든 변의 길이의 합은 몇 cm일까요?

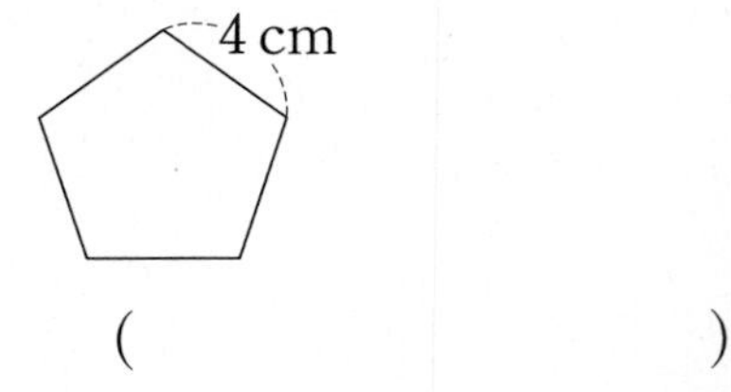

( )

15 대각선을 가장 많이 그을 수 있는 도형을 찾아 기호를 쓰세요.

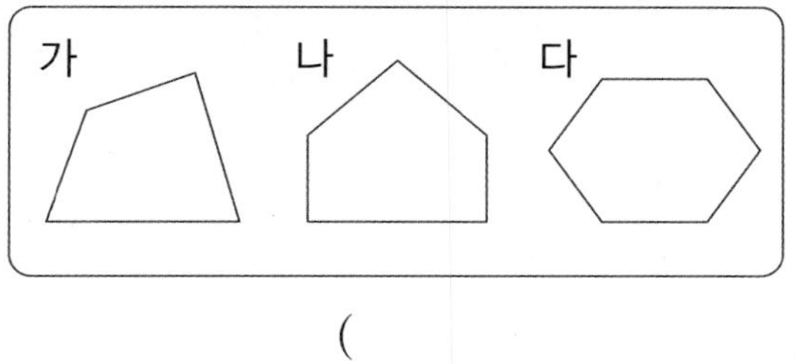

( )

16 정육각형의 모든 각의 크기의 합을 구하세요.

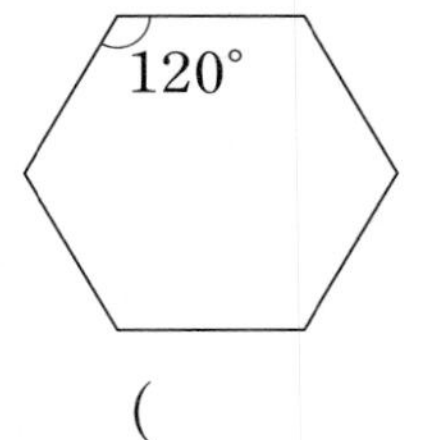

( )

17 보기의 모양 조각 중 2가지를 골라 다각형을 만들어 보세요.

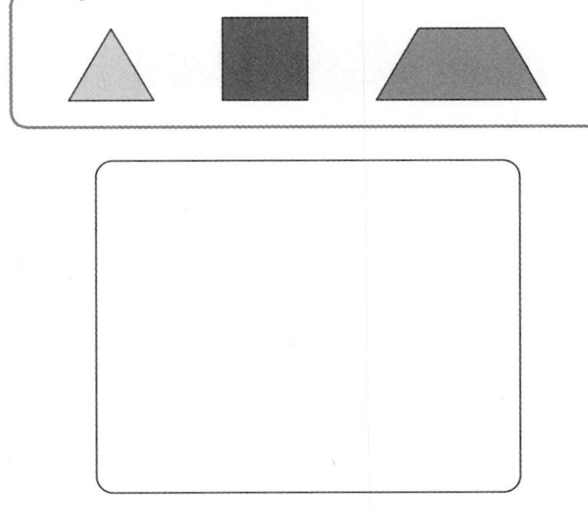

18 다음에서 설명하는 다각형의 이름을 쓰세요.

- 6개의 선분으로 둘러싸여 있습니다.
- 변의 길이가 모두 같습니다.
- 각의 크기가 모두 같습니다.

( )

19 마름모입니다. □ 안에 알맞은 수를 써넣으세요.

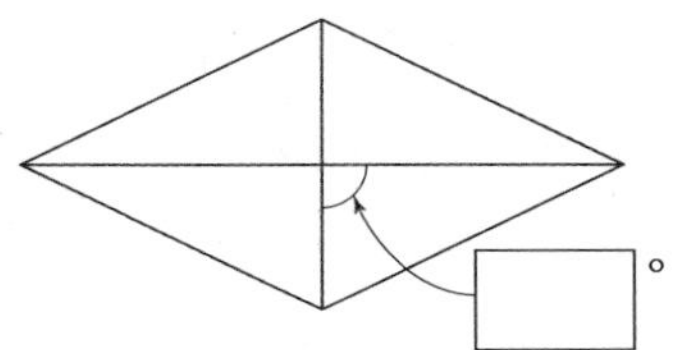

20 한 변의 길이가 6 cm이고 모든 변의 길이의 합이 42 cm인 정다각형이 있습니다. 이 도형의 이름은 무엇일까요?

( )

6 다각형

난이도 A B C

단원평가 2회

다각형

점수

스피드 정답표 14쪽, 정답 및 풀이 45쪽

[01 ~ 03] 도형을 보고 물음에 답하세요.

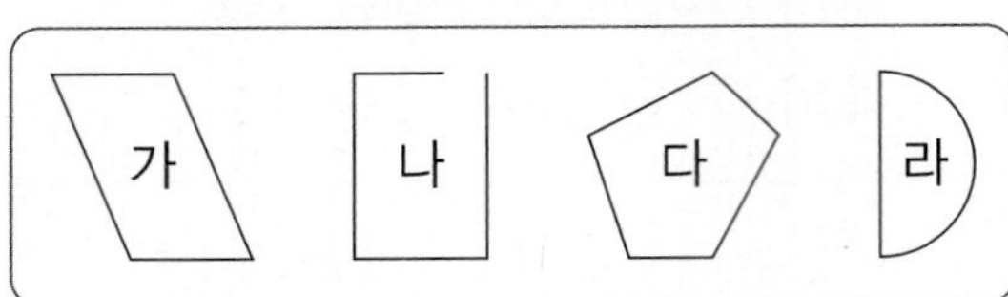

01 선분으로만 둘러싸인 도형을 모두 찾아 기호를 쓰세요.

(　　　　　　　　　　)

02 **01**과 같이 선분으로만 둘러싸인 도형을 무엇이라고 할까요?

(　　　　　　　　　　)

03 선분 5개로 둘러싸인 도형을 찾아 기호와 이름을 차례로 쓰세요.

(　　　　　　　　), (　　　　　　　　)

04 정다각형을 모두 찾아 기호를 쓰세요.

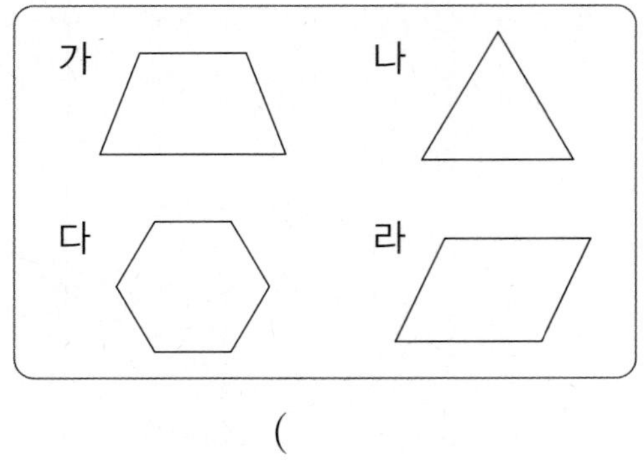

(　　　　　　　　　　)

05 사각형 ㄱㄴㄷㄹ에서 선분 ㄱㄷ, 선분 ㄴㄹ을 무엇이라고 할까요?

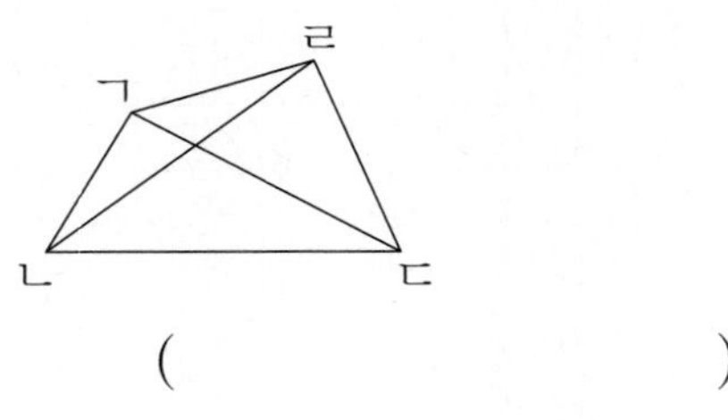

(　　　　　　　　　　)

06 정다각형의 이름을 쓰세요.

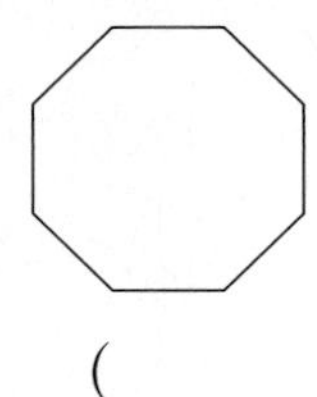

(　　　　　　　　　　)

07 오각형에 그을 수 있는 대각선은 모두 몇 개일까요?

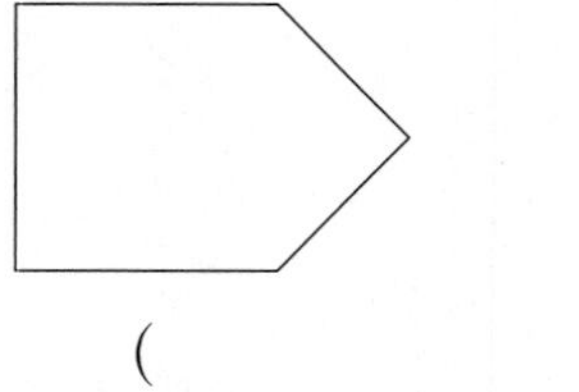

(　　　　　　　　　　)

08 변의 길이와 각의 크기가 각각 모두 같고 6개의 선분으로 둘러싸인 도형의 이름을 쓰세요.

( )

09 두 대각선의 길이가 같고, 두 대각선이 서로 수직으로 만나는 사각형을 찾아 기호를 쓰세요.

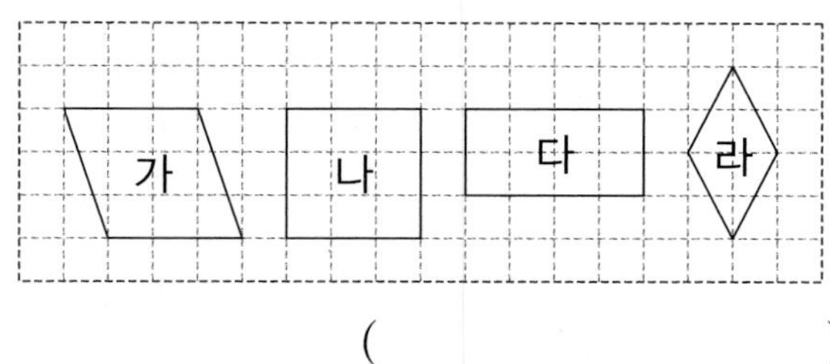

( )

10 정팔각형입니다. □ 안에 알맞은 수를 써넣으세요.

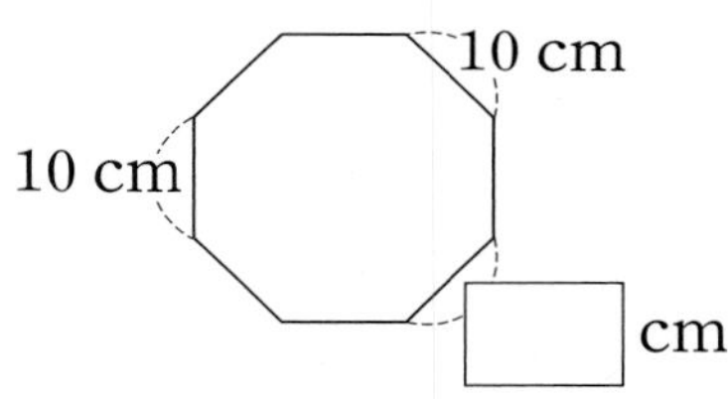

11 모양자에서 다각형이 아닌 것을 찾고 그 이유를 써 보세요.

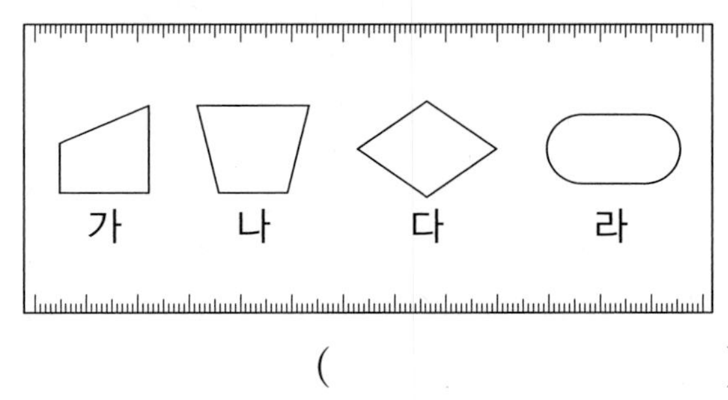

( )

이유

12 점 종이에 그린 선분을 이용하여 다각형을 완성해 보세요.

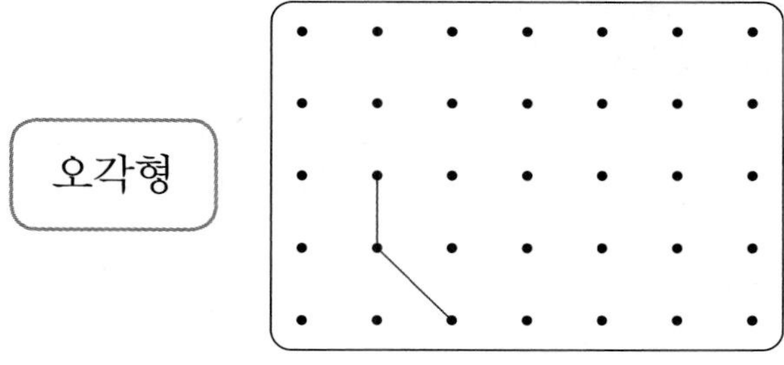

13 모양을 겹치지 않게 빈틈없이 채우고 있는 다각형의 이름을 쓰세요.

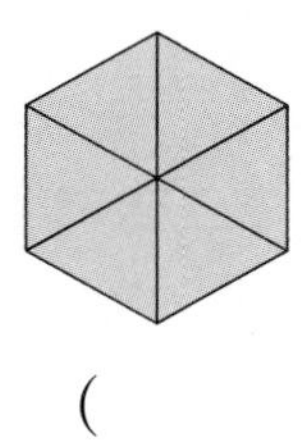

( )

14 집 주변에 한 변이 5 m인 정칠각형 모양의 울타리를 치려고 합니다. 울타리의 길이는 몇 m일까요?

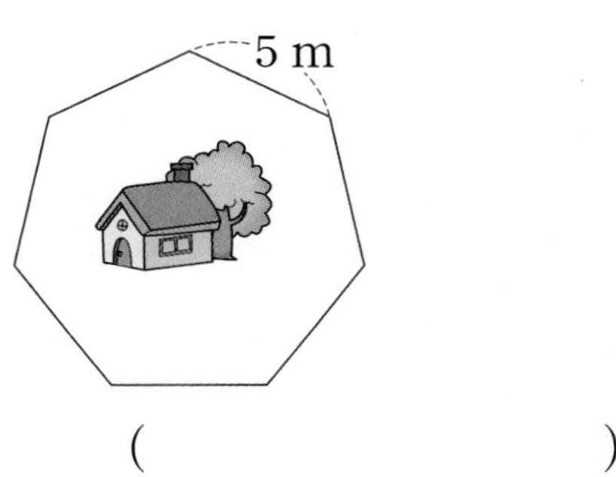

( )

6 다각형

단원평가 2회

15 두 대각선의 길이가 같은 사각형을 찾아 기호를 쓰세요.

㉠ 사다리꼴	㉡ 평행사변형
㉢ 마름모	㉣ 직사각형

(　　　　　　　　　)

[16 ~ 17] 모양 조각을 보고 물음에 답하세요.

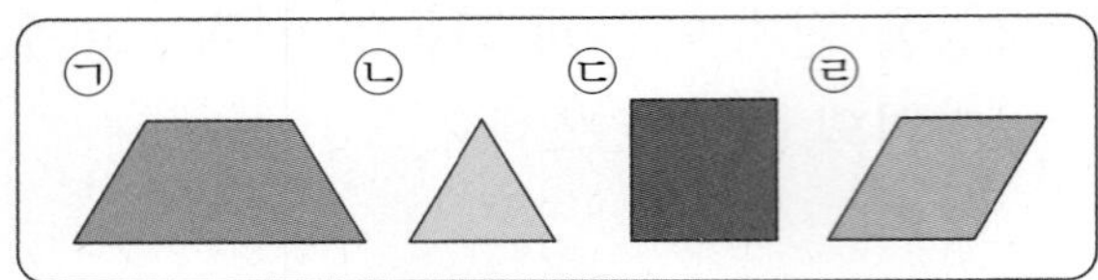

16 ㉠ 모양 조각으로 정육각형을 겹치지 않게 빈틈없이 채워 보세요.

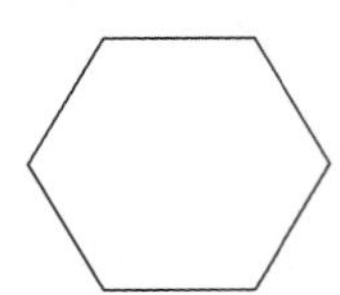

17 모양 조각을 모두 사용하여 다음 모양을 겹치지 않게 빈틈없이 채워 보세요.

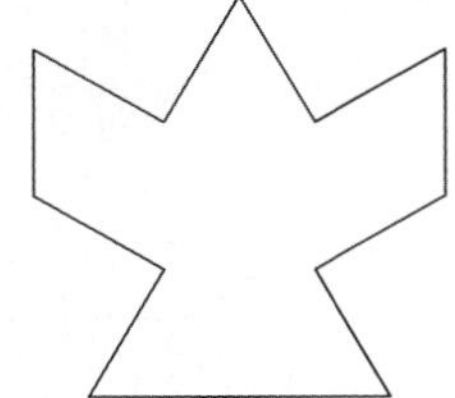

18 모든 변의 길이의 합이 48 cm인 정육각형의 한 변의 길이는 몇 cm일까요?

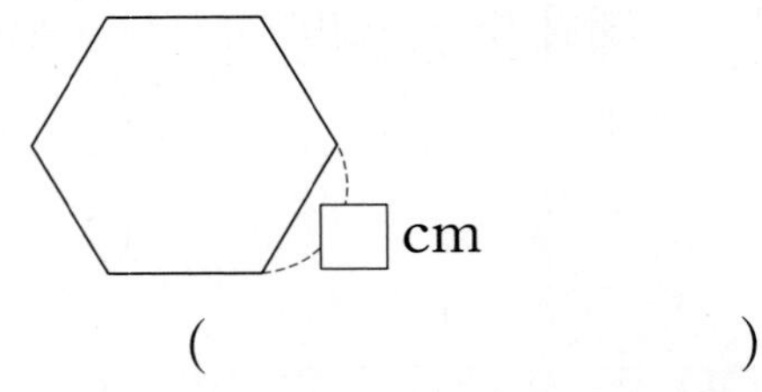

(　　　　　　　　　)

19 다음 두 도형에 그을 수 있는 대각선은 모두 몇 개일까요?

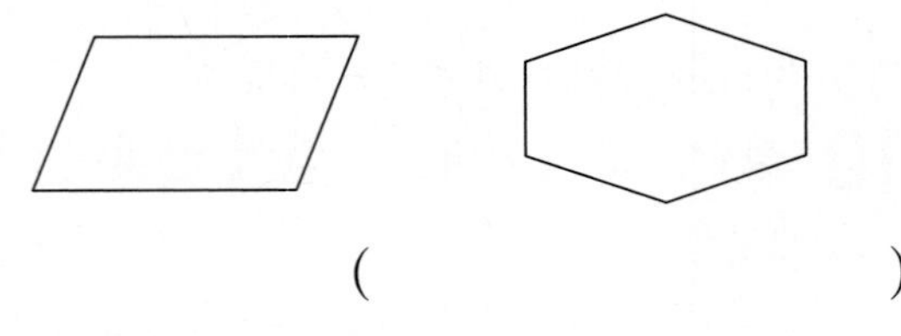

(　　　　　　　　　)

20 두 정다각형은 모든 변의 길이의 합이 같습니다. 나 도형의 한 변의 길이는 몇 cm일까요?

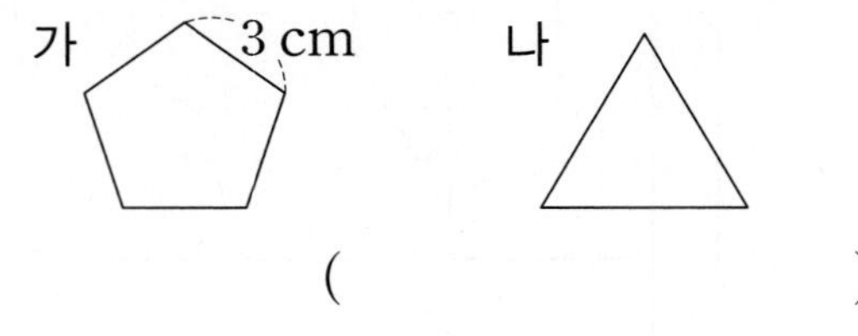

(　　　　　　　　　)

단원평가 3회

난이도 A B C

다각형

점수

스피드 정답표 14쪽, 정답 및 풀이 45쪽

01 정다각형을 모두 고르세요. ··· (　　　　　　)

① 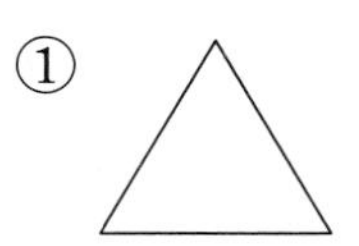

② 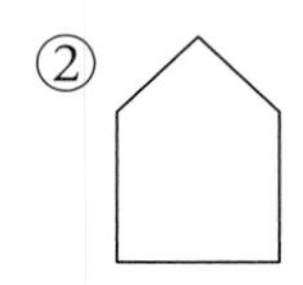

③ 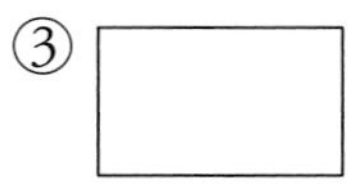

④ 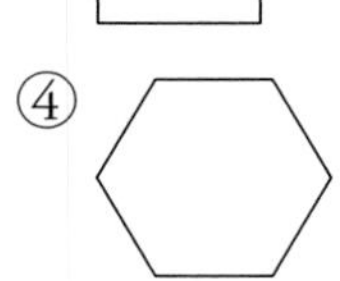

⑤ 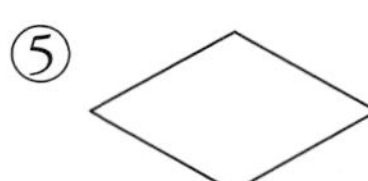

02 칠각형을 찾아 ○표 하세요.

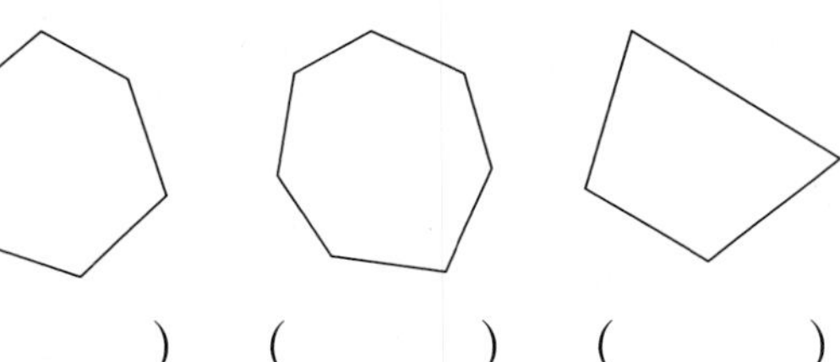

(　　　) (　　　) (　　　)

03 정사각형에 대각선을 바르게 그은 것을 찾아 기호를 쓰세요.

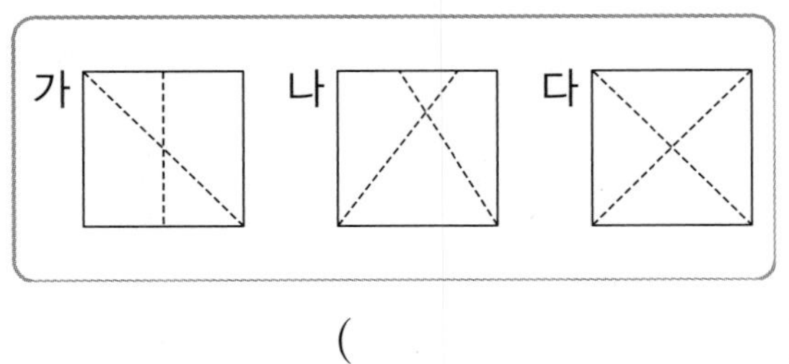

(　　　　　　　)

04 도형판에 만든 다각형의 이름을 쓰세요.

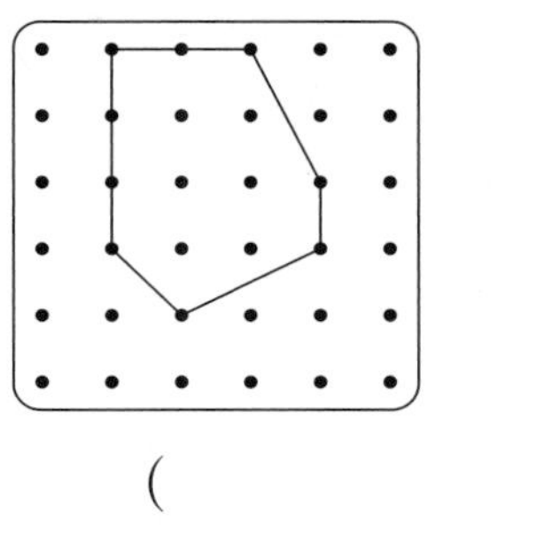

(　　　　　　　)

05 도형에 그을 수 있는 대각선은 모두 몇 개일까요?

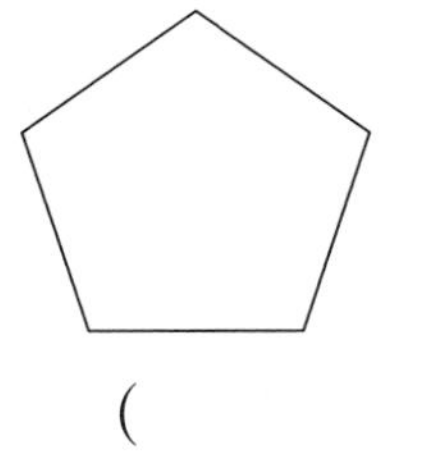

(　　　　　　　)

06 구각형의 한 꼭짓점에서 그을 수 있는 대각선은 모두 몇 개일까요?

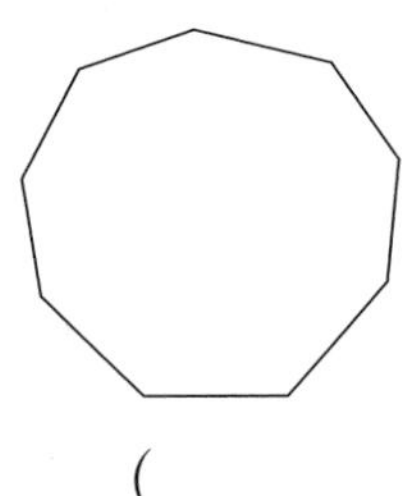

(　　　　　　　)

07 안전표지판에서 볼 수 있는 정다각형의 이름을 쓰세요.

(　　　　　　　)

08 두 대각선의 길이가 같은 사각형을 모두 찾아 기호를 쓰세요.

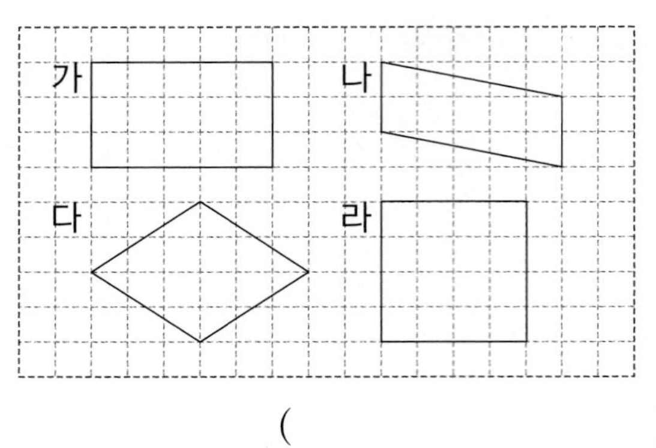

( )

09 다음 모양을 겹치지 않게 빈틈없이 채우려면 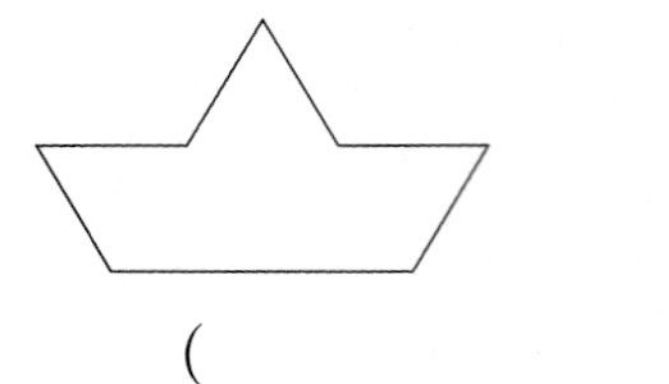 모양 조각은 몇 개 필요할까요?

( )

10 정오각형의 모든 각의 크기의 합을 구하세요.

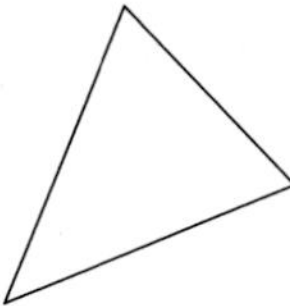

( )

11 오른쪽 도형은 정다각형이 아닙니다. 정다각형이 아닌 이유를 쓰세요.

이유 ____________________

12 선경이는 미술 시간에 직사각형 모양의 종이를 사용하여 다음과 같은 순서로 도형을 만들었습니다. ㉠의 각도를 구하세요.

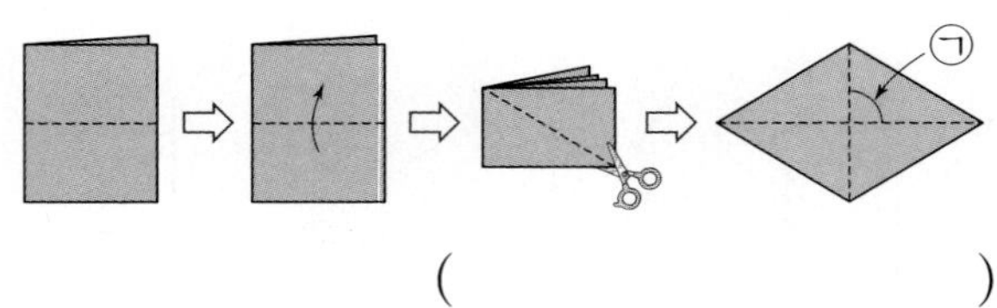

( )

13 가 모양 조각으로 바 모양 조각을 겹치지 않게 빈틈없이 채우려고 합니다. 가 모양 조각은 몇 개가 필요할까요?

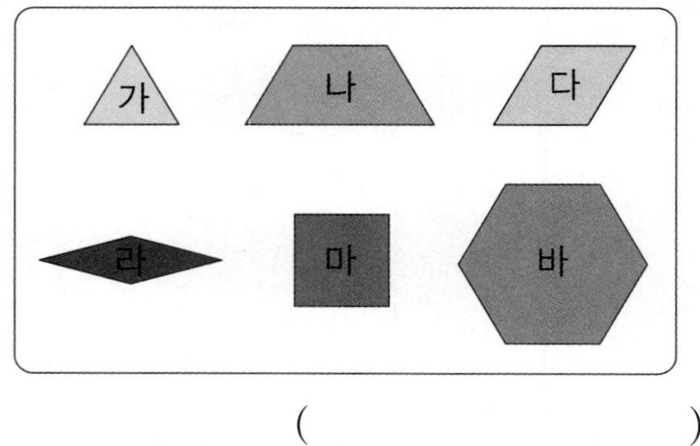

( )

14 대각선을 더 많이 그을 수 있는 도형을 찾아 기호를 쓰세요.

㉠ 육각형 ㉡ 팔각형

( )

[15~16] 모양 조각을 보고 물음에 답하세요.

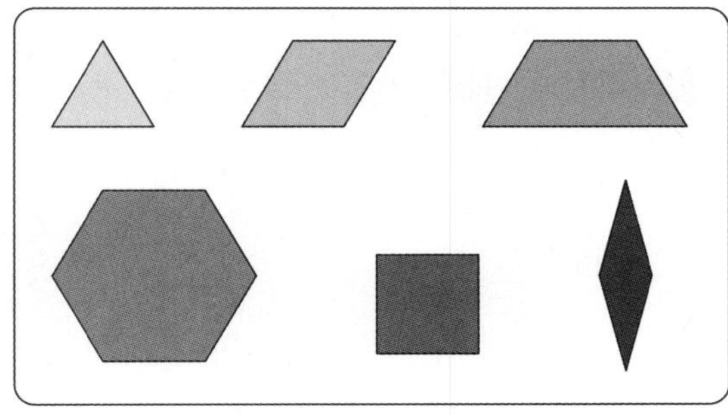

15 △, ▱, ⏢ 모양 조각 3가지를 사용하여 평행사변형을 만들어 보세요.

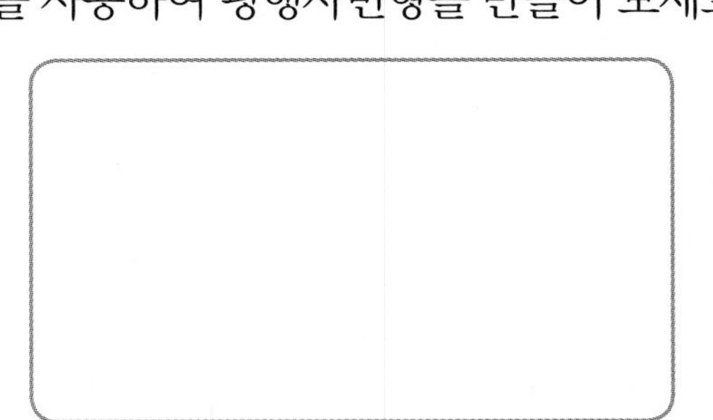

16 △, ▱ 모양 조각으로 평행사변형을 겹치지 않게 빈틈없이 채워 보세요.

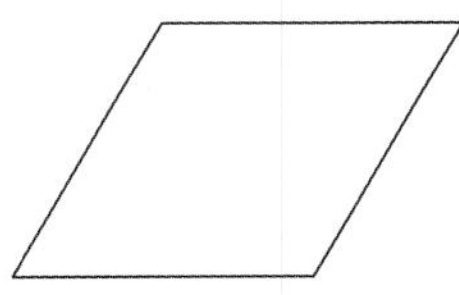

17 정사각형입니다. 선분 ㅁㄴ의 길이는 몇 cm일까요?

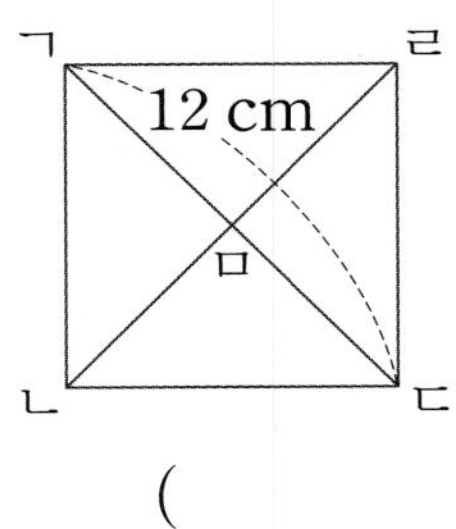

( )

18 한 변의 길이가 5 cm이고 모든 변의 길이의 합이 60 cm인 정다각형이 있습니다. 이 도형의 이름을 쓰세요.

( )

19 ㉠과 ㉡에 알맞은 수의 합을 구하세요.

- 변이 ㉠개인 다각형은 팔각형입니다.
- 직사각형에 그을 수 있는 대각선은 ㉡개입니다.

( )

서술형

20 보기에서 설명하는 도형은 무엇인지 풀이 과정을 쓰고 답을 구하세요.

보기
- 변의 길이가 모두 같습니다.
- 각의 크기가 모두 같습니다.
- 5개의 선분으로 둘러싸여 있습니다.

풀이

답 ______

6 다각형

단원평가 4회

다각형

점수

스피드 정답표 14쪽, 정답 및 풀이 46쪽

01 다음 중 다각형이 아닌 것은 어느 것일까요? ····························· (　　　)

① 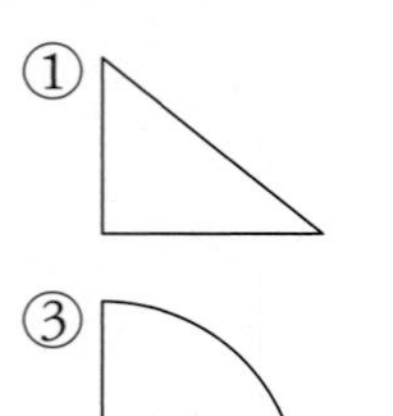

② 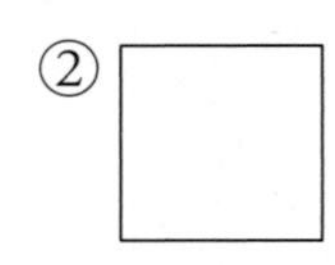

③ 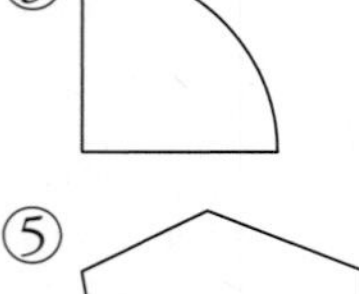

④ 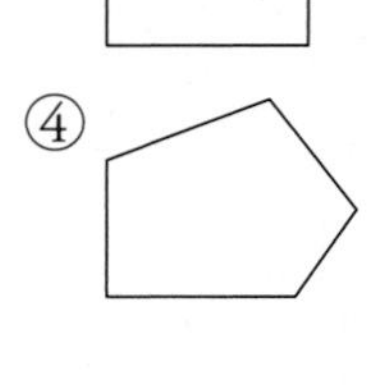

⑤

02 도형의 이름으로 알맞은 것에 ○표 하세요.

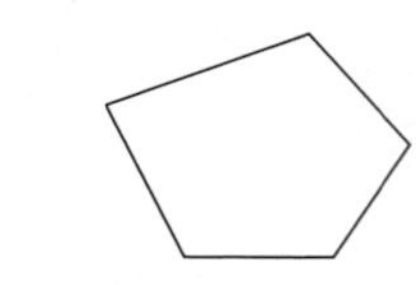

사각형 , 오각형 , 정오각형

03 정다각형 모양 조각을 모두 찾아 색칠해 보세요.

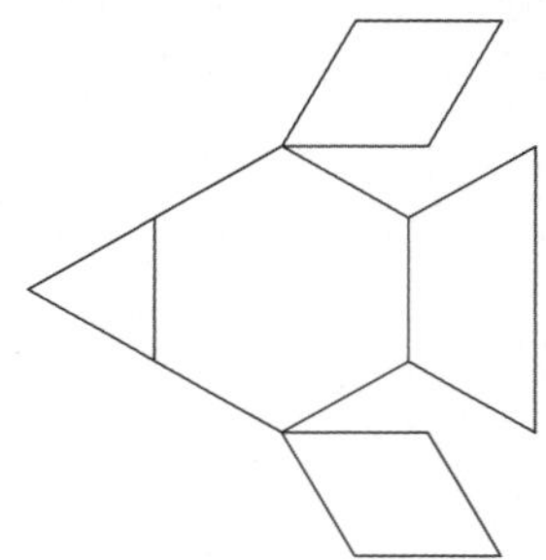

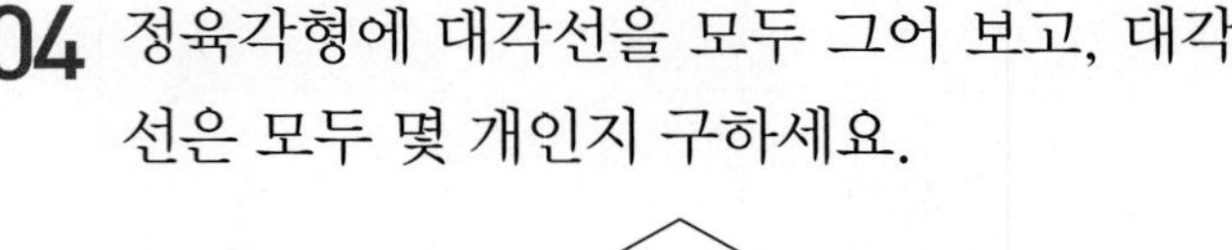

04 정육각형에 대각선을 모두 그어 보고, 대각선은 모두 몇 개인지 구하세요.

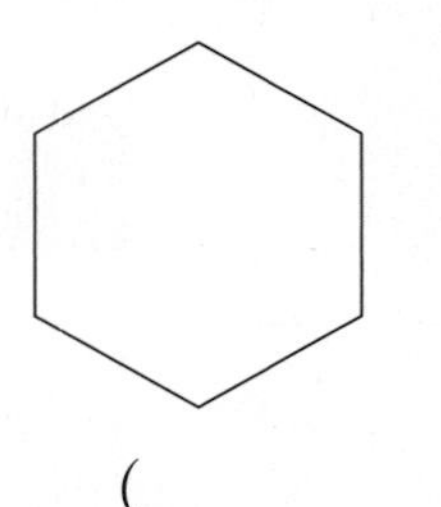

(　　　　　　　　)

05 대각선을 그을 수 없는 도형을 찾아 기호를 쓰세요.

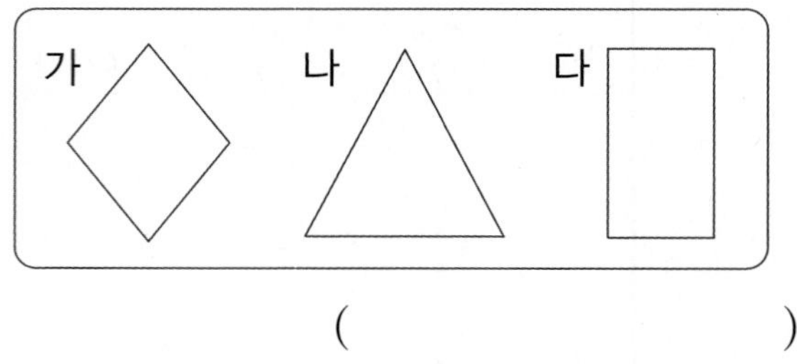

(　　　　　　　　)

06 변이 7개인 다각형의 이름을 쓰세요.

(　　　　　　　　)

07 모양을 만드는 데 사용한 다각형을 모두 찾아 ○표 하세요.

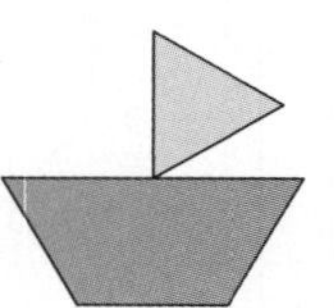

(삼각형 , 오각형 , 사각형)

08 두 대각선이 서로 수직으로 만나는 사각형은 어느 것일까요? ··············· (　　　　)

① 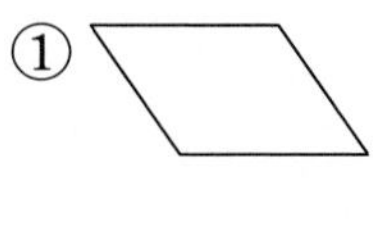

② 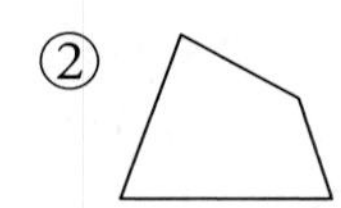

③

④

⑤

09 정다각형입니다. □ 안에 알맞은 수를 써넣으세요.

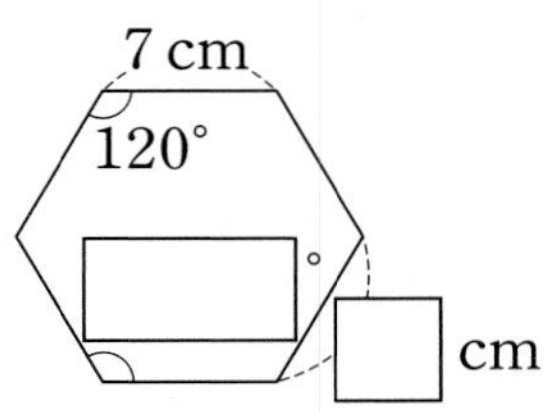

10 정사각형을 보고 □ 안에 알맞은 수를 써넣으세요.

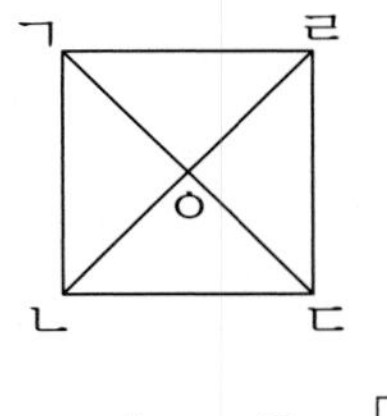

(각 ㄹㅇㄷ의 크기)=□°

11 다음 모양을 겹치지 않게 빈틈없이 채우려면 모양 조각은 몇 개 필요할까요?

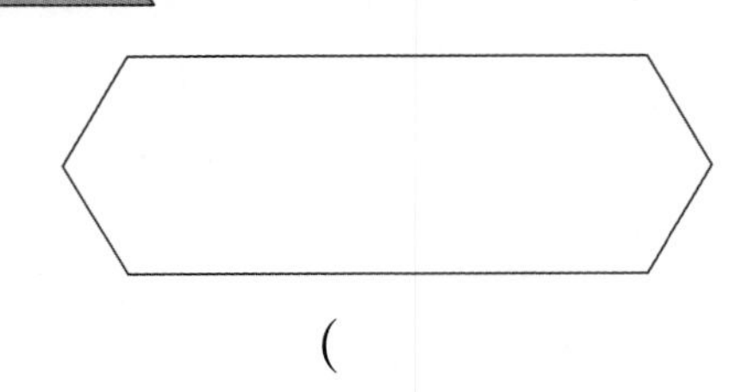

(　　　　)

12 ㉠과 ㉡의 개수의 차는 몇 개인지 구하세요.

㉠ 정십각형의 각의 수
㉡ 정칠각형의 변의 수

(　　　　)

13 은혜는 길이가 64 cm인 철사를 모두 사용하여 정팔각형을 만들었습니다. 은혜가 만든 정팔각형의 한 변은 몇 cm일까요?

(　　　　)

14 ◣, ■ 모양 조각을 모두 사용하여 삼각형을 겹치지 않게 빈틈없이 채워 보세요.

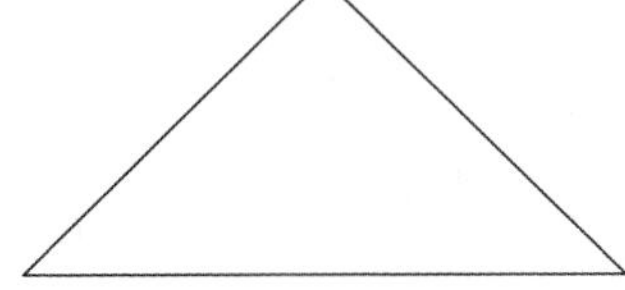

6 다각형

15 직사각형입니다. 선분 ㄴㄹ의 길이는 몇 cm일까요?

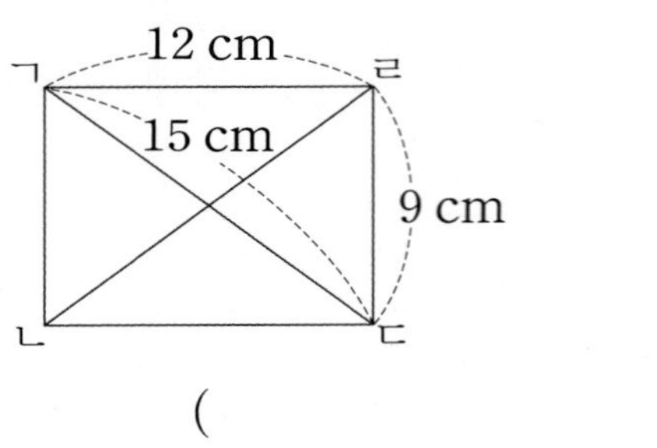

( )

16 모양 조각으로 주어진 모양을 겹치지 않게 빈틈없이 채워 보세요.

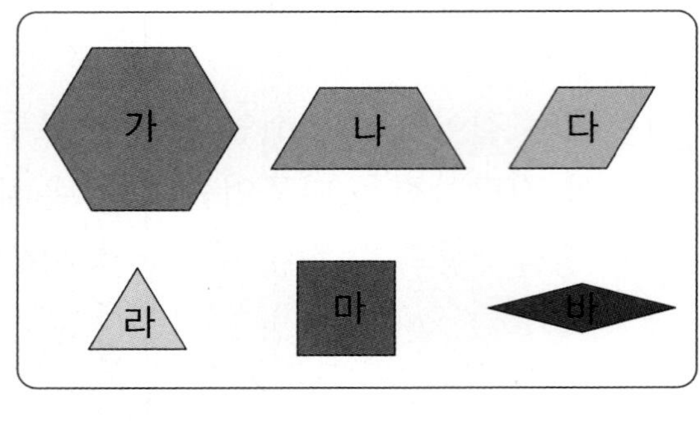

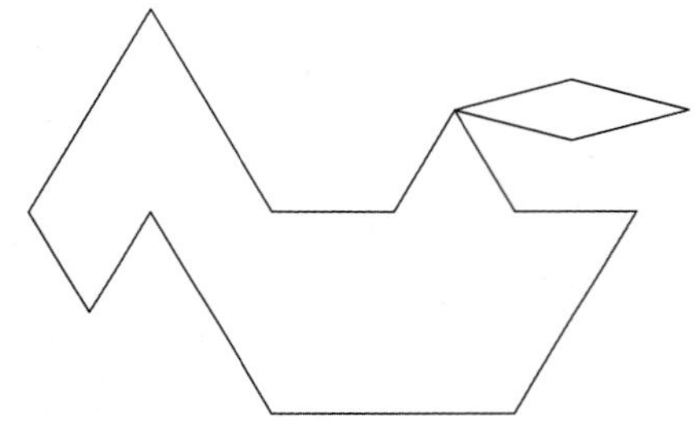

서술형

17 두 다각형에 그을 수 있는 대각선은 모두 몇 개인지 풀이 과정을 쓰고 답을 구하세요.

가 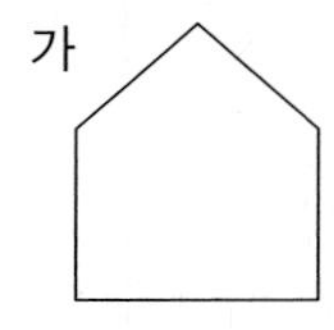 나 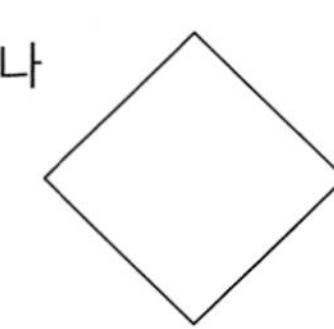

풀이

답 ____________

18 어떤 사각형의 대각선에 대한 세 어린이의 설명입니다. 이 사각형의 이름을 쓰세요.

( )

19 정오각형의 한 각의 크기는 몇 도인지 구하세요.

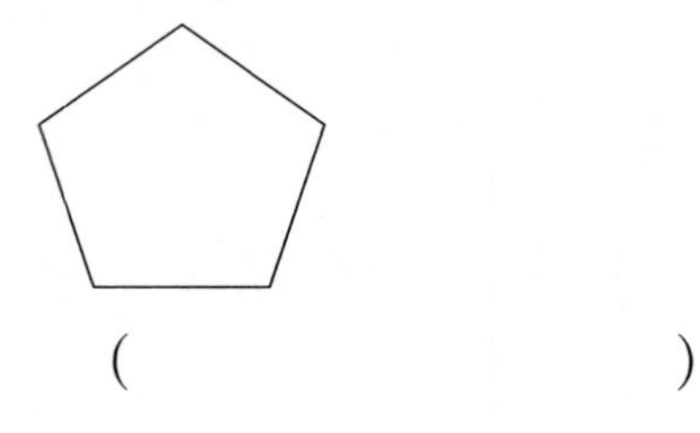

( )

20 사각형 ㄱㄴㄷㄹ은 정사각형입니다. ㉠의 각도를 구하세요.

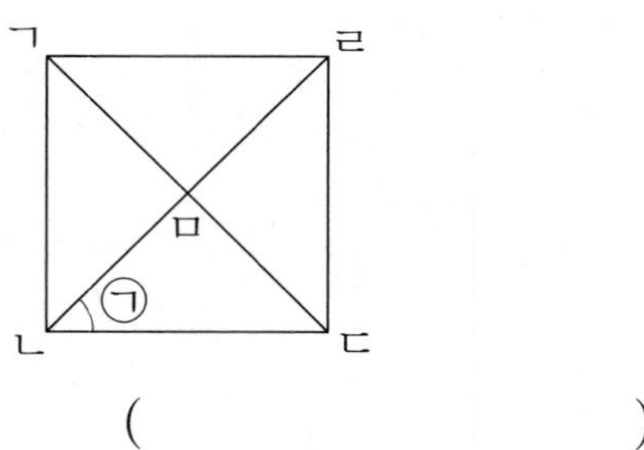

( )

단원평가 5회

A B C 난이도

다각형

점수

스피드 정답표 15쪽, 정답 및 풀이 47쪽

01 관계 있는 것끼리 선으로 이으세요.

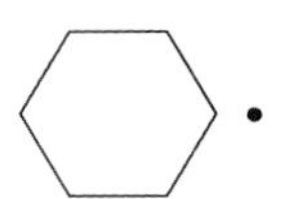 • • 팔각형

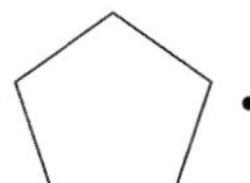 • • 오각형

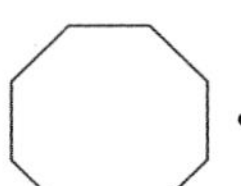 • • 육각형

02 □ 안에 알맞은 말을 써넣으세요.

> 7개의 변의 길이가 모두 같고, 7개의 각의 크기가 모두 같은 정다각형을 □ 이라고 합니다.

03 정오각형을 모두 찾아 ○표 하세요.

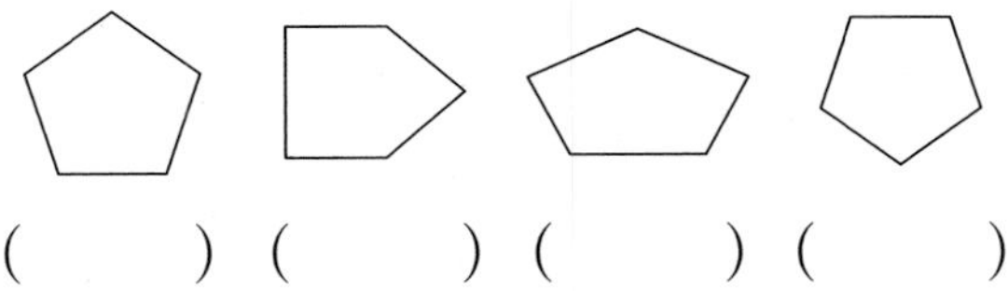

( ) ( ) ( ) ( )

04 도형판에 만든 다각형의 이름을 쓰세요.

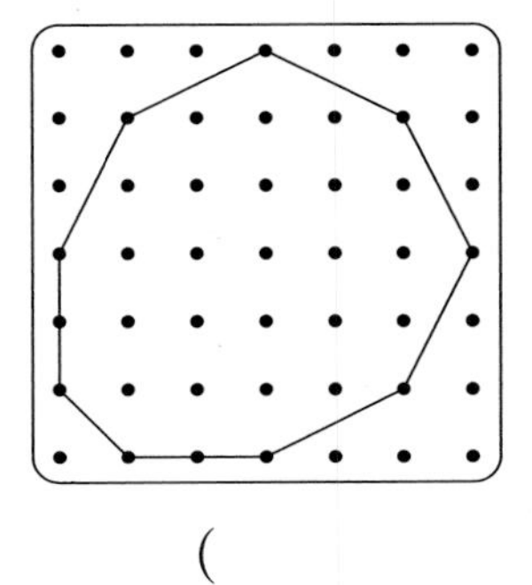

( )

05 도형에 그을 수 있는 대각선은 모두 몇 개일까요?

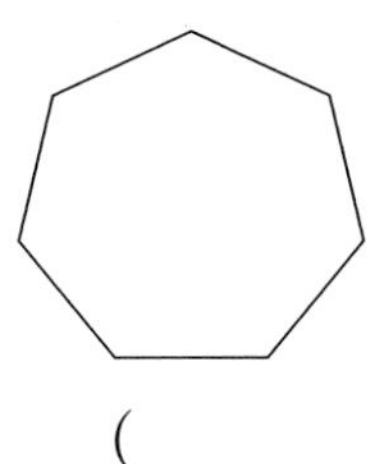

( )

06 두 사람이 설명하는 도형의 이름을 쓰세요.

( )

07 다각형 3개를 사용하여 꾸민 모양을 보고 모양 채우기 방법을 바르게 설명한 것을 찾아 기호를 쓰세요.

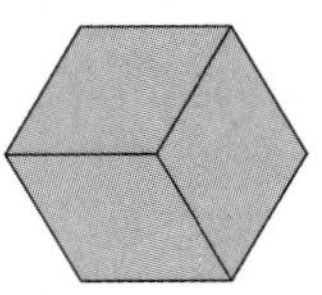

> ㉠ 겹치지 않게 빈틈없이 이어 붙였습니다.
> ㉡ 길이가 다른 변끼리 이어 붙였습니다.
> ㉢ 서로 겹치게 이어 붙였습니다.

( )

단원평가 5회

난이도
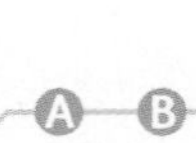

[08 ~ 10] 도형을 보고 물음에 답하세요.

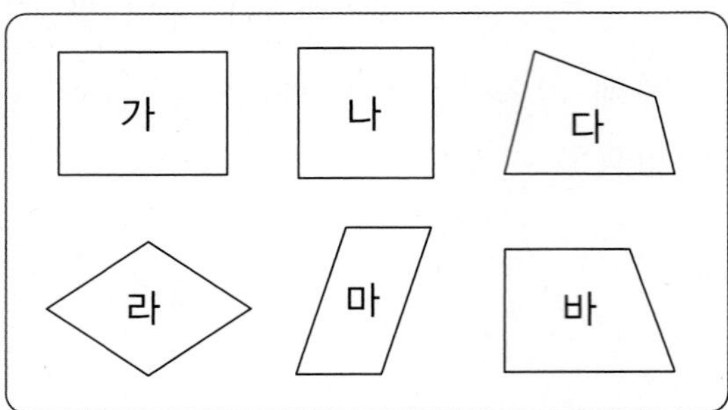

08 두 대각선이 서로 수직으로 만나는 사각형을 모두 찾아 기호를 쓰세요.

( )

09 두 대각선의 길이가 같은 사각형을 모두 찾아 기호를 쓰세요.

( )

10 두 대각선이 서로 수직으로 만나고, 두 대각선의 길이가 같은 사각형을 찾아 기호를 쓰세요.

( )

11 도형은 다각형이 아닙니다. 다각형이 <u>아닌</u> 이유를 쓰세요.

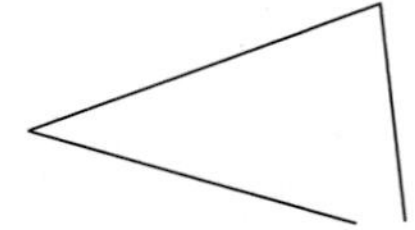

이유 ______________________

____

____

12 정육각형의 모든 변의 길이의 합은 몇 cm일까요?

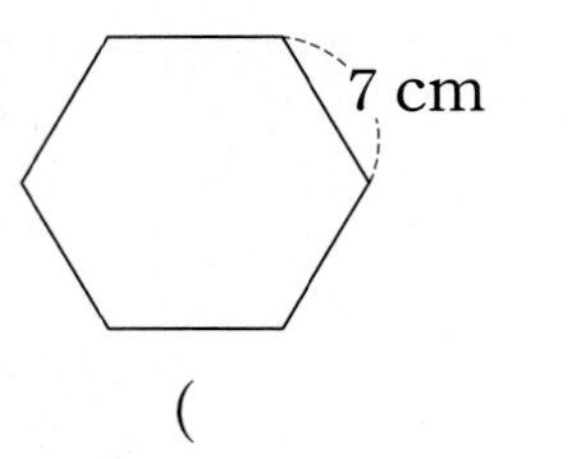

( )

13 다음 모양을 겹치지 않게 빈틈없이 채우려면 △ 모양 조각은 몇 개 필요할까요?

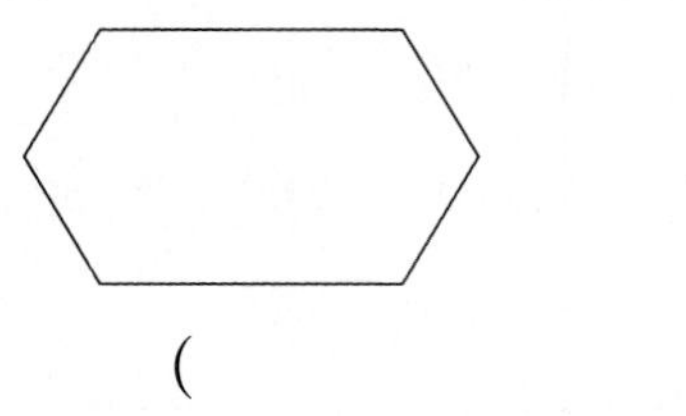

( )

서술형

14 정사각형의 두 대각선의 길이의 합은 몇 cm인지 풀이 과정을 쓰고 답을 구하세요.

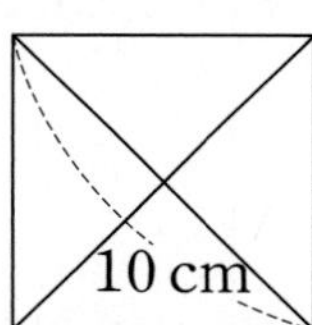

풀이

답 ______________________

15 모양 조각을 사용하여 서로 다른 방법으로 정육각형을 3개 만들어 보세요.

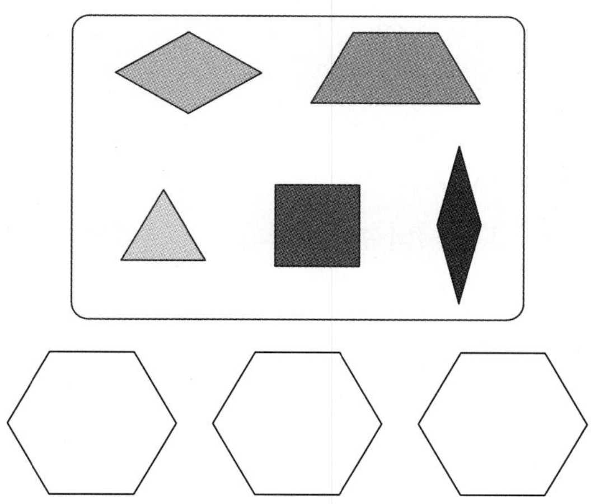

16 사각형 ㄱㄴㄷㄹ은 마름모입니다. 선분 ㄴㄹ의 길이는 몇 cm일까요?

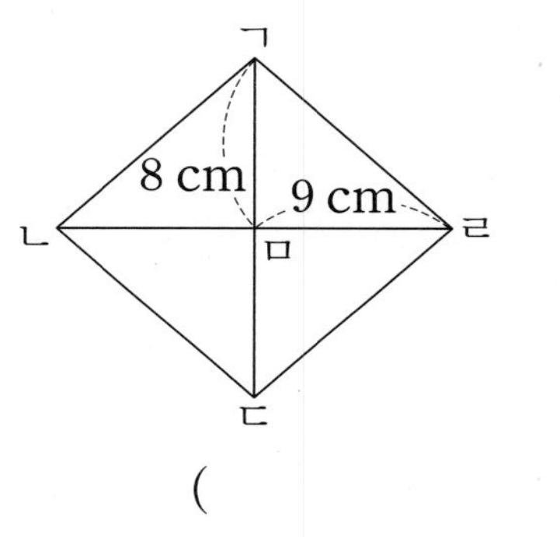

(　　　　　　　　　)

서술형

17 두 정다각형은 모든 변의 길이의 합이 같습니다. 가 도형의 한 변의 길이는 몇 cm인지 풀이 과정을 쓰고 답을 구하세요.

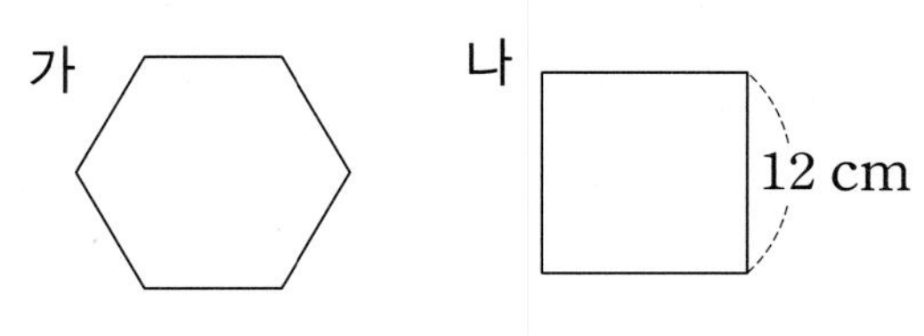

풀이

답 ________________

18 정육각형입니다. ㉠의 각도를 구하세요.

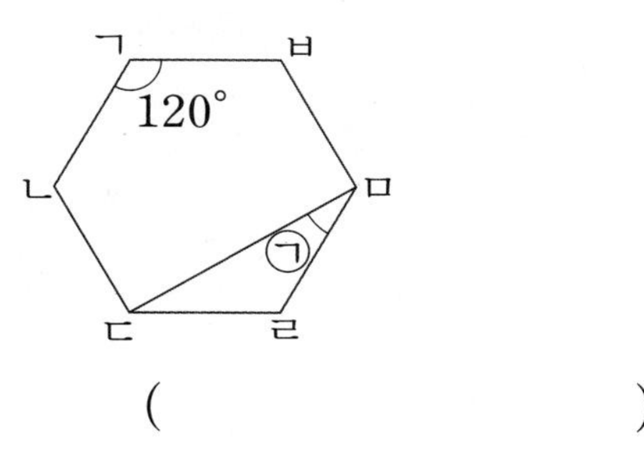

(　　　　　　　　　)

19 직사각형 ㄱㄴㄷㄹ에서 각 ㄱㄴㅁ의 크기는 몇 도일까요?

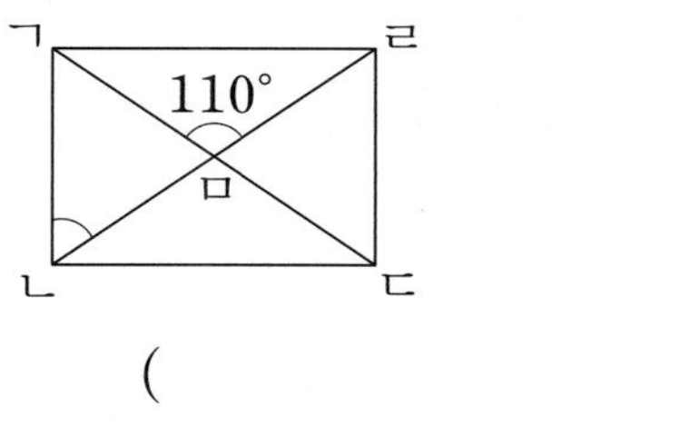

(　　　　　　　　　)

20 직사각형 ㄱㄴㄷㄹ에서 삼각형 ㄱㄴㄷ의 세 변의 길이의 합은 몇 cm일까요?

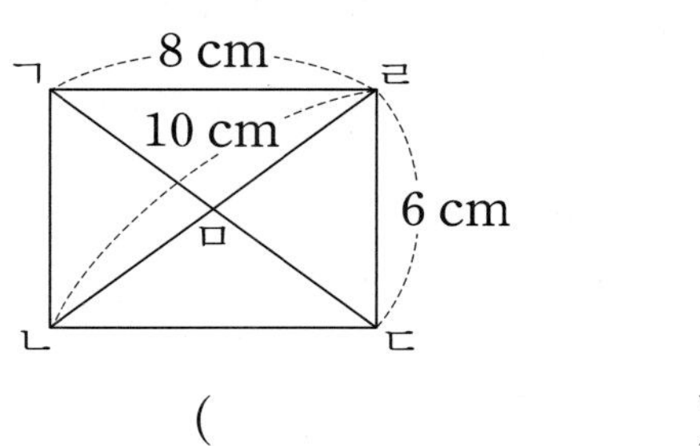

(　　　　　　　　　)

6 다각형

6 단원

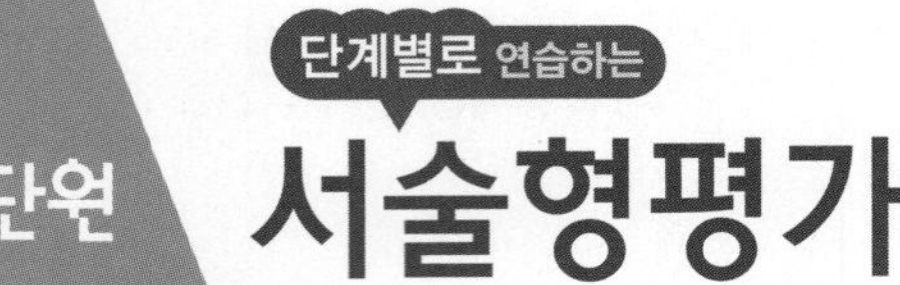

단계별로 연습하는 서술형평가

다각형

점수

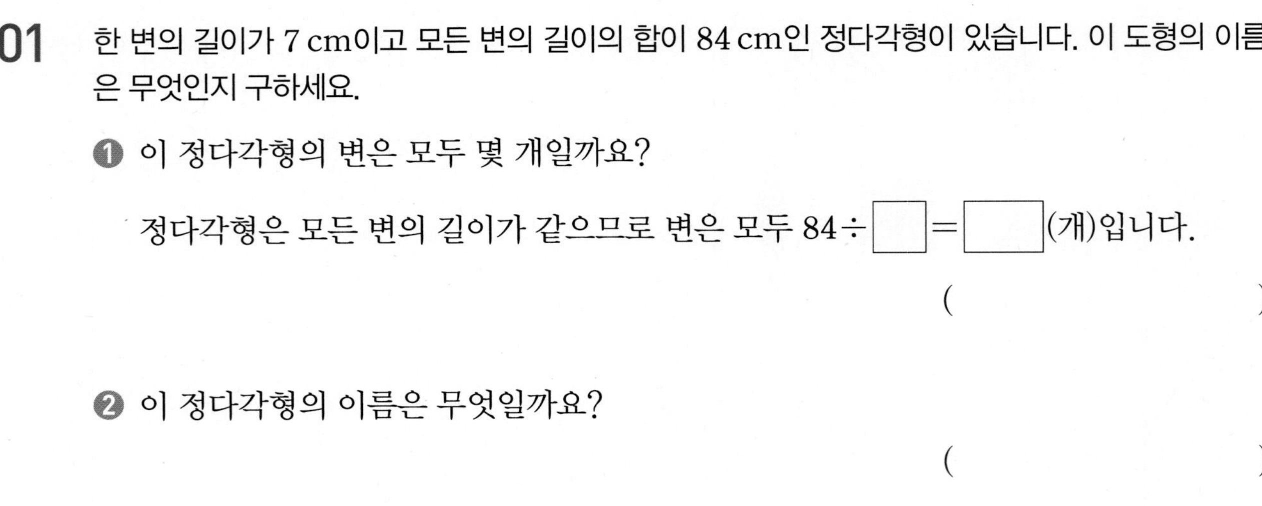

01 한 변의 길이가 7 cm이고 모든 변의 길이의 합이 84 cm인 정다각형이 있습니다. 이 도형의 이름은 무엇인지 구하세요.

❶ 이 정다각형의 변은 모두 몇 개일까요?

정다각형은 모든 변의 길이가 같으므로 변은 모두 84÷☐=☐(개)입니다.

(　　　　　　　　)

❷ 이 정다각형의 이름은 무엇일까요?

(　　　　　　　　)

02 두 정다각형의 모든 변의 길이의 합은 같습니다. 나 도형의 한 변의 길이는 몇 cm인지 구하세요.

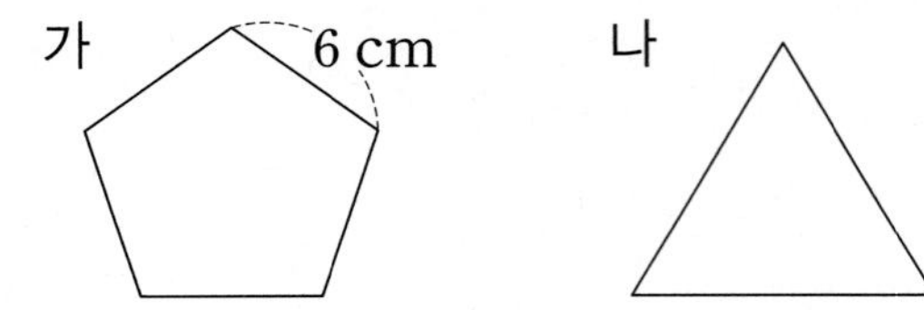

❶ 가 도형의 모든 변의 길이의 합은 몇 cm일까요?

가 도형은 변이 5개인 정다각형이므로 모든 변의 길이의 합은

6×☐=☐(cm)입니다.

(　　　　　　　　)

❷ 나 도형의 한 변의 길이는 몇 cm일까요?

(　　　　　　　　)

03 정팔각형과 정육각형에 그을 수 있는 대각선의 수의 합을 구하세요.

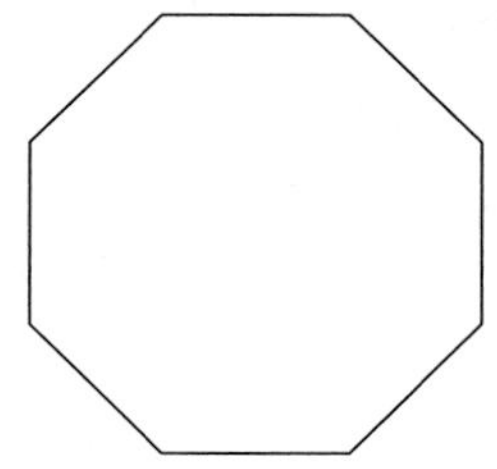
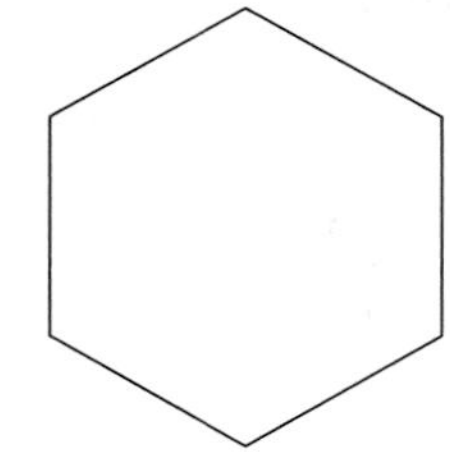

❶ 정팔각형에 그을 수 있는 대각선은 몇 개일까요?

( )

❷ 정육각형에 그을 수 있는 대각선은 몇 개일까요?

( )

❸ 정팔각형과 정육각형에 그을 수 있는 대각선의 수의 합을 구하세요.

( )

04 오른쪽 사각형 ㄱㄴㄷㄹ은 마름모입니다. 두 대각선의 길이의 차는 몇 cm인지 구하세요.

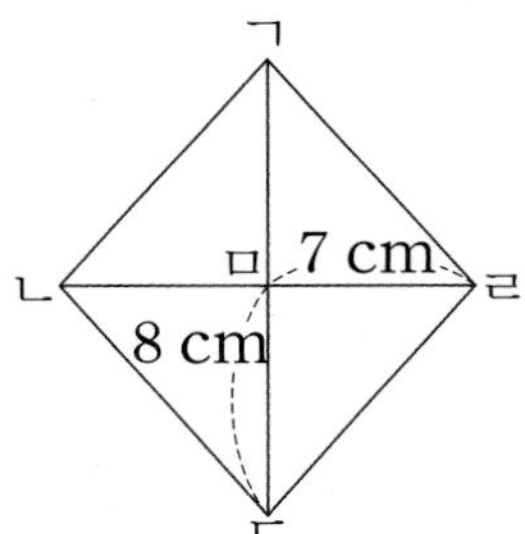

❶ 선분 ㄴㄹ의 길이는 몇 cm일까요?

마름모는 한 대각선이 다른 대각선을 똑같이 둘로 나누므로

(선분 ㄴㅁ)=(선분 ㅁㄹ)에서

(선분 ㄴㄹ)=7+□=□(cm)입니다.

( )

❷ 선분 ㄱㄷ의 길이는 몇 cm일까요?

마름모는 한 대각선이 다른 대각선을 똑같이 둘로 나누므로

(선분 ㄱㅁ)=(선분 ㅁㄷ)에서 (선분 ㄱㄷ)=8+□=□(cm)입니다.

( )

❸ 두 대각선의 길이의 차는 몇 cm일까요?

( )

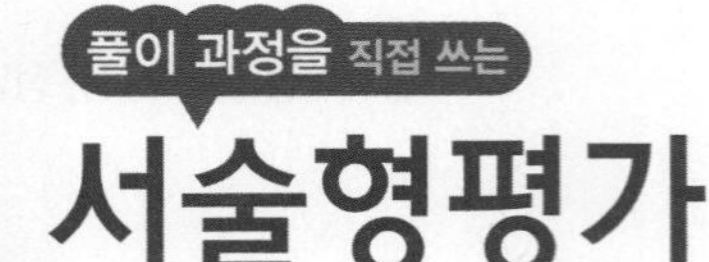

풀이 과정을 직접 쓰는 서술형평가

다각형

점수

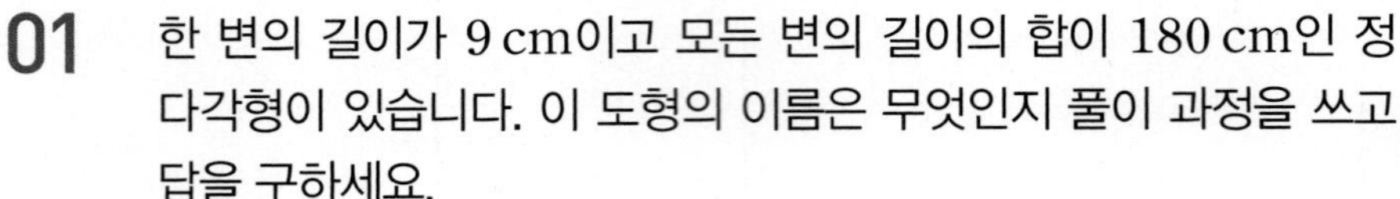

01 한 변의 길이가 9 cm이고 모든 변의 길이의 합이 180 cm인 정다각형이 있습니다. 이 도형의 이름은 무엇인지 풀이 과정을 쓰고 답을 구하세요.

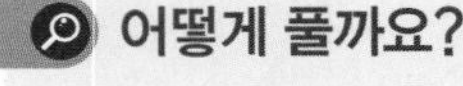

어떻게 풀까요?

- 정다각형은 모든 변의 길이가 같으므로 모든 변의 길이의 합을 한 변의 길이로 나누어 변의 개수를 먼저 구합니다.

풀이

답 ______________

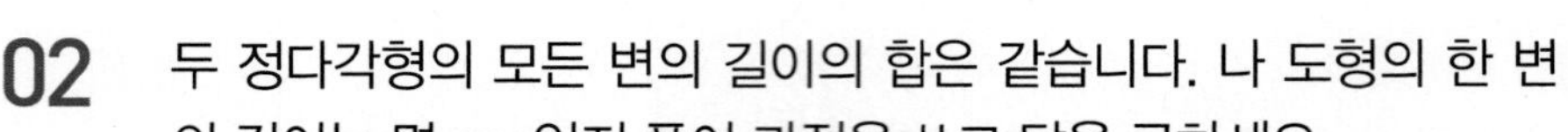

02 두 정다각형의 모든 변의 길이의 합은 같습니다. 나 도형의 한 변의 길이는 몇 cm인지 풀이 과정을 쓰고 답을 구하세요.

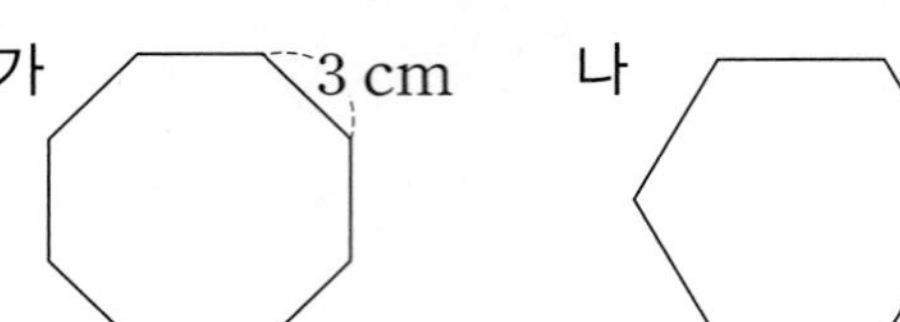

어떻게 풀까요?

- 가 도형의 모든 변의 길이의 합을 먼저 구하여 나 도형의 변의 수로 나누어 나 도형의 한 변의 길이를 구합니다.

풀이

답 ______________

03 정오각형과 정칠각형에 그을 수 있는 대각선의 수의 합은 몇 개인지 풀이 과정을 쓰고 답을 구하세요.

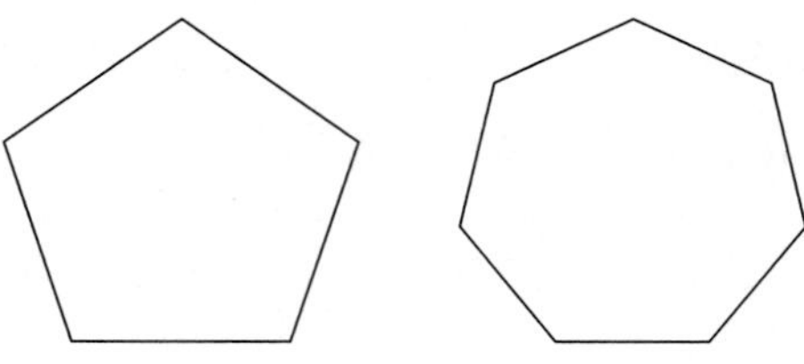

어떻게 풀까요?

- 그림에 직접 대각선을 모두 그어 대각선의 수를 구하여 합을 구할 수 있습니다.

풀이

답 ______________

04 사각형 ㄱㄴㄷㄹ은 마름모입니다. 두 대각선의 길이의 차는 몇 cm인지 풀이 과정을 쓰고 답을 구하세요.

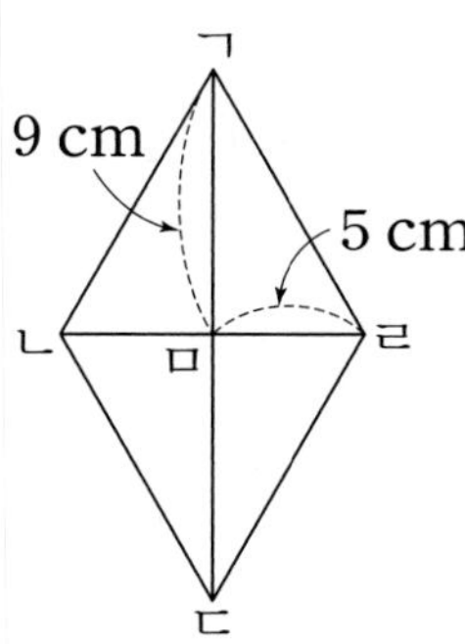

풀이

답

어떻게 풀까요?

- 마름모는 한 대각선이 다른 대각선을 똑같이 둘로 나눕니다.

05 정오각형입니다. ㉠의 각도는 몇 도인지 풀이 과정을 쓰고 답을 구하세요.

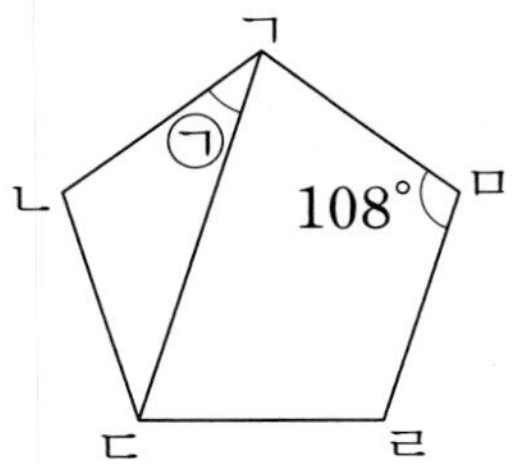

풀이

답

어떻게 풀까요?

- 정오각형은 모든 각의 크기가 같으므로 각 ㄱㄴㄷ의 크기는 108°입니다.

밀크티 성취도평가
오답 베스트 5 다각형

• 스피드 정답표 15쪽, 정답 및 풀이 48쪽

오답률 18%

01 정다각형 2개를 변끼리 맞닿게 이어 붙인 도형입니다. 빨간 선의 길이는 모두 몇 cm일까요?

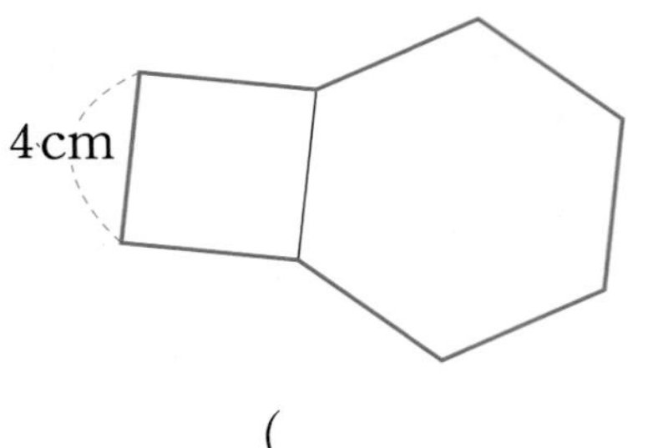

( )

오답률 21%

02 정오각형의 한 각의 크기는 108°입니다. 정오각형의 모든 각의 크기의 합은 몇 도일까요?

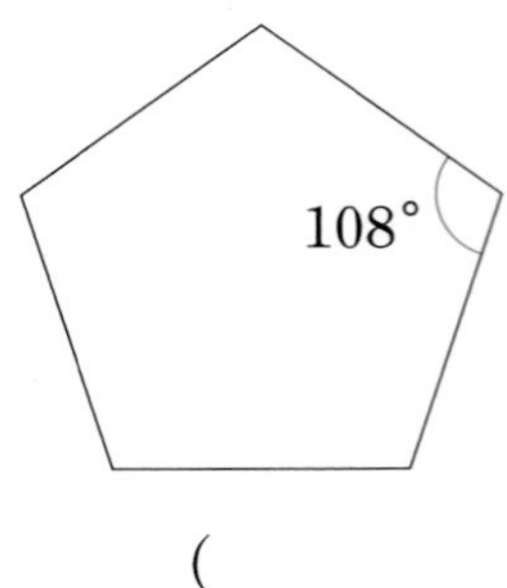

( )

오답률 26%

03 정팔각형의 모든 각의 크기의 합은 1080°입니다. 정팔각형의 한 각의 크기는 몇 도일까요?

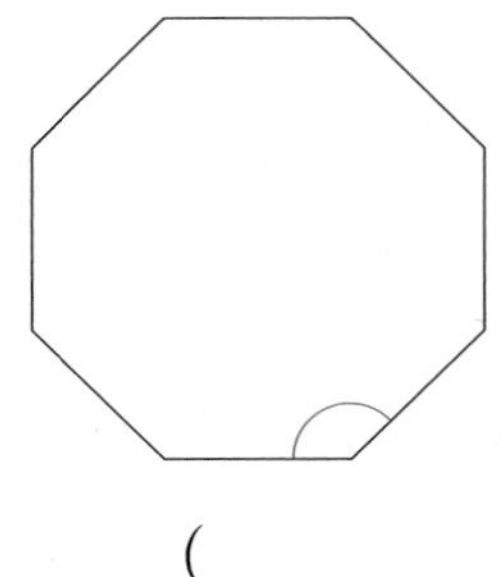

( )

오답률 27%

04 다음 도형에 그을 수 있는 대각선은 모두 몇 개일까요?

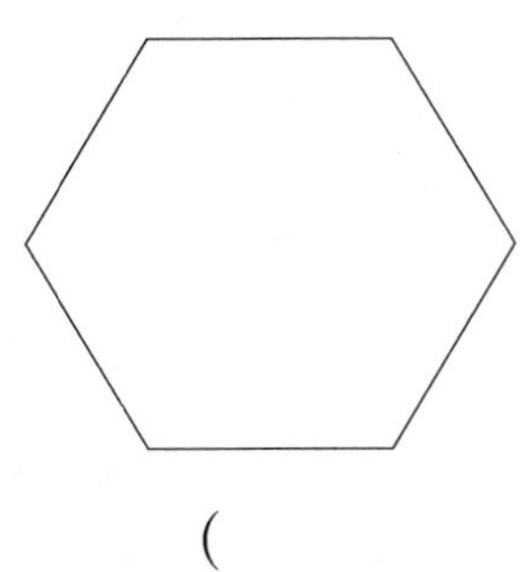

( )

오답률 72%

05 두 대각선의 길이가 같은 사각형을 모두 고르세요. ······························ ( )

① 사다리꼴
② 평행사변형
③ 마름모
④ 직사각형
⑤ 정사각형

초등 수학 라인업

난이도

최상

최고 수준 S

최고 수준

최강 TOT

심화

응용 해결의 법칙

일등전략

수학도
독해가 힘이다

초등 문해력
독해가 힘이다
[문장제 수학편]

유형

수학 전략

유형 해결의 법칙

우등생 해법수학

개념

개념클릭

개념 해결의 법칙

똑똑한 하루 시리즈 [수학/계산/도형/사고력]

기초
연산

계산박사

빅터연산

최하

평가 대비 특화 교재

수학 단원평가

해법수학
경시대회 기출문제

해법 예비 중학
신입생 수학

단원평가

단원 평가

학교 수행평가 완벽 대비

4·2

밀크T 성취도평가
오답 베스트5 수록

정답 및 풀이

천재교육

단원평가

스피드 정답표

1 분수의 덧셈과 뺄셈

풀이는 16쪽에

3쪽 쪽지시험 1회

01 7, 1, 1 02 3, 2 03 $\frac{7}{9}$ 04 $1\frac{3}{8}(=\frac{11}{8})$

05 $\frac{3}{10}$ 06 $\frac{3}{5}$ 07 $1\frac{4}{11}(=\frac{15}{11})$

08 09 > 10 $1\frac{4}{8}(=\frac{12}{8})$

풀이는 16쪽에

4쪽 쪽지시험 2회

01 2, 1, 3, 3, 3, 3 02 2, 3, 2, 2, 2, 2

03 $7\frac{2}{6}$ 04 $1\frac{3}{9}$

05 $1\frac{2}{8}+2\frac{3}{8}=\frac{10}{8}+\frac{19}{8}=\frac{29}{8}=3\frac{5}{8}$

06 $4\frac{2}{10}$ 07 $3\frac{3}{8}$ 08 ( )(○)

09 $3\frac{3}{13}$ 10 $4\frac{1}{7}$

풀이는 16쪽에

5쪽 쪽지시험 3회

01 5, 1, 3 02 $4\frac{3}{7}$ 03 $\frac{1}{8}$

04 $2\frac{7}{9}$ 05 $5-2\frac{5}{8}=\frac{40}{8}-\frac{21}{8}=\frac{19}{8}=2\frac{3}{8}$

06 $5\frac{8}{11}$ 07  08 <

09 $5\frac{5}{7}$, $4\frac{2}{7}$ 10 (×)( )

풀이는 16쪽에

6쪽 쪽지시험 4회

01 2, 7 ; 7, 6, 1, 2 02 $2\frac{2}{3}$ 03 $3\frac{7}{9}$

04 $4\frac{7}{10}$ 05 $2\frac{5}{11}$ 06 $2\frac{5}{7}$

07 $4\frac{3}{8}-2\frac{7}{8}=\frac{35}{8}-\frac{23}{8}=\frac{12}{8}=1\frac{4}{8}$

08 ( )(○) 09 $4\frac{3}{9}$ 10 $2\frac{3}{5}$

풀이는 17쪽에

7~9쪽 단원평가 1회 난이도 A

01 3, 1, 2, 2 02 2, 1, 3, 1

03 3, 11, 3, 11 04 $4\frac{1}{3}$ 05 $\frac{5}{7}$

06 $\frac{7}{12}$ 07 $5\frac{9}{13}$ 08 $1\frac{2}{6}$

09 10, 7, 3 ; 10, 7, 3 10 $18\frac{2}{5}$

11 $6\frac{8}{13}$ 12 ① 13 =

14 (위부터) $1\frac{4}{12}(=\frac{16}{12})$, $1\frac{1}{12}(=\frac{13}{12})$

15 $3\frac{5}{8}$, $3\frac{2}{8}$; $3\frac{2}{8}$ 16 $\frac{6}{11}$

17 $1\frac{5}{9}$ 18 $5\frac{11}{12}$

19 $4\frac{1}{5}$ kg 20 $\frac{2}{3}$시간

풀이는 17쪽에

10~12쪽 단원평가 2회 난이도 A

01 5, 1, 1 02 11, 11, 3, 6, 3, 6

03 2, 1, 1, 8, 1 04 4 ; 6, 4, 1, 1

05 $\frac{1}{6}$ 06 $2\frac{4}{8}$ 07 $1\frac{5}{8}$

08 2, 3, 5 ; 3, 5 09 $1\frac{2}{6}(=\frac{8}{6})$

10 $5\frac{1}{15}$, $5\frac{5}{15}$ 11 ( )(○)

12 13 $2\frac{6}{8}$ 14 5

15 $3\frac{1}{5}$, $2\frac{3}{5}$ 16 ( )(○)

17 은혜 18 $3\frac{5}{9}+2\frac{6}{9}=6\frac{2}{9}$; $6\frac{2}{9}$

19 $6\frac{2}{5}$ kg 20 $2\frac{4}{8}$ m

스피드 정답표

풀이는 18쪽에

13~15쪽 단원평가 3회 난이도 B

01 1, 2　02 2, 3, 1, 3, 1, 3　03 $7\frac{7}{8}$

04 $4\frac{3}{4}$　05 $2\frac{1}{5}$　06 6, 3, 3 ; 3

07 >　08 $1\frac{2}{6}(=\frac{8}{6})$

09 $1\frac{4}{6}+3\frac{5}{6}=\frac{10}{6}+\frac{23}{6}=\frac{33}{6}=5\frac{3}{6}$

10 (그림: 2L, 1L, 0)　11 ③　12 ㉡

13 (위부터) $\frac{6}{16}, \frac{12}{16}$; $\frac{9}{16}, \frac{15}{16}$

14 $2\frac{3}{5}, 1\frac{4}{5}$　15 ㉡, ㉢　16 $1\frac{3}{5}$

17 예 (현경이가 가지고 있는 끈의 길이)
=(빨간색 끈의 길이)+(파란색 끈의 길이)
$=\frac{8}{22}+\frac{5}{22}=\frac{13}{22}$ (m) ; $\frac{13}{22}$ m

18 2, 4 ; $6\frac{3}{7}$　19 $24\frac{2}{5}$ kg　20 $11\frac{1}{3}$ cm

풀이는 18쪽에

16~18쪽 단원평가 4회 난이도 B

01 1, 1　02 2, 2, 7, 3, 7, 3　03 $2\frac{2}{5}$

04 $\frac{6}{15}$　05 $2\frac{4}{11}$　06 $4\frac{13}{15}$

07 4, 2, 6 ; 6　08 ㉠　09 ④

10 7, $1\frac{10}{12}$　11 12개　12 13

13 (위부터) $\frac{7}{12}$, $1\frac{6}{12}(=\frac{18}{12})$, $1\frac{3}{12}(=\frac{15}{12})$, $\frac{10}{12}$

14 6　15 $\frac{4}{15}, \frac{4}{15}$　16 $1\frac{1}{4}$ L

17 예 $1\frac{3}{4}<2\frac{1}{4}$이므로 집에서 공원까지의 거리가
$2\frac{1}{4}-1\frac{3}{4}=1\frac{5}{4}-1\frac{3}{4}=\frac{2}{4}$ (km) 더 멉니다.
; 공원, $\frac{2}{4}$ km

18 $47\frac{4}{8}$ kg　19 3　20 5, 3 ; $\frac{1}{6}$

풀이는 19쪽에

19~21쪽 단원평가 5회 난이도 C

01 7　02 3, 4　03 $8\frac{3}{14}$

04 $1\frac{4}{8}$　05 $\frac{4}{11}$　06 $2\frac{14}{17}$

07 3, 4, 7 ; 7, 1, 1　08 $5\frac{2}{13}$

09 5　10 $1\frac{2}{6}(=\frac{8}{6})$　11 $2\frac{2}{8}, 2\frac{4}{8}$

12 ㉡　13 $2\frac{9}{18}$　14 $1\frac{4}{5}$ cm

15 $\frac{4}{9}$ L　16 $1\frac{5}{8}$ m

17 예 (집~버스 정류장~우체국)
=(집~버스 정류장)+(버스 정류장~우체국)
$=\frac{3}{5}+1\frac{4}{5}=1+1\frac{2}{5}=2\frac{2}{5}$ (km)
; $2\frac{2}{5}$ km

18 $\frac{1}{7}, \frac{4}{7}$　19 3

20 예 어떤 수를 □라 하면
$□+2\frac{3}{5}=4$, $□=4-2\frac{3}{5}=3\frac{5}{5}-2\frac{3}{5}=1\frac{2}{5}$
⇨ 어떤 수는 $1\frac{2}{5}$입니다.
; $1\frac{2}{5}$

풀이는 20쪽에

22~23쪽 단계별로 연습하는 서술형 평가

01 ❶ $1\frac{4}{7}$　❷ 혜수, $\frac{2}{7}$ m

02 ❶ 3, 5, 1, 2, 6, 2　❷ $1\frac{4}{5}$ km

03 ❶ 4, 4, 8, 1, 9　❷ $8\frac{3}{8}$ m

04 ❶ $□+1\frac{7}{13}=5\frac{2}{13}$　❷ $3\frac{8}{13}$　❸ $2\frac{1}{13}$

풀이는 20쪽에

24~25쪽 풀이 과정을 직접 쓰는 서술형 평가

01 예 $2\frac{3}{8}<3\frac{1}{8}$이므로 주원이가 우유를

$3\frac{1}{8}-2\frac{3}{8}=2\frac{9}{8}-2\frac{3}{8}=\frac{6}{8}$ (L) 더 많이 마셨습니다.

; 주원, $\frac{6}{8}$ L

02 예 민혁이네 집에서 도서관까지의 거리는

$4\frac{7}{10}+3\frac{5}{10}=(4+3)+(\frac{7}{10}+\frac{5}{10})=8\frac{2}{10}$ (km)

⇨ 민혁이네 집에서 공원까지의 거리는

$8\frac{2}{10}-5\frac{8}{10}=7\frac{12}{10}-5\frac{8}{10}=2\frac{4}{10}$ (km)입니다.

; $2\frac{4}{10}$ km

03 예 (색 테이프 2장의 길이의 합)

$=5\frac{3}{6}+5\frac{3}{6}=11$ (m)

⇨ (이어 붙인 색 테이프의 전체 길이)

$=11-\frac{4}{6}=10\frac{6}{6}-\frac{4}{6}=10\frac{2}{6}$ (m)

; $10\frac{2}{6}$ m

04 예 어떤 수를 □라 하면 $□-2\frac{5}{11}=1\frac{8}{11}$입니다.

$□-2\frac{5}{11}=1\frac{8}{11}$

⇨ $□=1\frac{8}{11}+2\frac{5}{11}=4\frac{2}{11}$

⇨ 바르게 계산하면 $4\frac{2}{11}+2\frac{5}{11}=6\frac{7}{11}$입니다.

; $6\frac{7}{11}$

05 예 만들 수 있는 가장 큰 진분수는 $\frac{8}{9}$, 가장 작은 진분수는 $\frac{3}{9}$입니다.

⇨ $\frac{8}{9}+\frac{3}{9}=\frac{11}{9}=1\frac{2}{9}$

; $1\frac{2}{9}(=\frac{11}{9})$

풀이는 21쪽에

26쪽 밀크티 성취도평가 오답 베스트 5

01 $6\frac{2}{7}$ **02** ③ **03** 2개

04 > **05** $8\frac{3}{5}$ cm

2 삼각형

풀이는 22쪽에

29쪽 쪽지시험 1회

01 ( )(○)( ) **02** ( )( )(○)

03 5 **04** 8

05 50 **06** 60, 60

07 예 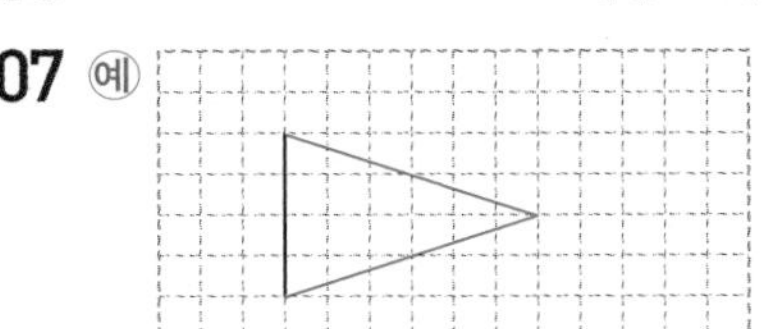 **08** 30°

09 120° **10** 110°

스피드 정답표

풀이는 22쪽에

30쪽 쪽지시험 2회

01 (　)(○)(　)　02 (　)(○)

03 나, 마, 바　04 다, 라

05 이등변삼각형　06 둔각삼각형

07 가, 라 ; 나, 마 ; 다, 바

08 (위부터) 가, 마, 다 ; 라, 나, 바

09 (　)(○)　10 다, 마

풀이는 22쪽에

31~33쪽 단원평가 1회 난이도 A

01 (　)(○)(　)　02 나

03 세에 ○표, 정삼각형에 ○표　04 14

05 60, 60　06 나, 바　07 나, 라, 바

08 45°　09 24 cm　10 9　11 ㉡

12 (×) (○)　13 25, 25　14 70, 12　15 51 cm

16　17 바, 나, 다　18 이등변삼각형

19 이등변삼각형에 ○표, 정삼각형에 ○표, 예각삼각형에 ○표

20 64 cm

풀이는 23쪽에

34~36쪽 단원평가 2회 난이도 A

01 세에 ○표, 예각　02 한에 ○표, 둔각

03 가, 라　04

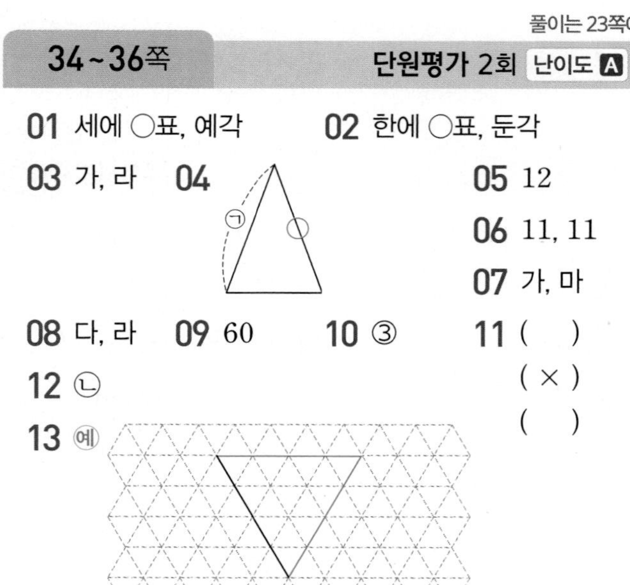

05 12

06 11, 11

07 가, 마

08 다, 라　09 60　10 ③　11 (　) (×) (　)

12 ㉡

13 예

14

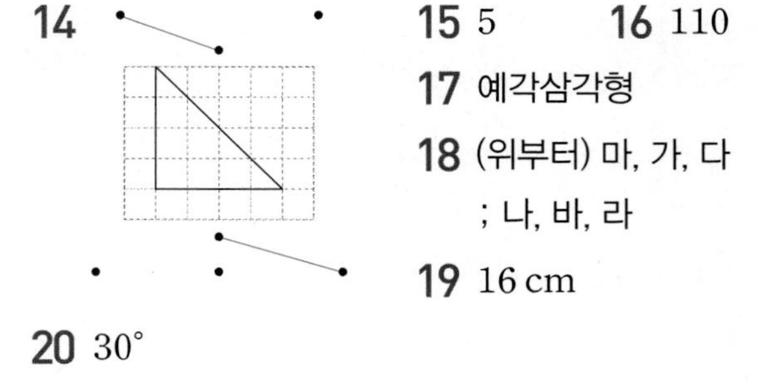

15 5　16 110

17 예각삼각형

18 (위부터) 마, 가, 다 ; 나, 바, 라

19 16 cm

20 30°

풀이는 23쪽에

37~39쪽 단원평가 3회 난이도 B

01 ④　02 다, 마, 사　03 나, 라

04 7, 7　05 10　06 45

07 60　08 18 cm　09 (○) (×)

10 이등변삼각형에 ○표　11 ④

12 2개　13 ㉠, ㉢　14

15 이등변삼각형, 직각삼각형　16 ㉣

17 예 삼각형의 세 각의 크기가 60°로 모두 같으므로 정삼각형입니다. 정삼각형은 세 변의 길이가 같으므로 한 변은 $27 \div 3 = 9$ (cm)입니다. 따라서 □ 안에 알맞은 수는 9입니다. ; 9

18 정삼각형 또는 예각삼각형 또는 이등변삼각형

19 10 cm　20 120°

풀이는 24쪽에

40~42쪽 단원평가 4회 난이도 B

01 (○)(　)(　)　02 ③　03 ㉠

04 8　05 15, 15　06 70　07 60°, 60°

08 38 cm　09 ㉠　10 30

11 예　12 ②, ⑤

13 예각 14 ④ 15 ㉠ 16 6 cm

17 예 나머지 한 각의 크기가 $180° - 60° - 70° = 50°$이므로 크기가 같은 두 각이 없습니다. 따라서 이등변삼각형이 아닙니다.

18 6 cm 19 95° 20 6개

풀이는 25쪽에

43~45쪽 단원평가 5회 난이도 C

01 이등변삼각형 02 나, 바 03 가, 마

04 14 05 8 06 60° 07 25, 6

08 45 cm 09 나, 라, 바 10 ③

11 ②, ④ 12

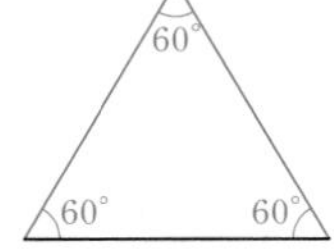

13 ㉢

14 예 세 각의 크기가 모두 60°로 같습니다. ;
예 세 삼각형의 한 변의 길이가 서로 다릅니다.

15 120° 16 40

17 예 삼각형의 세 각의 크기의 합은 180°이므로 나머지 한 각의 크기는 $180° - 45° - 70° = 65°$입니다.
⇨ 세 각이 모두 예각인 삼각형이므로 예각삼각형입니다. ; 예각삼각형

18 이등변삼각형 또는 둔각삼각형

19 150 20 ㉣

풀이는 26쪽에

46~47쪽 단계별로 연습하는 서술형 평가

01 ❶ 35, 35° ❷ 35, 110 ; 110°

02 ❶ 24, 24 cm ❷ 24 ❸ 8 cm

03 ❶ 이등변삼각형, 예각삼각형 ❷ ㉠, ㉢

04 ❶ 105°, 45° ❷ 둔각삼각형, 예각삼각형
❸ 나은

풀이는 26쪽에

48~49쪽 풀이 과정을 직접 쓰는 서술형 평가

01 예 이등변삼각형이므로 길이가 같은 두 변에 있는 두 각의 크기가 65°로 같습니다.
⇨ $㉠ = 180° - 65° - 65° = 50°$
; 50°

02 예 (이등변삼각형의 세 변의 길이의 합)
$= 12 + 12 + 6 = 30$ (cm)
⇨ (정삼각형의 한 변의 길이)
$= 30 \div 3 = 10$ (cm)
; 10 cm

03 예 세 각의 크기가 모두 같으므로 정삼각형이고, 정삼각형은 이등변삼각형이라고 할 수 있습니다.
세 각이 모두 예각이므로 예각삼각형입니다.
; 이등변삼각형, 정삼각형, 예각삼각형

04 예 유미: (나머지 한 각의 크기)
$= 180° - 50° - 40° = 90°$
⇨ 50°, 40°, 90°(직각삼각형)
지후: (나머지 한 각의 크기)
$= 180° - 45° - 25° = 110°$
⇨ 45°, 25°, 110°(둔각삼각형)
⇨ 둔각삼각형을 그린 사람은 지후입니다.
; 지후

풀이는 26쪽에

50쪽 밀크티 성취도평가 오답 베스트 5

01 42° 02 ①, ③ 03 ㉡

04 2개 05 ④

3 소수의 덧셈과 뺄셈

풀이는 27쪽에

53쪽 쪽지시험 1회

01 0.43　02 영 점 팔이

03 일 점 오사삼　04 1.48　05 2.307

06 일 ; 소수 첫째, 0.4 ; 소수 둘째, 0.07

07 0.484　08 0.6　09 0.006　10 ㉢

풀이는 27쪽에

54쪽 쪽지시험 2회

01 >　02 =　03 <

04 0.01 ; 0.005, 50　05 0.08, 0.008

06 1.45, 14.5　07 0.54　08 ㉢

09 ㉢, ㉣　10 0.972, 5.821, 5.83

풀이는 27쪽에

55쪽 쪽지시험 3회

01 0.8　02 3, 10, 4 ; 3, 10, 2, 4

03 2.2　04 4.3　05 1.3　06 7.2

07 5.6　08 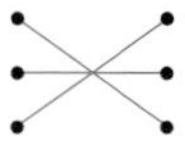　09 8.8　10 <

풀이는 27쪽에

56쪽 쪽지시험 4회

01 0.37　02 624, 259, 883, 8.83

03 0.86　04 7.55　05 2.54

06 7.35　07 2.79　08 14.08

09 $\begin{array}{r} \overset{6\ 10}{\not{7}}.4\,8 \\ -\ 3.6\ \ \\ \hline 3.8\,8 \end{array}$　10 0.69

풀이는 28쪽에

57~59쪽 단원평가 1회 난이도 A

01 0.21, 영 점 이일　02

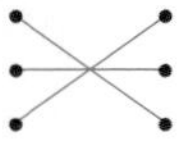

03 7, 1, 3, 6

04 8.407　05 0.26　06 <　07 0.7, 70

08 0.15, 0.47　09 ③　10 3.4

11 1.6　12 0.4　13 1.57, 0.157

14 ㉠　15 현지　16 0.18　17 3개

18 1.1 m　19 3.93 kg　20 1.77 L

풀이는 28쪽에

60~62쪽 단원평가 2회 난이도 A

01 $\frac{57}{100}$, 0.57　02 0.387, 영 점 삼팔칠

03 5.286　04 27.54　05 0.045

06 0.65에 ○표　07 <　08 0.9

09 0.93　10 4.42　11 ㉠, ㉢, ㉡, ㉣

12 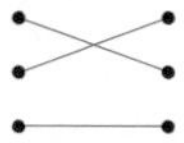　13 0.81

14 1.79

15 >　16 0.4, 0.04　17 ㉡

18 1.6 L　19 11.88 km　20 6.72 kg

풀이는 29쪽에

63~65쪽 단원평가 3회 난이도 B

01 0.07　02 2+0.5+0.07+0.003

03 5 ; 소수 첫째, 0.4 ; 소수 둘째, 0.08

04 <　05 0.9　06 0.3

07 5.47 ; 183, 364, 547　08 1.14

09 0.6, 0.06　10 혜민　11

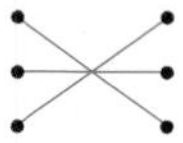

12 4.6, 5.48　13 3.5 km　14 3.69 kg

15 110　16 놀이터, 학교, 우체국

17 예 수직선의 작은 눈금 한 칸의 크기는 0.01을 나타냅니다.

㉠: 1.05, ㉡: 1.16

⇨ ㉠+㉡=1.05+1.16=2.21 ; 2.21

18 0.06 m　19 28.2 cm　20 5.94

풀이는 30쪽에

66~68쪽 단원평가 4회 난이도 B

01 오 점 팔영칠　02 3, 0.03
03 1, 3 ; 1, 2, 3　04 4.63, 4.67
05 <　06 (　) (○)　07 5.80, 17.240
08 3.108, 3108　09 1.02　10 1.09
11 (선 잇기)　12 2.16
13 $\begin{array}{r} {}^{1} \\ 0.42 \\ +\,0.7 \\ \hline 1.12 \end{array}$　14 5.54
15 7, 8, 9
16 1000배
17 예 (감 한 상자의 무게)
=(귤 한 상자의 무게)+3.82
=7.48+3.82=11.3 (kg) ; 11.3 kg
18 0.8 kg　19 9, 1　20 0.6 km

풀이는 30쪽에

69~71쪽 단원평가 5회 난이도 C

01 $\frac{37}{100}$, 0.37　02 (선 잇기)　03 9.37
04 2.373, 2.377　05 0.83　06 8.76
07 민수, 사 점 영일칠　08 >　09 ㉠, ㉢
10 (위부터) 3.52, 4.55, 16.94, 8.87
11 <　12 0.84　13 0.92
14 예 0.71은 0.01이 71개인 수이고, 0.8은 0.01이 80개인 수이기 때문이야.
15 5.4 L　16 ④
17 예 980 g=0.98 kg입니다.
(쇠고기의 무게)+(돼지고기의 무게)
=0.98+0.67=1.65 (kg) ; 1.65 kg
18 5.027　19 9.3　20 11.04 cm

풀이는 31쪽에

72~73쪽 단계별로 연습하는 서술형 평가

01 ❶ >　❷ 공원, 0.18 km
02 ❶ 2　❷ 0.02　❸ 100배
03 ❶ □+2.38=7.64　❷ 5.26　❸ 2.88
04 ❶ 8.52　❷ 2.58　❸ 5.94

풀이는 31쪽에

74~75쪽 풀이 과정을 직접 쓰는 서술형 평가

01 예 2.58>1.89이므로 공원이 집에서 2.58−1.89=0.69 (km) 더 가깝습니다.
; 공원, 0.69 km
02 예 ㉠은 일의 자리 숫자이므로 나타내는 수는 4이고, ㉡은 소수 셋째 자리 숫자이므로 나타내는 수는 0.004입니다.
⇨ 4는 0.004의 1000배입니다. ; 1000배
03 예 어떤 수를 □라 하면 □−3.26=4.51입니다.
□−3.26=4.51 ⇨ □=4.51+3.26=7.77
바르게 계산하면 7.77+3.26=11.03입니다.
; 11.03
04 예 가장 큰 소수 두 자리 수: 7.63
가장 작은 소수 두 자리 수: 3.67
⇨ 7.63+3.67=11.3 ; 11.3
05 예 정삼각형은 세 변의 길이가 모두 같으므로 세 변의 길이의 합은
1.64+1.64+1.64=3.28+1.64=4.92 (cm)
입니다. ; 4.92 cm

풀이는 32쪽에

76쪽 밀크티 성취도평가 오답 베스트 5

01 0.38, 38, 380　02 ㉢
03 0.73, 6.63　04 10.29　05 2.15

4 사각형

풀이는 32쪽에

79쪽 쪽지시험 1회

01 나 02 가 03 ( )( )(○)
04 (○)( )( ) 05 2개 06 나, 라
07 변 ㄱㄴ, 변 ㄹㄷ 08 변 ㄱㄹ과 변 ㄴㄷ
09 예

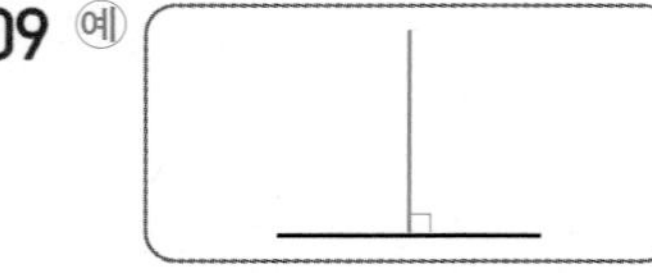

10 예

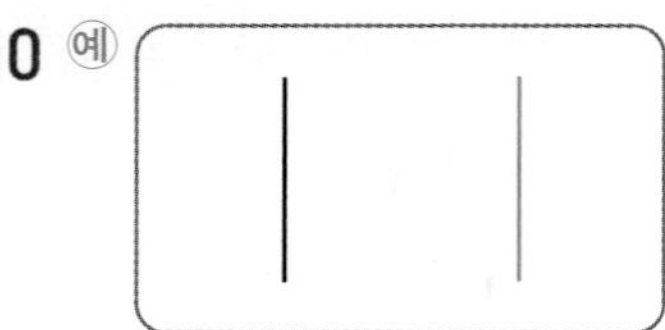

풀이는 32쪽에

80쪽 쪽지시험 2회

01

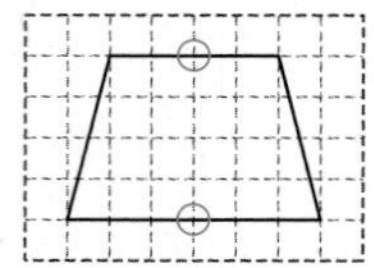

02 사다리꼴
03 ㉢ 04 가 05 3 cm 06 다, 라
07 2 cm 08 3 cm 09 4 cm 10 7 cm

풀이는 33쪽에

81쪽 쪽지시험 3회

01 나, 다 02 가, 라 03 변 ㄹㄷ
04 5 cm 05 40° 06 (위부터) 7, 5
07 130, 50 08 7, 7
09 (왼쪽부터) 120, 60 10 26 cm

풀이는 33쪽에

82쪽 쪽지시험 4회

01 가, 다, 라, 바 02 라, 바
03 다, 라, 바 04 라, 바
05 할 수 있습니다. 06 (위부터) 90, 6, 10
07 (위부터) 90, 8, 90
08 사다리꼴에 ○표, 평행사변형에 ○표, 직사각형에 ○표
09 × 10 ○

풀이는 33쪽에

83~85쪽 단원평가 1회 난이도 A

01 수선 02 직선 나 03 가, 다, 라, 마, 바
04 가, 라, 마, 바 05 ③
06 변 ㄱㄹ, 변 ㄴㄷ 07 2쌍
08 ㉡ 09 2 cm 10 ( )(○)
11 120, 60 12 14, 12 13 ⑤
14 (위부터) 7, 70 15 12 cm
16 예

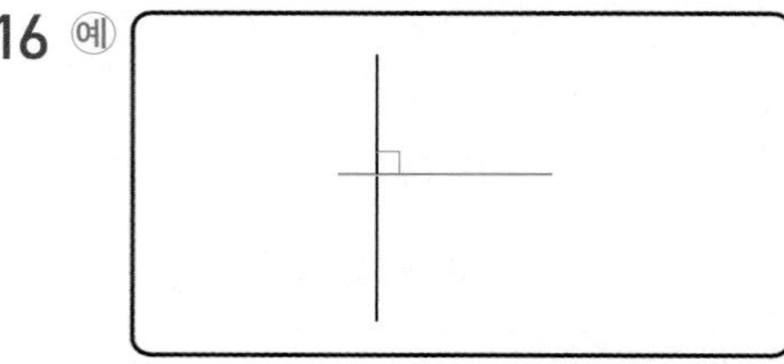

17 ㉣ 18 5개
19 5 cm 20 45°

풀이는 34쪽에

86~88쪽 단원평가 2회 난이도 A

01 ④ 02 수직 03 평행 04 가
05 가, 다, 라, 마 06 가, 라
07 가, 라, 마 ; 가, 라 08 직선 다
09 2쌍 10 ㉢ 11 변 ㄱㄹ과 변 ㄴㄷ
12 (위부터) 10, 15 13 (위부터) 60, 9
14 ⑤ 15 10 cm 16 예
17

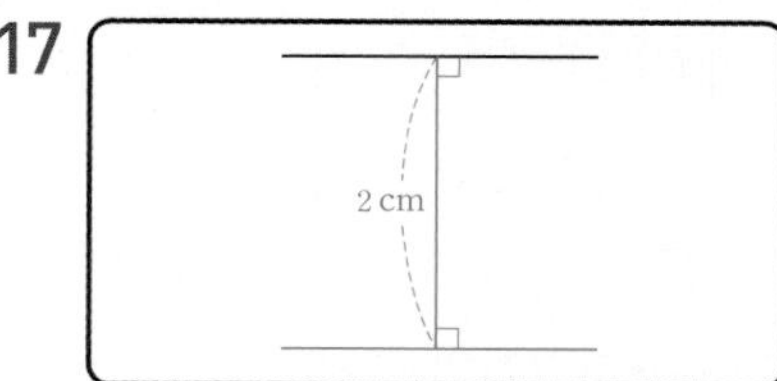

18 32 cm 19 정사각형
20 변 ㅂㅁ, 변 ㄹㄷ

풀이는 34쪽에

89~91쪽 단원평가 3회 난이도 B

01 ① 02 직선 라
03 직선 가와 직선 나 04 나, 다
05 나, 라, 바 ; 나, 라, 마, 바 ; 바
06 90° 07 2, 2 08 (○)( )
09 (왼쪽부터) 7, 10, 40 10 5 cm
11 ④ 12 (×)
(○)
(×)
13 사다리꼴에 ○표, 직사각형에 ○표
14 9 cm 15 115°
16

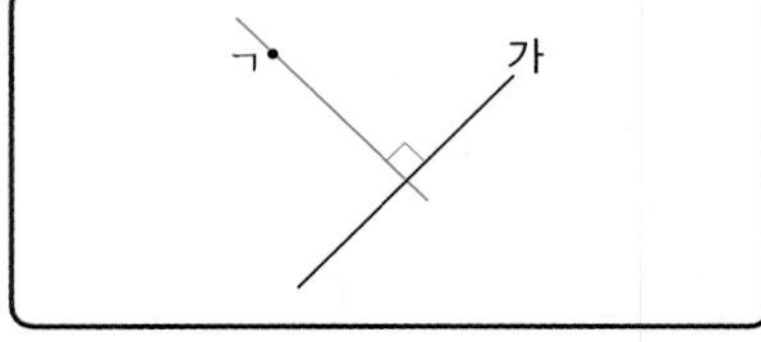

17 예 평행선은 직선 나와 직선 다, 직선 라와 직선 아, 직선 마와 직선 바입니다.
⇨ 평행선은 모두 3쌍입니다. ; 3쌍
18 있습니다에 ○표 ; 예 도형의 네 변의 길이가 모두 같기 때문에 마름모라고 할 수 있습니다.
19 90 cm 20 30°

풀이는 35쪽에

92~94쪽 단원평가 4회 난이도 B

01 직선 나, 직선 라 02 2쌍
03 ( )(○)( )(○) 04 변 ㄱㄹ
05 선분 ㄴㄷ 06 (위부터) 65, 115
07 ⑤ 08 4 cm 09 효주
10

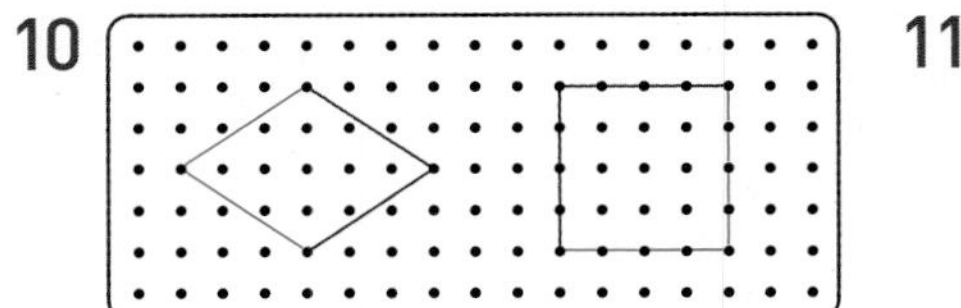

11 ②
12 직사각형에 ○표
13

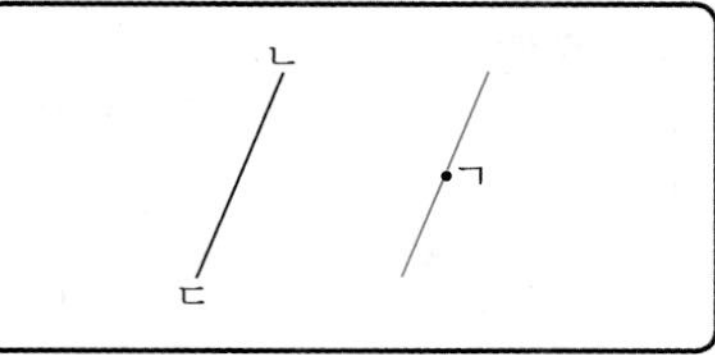

14 80° 15 9개
16 예 네 각이 모두 직각이 아닙니다.
17 예 서로 수직인 직선 가와 직선 나가 만나서 이루는 각이 90°이므로 ㉠$=90°-55°=35°$입니다.
; 35°
18 9 cm 19 18 cm 20 55°

풀이는 36쪽에

95~97쪽 단원평가 5회 난이도 C

01 직선 나 02 직선 라 03 가, 다
04 선분 ㄱㄷ과 선분 ㄴㄹ 05 변 ㄱㄹ과 변 ㄴㄷ
06 선분 ㄱㄷ 07 나, 라, 마 ; 마
08 24 09 1개 10 ⑤
11 변 ㄱㄴ, 변 ㄷㄹ, 변 ㅁㅂ
12 이등변삼각형 13 3 cm
14 예 마름모는 네 변의 길이가 모두 같으므로 네 변의 길이의 합은 $12\times4=48$ (cm)입니다.
직사각형은 마주 보는 두 변의 길이가 같으므로
⇨ $48-8-8=32$, ㉠$=32\div2=16$입니다.
; 16
15 60° 16 8 cm
17 예 직선 가와 직선 다 사이의 거리는 직선 가와 직선 나, 직선 나와 직선 다 사이의 거리의 합과 같습니다.
⇨ 직선 나와 직선 다 사이의 거리는
$20-9=11$ (cm)입니다.
; 11 cm
18 7 cm 19 70° 20 80°

풀이는 36쪽에

98~99쪽 단계별로 연습하는 서술형 평가

01 ❶ 가, 나, 라, 마 ❷ 나, 다, 라, 마
❸ 3개

02 ❶ 변 ㄴㄷ과 변 ㅁㄹ ❷ 선분 ㄴㅁ
❸ 10 cm

03 ❶ 44 cm ❷ 44 cm ❸ 11 cm

04 ❶ ㄹㄷ, 8 ; 8 cm ❷ 8, 24 ; 24 cm
❸ 12 cm

풀이는 37쪽에

100~101쪽 풀이 과정을 직접 쓰는 서술형 평가

01 예 수선이 있는 도형: 나, 라, 마
평행선이 있는 도형: 가, 다, 라, 마
⇨ 수선도 있고 평행선도 있는 도형은 라, 마로 모두 2개입니다. ; 2개

02 예 변 ㄱㅁ과 변 ㄷㄹ이 서로 평행하므로 평행선 사이의 거리는 12 cm입니다. ; 12 cm

03 예 평행사변형은 마주 보는 두 변의 길이가 같으므로
(평행사변형 ㄱㄴㄷㄹ의 네 변의 길이의 합)
$=14+6+14+6=40$ (cm)
⇨ 마름모는 네 변의 길이가 모두 같으므로
(마름모 ㅁㅂㅅㅇ의 한 변의 길이)
$=40\div4=10$ (cm) ; 10 cm

04 예 평행사변형은 마주 보는 두 변의 길이가 같습니다. (변 ㄱㄹ)=(변 ㄴㄷ)=16 cm이므로
(변 ㄱㄴ)+(변 ㄹㄷ)$=52-16-16=20$ (cm)
입니다.
⇨ (변 ㄱㄴ)$=20\div2=10$ (cm) ; 10 cm

풀이는 37쪽에

102쪽 밀크티 성취도평가 오답 베스트 5

01 7, 65 **02** ㉡ **03** 3개
04 ㉠ **05** 45°, 135°

5 꺾은선그래프

풀이는 38쪽에

106쪽 쪽지시험 1회

01 꺾은선그래프 **02** 날짜 **03** 키
04 1 cm **05** 고구마 싹의 키
06 시각, 온도 **07** 9 ℃ **08** 오후 1시
09 오전 10시 **10** 오후 1시

풀이는 38쪽에

107쪽 쪽지시험 2회

01 기온 **02** 예 1 ℃ **03** 14 ℃
04 **05** 6일
06 몸무게 **07** 예 0.1 kg
08 예 0과 28 사이
09

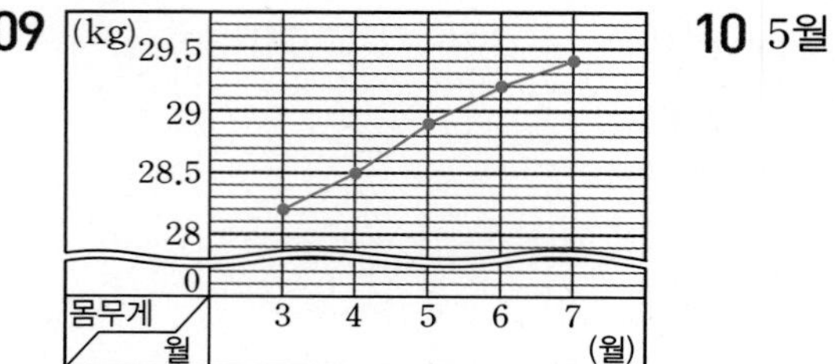

10 5월

풀이는 38쪽에

108쪽 쪽지시험 3회

01 308 **02** 횟수
03 74회 **04** 예 0과 50 사이
05

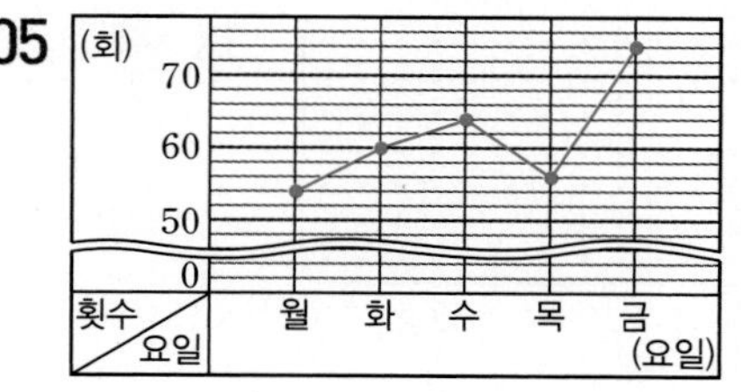

06 예 1초

07
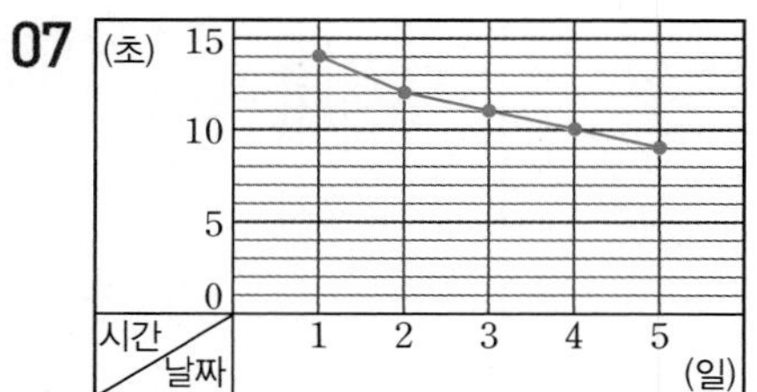

08 예 점점 빨라지고 있습니다. 09 2일
10 예 5일의 기록인 9초보다 더 빨라질 것입니다.

풀이는 39쪽에

109~111쪽 단원평가 1회 난이도 A

01 꺾은선그래프 02 1 ℃ 03 19 ℃
04 28 ℃ 05 횟수 06 예 1회
07
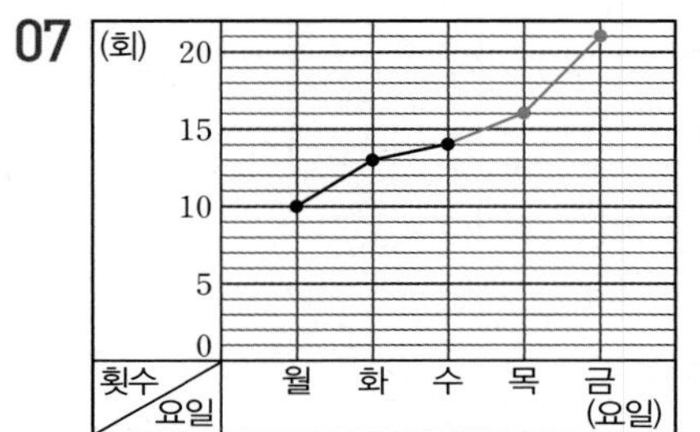

08 2 cm
09 474 cm
10 6월
11 월
12 예 0과 200 사이
13
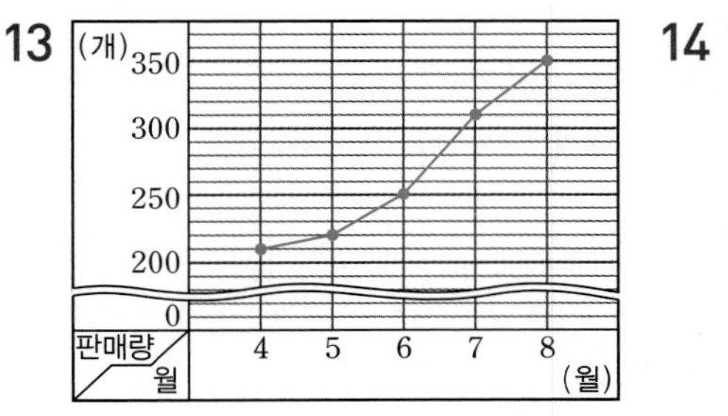

14 7월
15 ㉤, ㉠, ㉢, ㉣ 16 막대그래프에 ○표
17 꺾은선그래프에 ○표
18
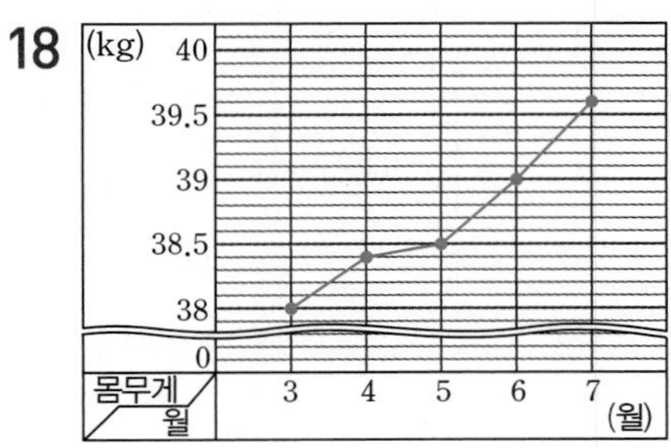

19 예 몸무게가 늘어나고 있습니다.
20 예 7월의 몸무게인 39.6 kg보다 늘어날 것입니다.

풀이는 39쪽에

112~114쪽 단원평가 2회 난이도 A

01 요일, 횟수 02 1회 03 15회
04 일요일 05 2, 0.1 06 물결선
07 ㈏ 08 기온 09 예 1 ℃
10
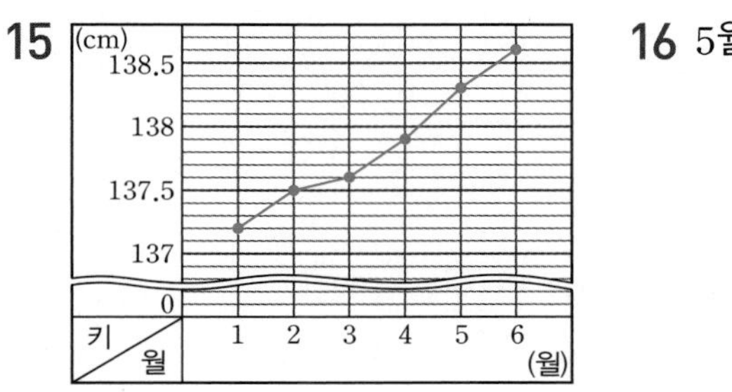

11 2초
12 월요일 13 18초 14 윤하
15
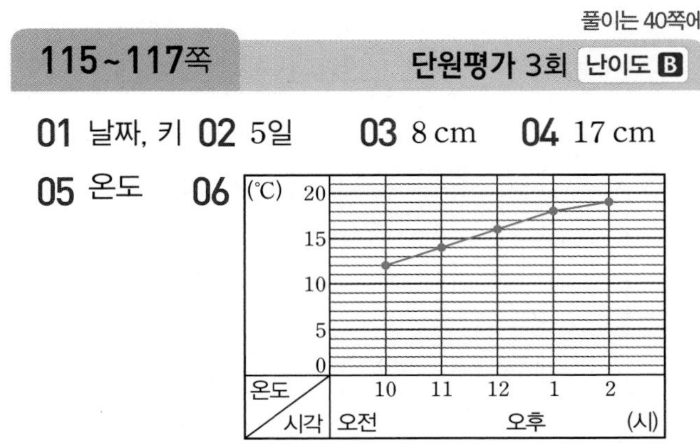

16 5월
17 예 6월보다 더 많이 자랄 것입니다. 18 1500명
19 2016년
20 예 900명보다 줄어들 것입니다.

풀이는 40쪽에

115~117쪽 단원평가 3회 난이도 B

01 날짜, 키 02 5일 03 8 cm 04 17 cm
05 온도 06

07 우향 08 예 0과 110 사이
09
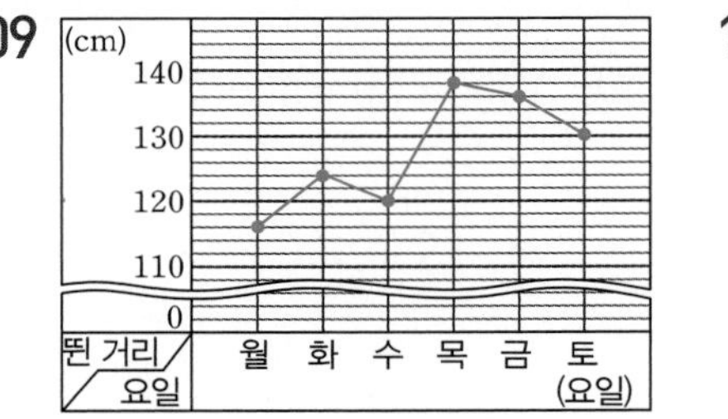

10 목요일

11 2600, 2400, 1900, 900

12 1800병 13 10500병

14 7월 15 2017년

16 2015년, 2016년

17 예 세로 눈금 한 칸은 1명을 나타냅니다.
2012년과 2013년의 자원봉사자 수는 세로 눈금이 2칸만큼 차이나므로 2명이 늘어났습니다. ; 2명

18 예 30 kg

19 예 점점 늘어나고 있습니다.

20 예 37 kg

풀이는 41쪽에

118~120쪽 단원평가 4회 난이도 B

01 꺾은선그래프 02 14 ℃

03 오후 1시 04 오전 9시

05 0.1 kg 06 28.1 kg

07 3일 08 2 kg, 0.1 kg

09 ㉠ 10 꺾은선그래프

11 예 0.2 cm 12 예 143 cm

13

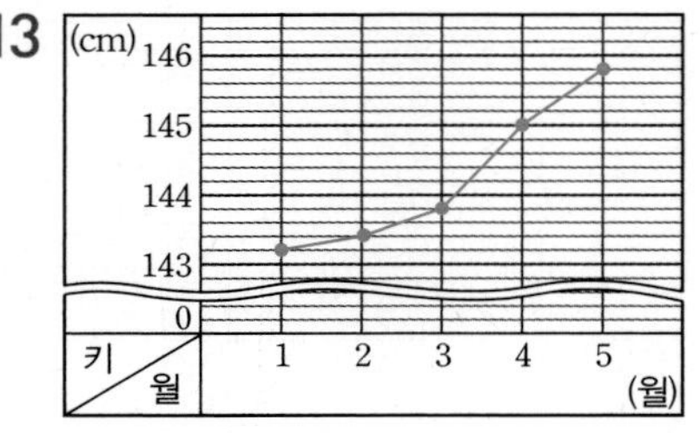

14 4월

15 2일 16 102개

17 예 3일에 판매한 햄버거는 30개이므로 햄버거의 판매 금액은 모두 $1300 \times 30 = 39000$(원)입니다.
; 39000원

18 37.5 ℃ 19 0.7 ℃

20 예 38.5 ℃

풀이는 42쪽에

121~123쪽 단원평가 5회 난이도 C

01 온도 02 오후 2시

03 예 23 ℃ 04 13 ℃ 05 횟수

06 예 1회 07

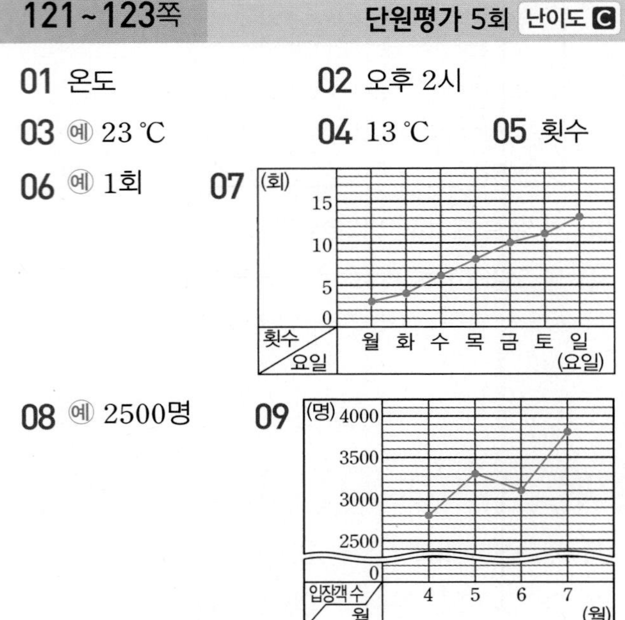

08 예 2500명 09

10 6월 11 20억 달러 12 2012년

13 예 2014년: 1280억 달러, 2016년: 1260억 달러
⇨ (2014년과 2016년의 수출액)
$= 1280 + 1260 = 2540$(억 달러)
; 2540억 달러

14 오후 2시, 오후 4시 15 오후 2시

16 예 15 ℃

17 예 10 ℃보다 낮아질 것입니다.

18 나 식물 19 다 식물

20 가 식물 ; 예 그래프의 선이 4일에서 6일 사이에 변하지 않고 6일에서 8일 사이에 다시 오른쪽 아래로 기울어져 있기 때문입니다.

풀이는 42쪽에

124~125쪽 단계별로 연습하는 서술형 평가

01 ❶ 1회 ❷ 목요일 ❸ 16회

02 ❶ 오후 1시, 오후 2시 ❷ 오후 2시

03 ❶ 20개 ❷ 3140개, 3260개
❸ 120개

04 ❶ 600권 ❷ 440권 ❸ 160권

풀이는 43쪽에

126~127쪽 풀이 과정을 직접 쓰는 서술형 평가

01 예 팔 굽혀펴기를 가장 많이 한 요일은 점이 가장 높은 때인 목요일이고 목요일에 한 팔 굽혀펴기 횟수는 15회입니다. ; 15회

02 예 온도가 가장 많이 오른 때는 그래프에서 선이 오른쪽 위로 가장 많이 기울어진 오전 9시와 10시 사이이므로 전시각에 비해 온도가 가장 많이 오른 때는 오전 10시입니다.
; 오전 10시

03 예 2월의 자전거 생산량은 1040대이고, 6월의 자전거 생산량은 1220대입니다.
⇨ 1220－1040＝180(대) ; 180대

04 예 가장 많이 팔린 때는 그래프의 점이 가장 높은 때인 7월로 224병이고, 가장 적게 팔린 때는 그래프의 점이 가장 낮은 때인 4월로 202병입니다.
⇨ 224－202＝22(병) ; 22병

풀이는 43쪽에

128쪽 밀크티 성취도평가 오답 베스트 5

01 150가구 **02** ② **03** ①
04 30 t **05** 1880개

6 다각형

풀이는 44쪽에

131쪽 쪽지시험 1회

01 (×)(○)(×) **02** (○)(×)(×)
03 오각형 **04** 칠각형 **05** 정육각형
06 마 **07** 가, 나, 라 **08** 라
09 8 **10** 120

풀이는 44쪽에

132쪽 쪽지시험 2회

01 (　　)(○) **02**

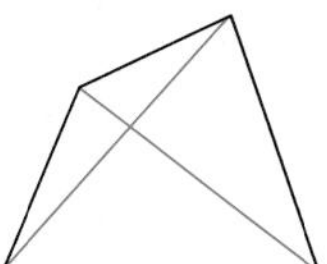

03

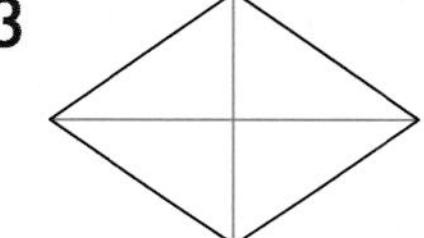

04 사각형에 ○표, 육각형에 ○표
05 삼각형에 ○표, 사각형에 ○표
06 삼각형에 ○표 **07** 사각형에 ○표
08 4개 **09** 다, 가, 나 **10** 나, 다

풀이는 44쪽에

133~135쪽 단원평가 1회 난이도 A

01 다각형, 오각형, 육각형, 칠각형
02 나, 라, 마 **03** 라, 마 **04** 라
05 정오각형 **06** ㉡
07

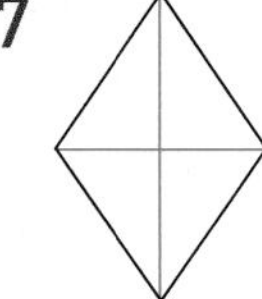

08 2개
09 가, 나 **10** 가, 다 **11** 108, 8
12 삼각형에 ○표, 사각형에 ○표

13 8개 14 20 cm 15 다 16 720°

17 예

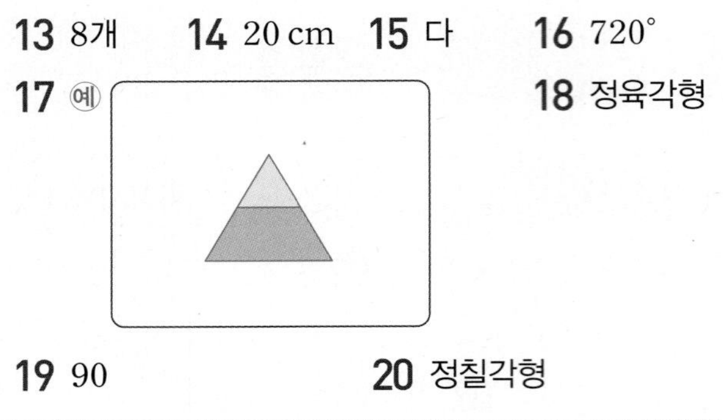

18 정육각형

19 90 20 정칠각형

풀이는 45쪽에

136~138쪽 단원평가 2회 난이도 A

01 가, 다 02 다각형 03 다, 오각형

04 나, 다 05 대각선 06 정팔각형

07 5개 08 정육각형

09 나 10 10

11 라 ; 예 선분으로만 둘러싸인 도형이 아니기 때문입니다.

12 예

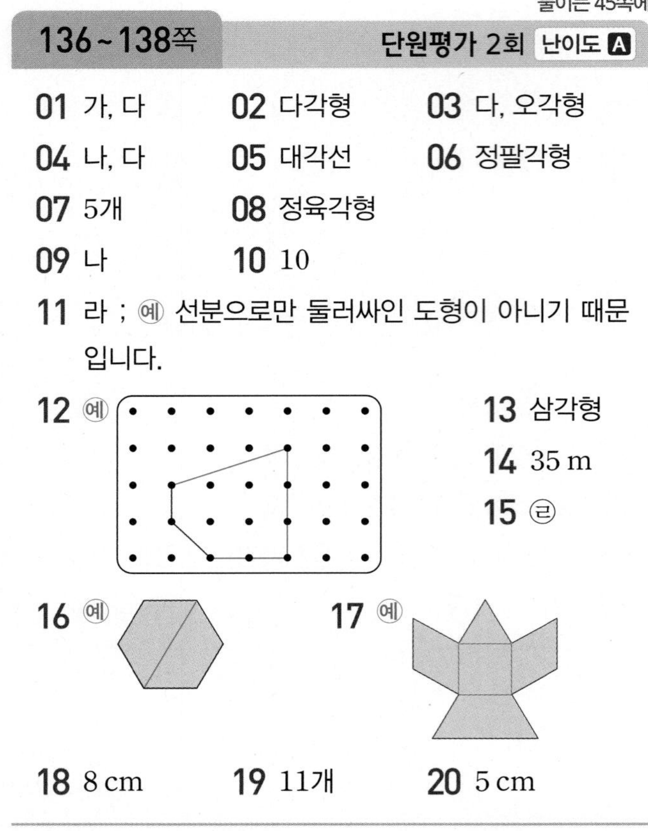

13 삼각형

14 35 m

15 ㉣

16 예 17 예

18 8 cm 19 11개 20 5 cm

풀이는 45쪽에

139~141쪽 단원평가 3회 난이도 B

01 ①, ④ 02 ( )(○)( ) 03 다

04 육각형 05 5개 06 6개 07 정팔각형

08 가, 라 09 6개 10 540°

11 예 변의 길이가 모두 같지 않고, 각의 크기도 모두 같지 않으므로 정다각형이 아닙니다.

12 90° 13 6개 14 ㉡

15 예 16 예

17 6 cm 18 정십이각형 19 10

20 예 변의 길이가 모두 같고, 각의 크기가 모두 같은 도형은 정다각형입니다.
⇨ 5개의 선분으로 둘러싸인 정다각형은 정오각형입니다.
; 정오각형

풀이는 46쪽에

142~144쪽 단원평가 4회 난이도 B

01 ③ 02 오각형에 ○표

03 04 , 9개

05 나 06 칠각형

07 삼각형에 ○표, 사각형에 ○표

08 ③ 09 120, 7 10 90

11 6개 12 3개 13 8 cm

14 예 15 15 cm

16 예

17 예 서로 이웃하지 않는 두 꼭짓점을 이어 대각선을 그어 봅니다.
가: 5개, 나: 2개 ⇨ $5+2=7$(개)
; 7개

18 정사각형 19 108° 20 45°

풀이는 47쪽에

145~147쪽 단원평가 5회 난이도 C

01

02 정칠각형

03 (○)( )( )(○)

04 구각형

05 14개

06 육각형

07 ㉠

08 나, 라

09 가, 나

10 나

11 예 선분으로 되어 있지만 둘러 싸여 있지 않으므로 다각형이 아닙니다.

12 42 cm

13 10개

14 예 정사각형은 두 대각선의 길이가 같으므로 두 대각선의 길이의 합은 $10+10=20$ (cm)입니다.
; 20 cm

15 예

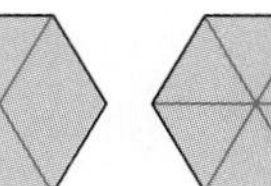

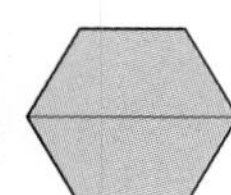

16 18 cm

17 예 (나 도형의 모든 변의 길이의 합)
$=12\times4=48$ (cm)
⇨ (가 도형의 한 변의 길이)$=48\div6=8$ (cm)
; 8 cm

18 30°

19 55°

20 24 cm

풀이는 47쪽에

148~149쪽 단계별로 연습하는 서술형 평가

01 ❶ 7, 12 ; 12개 ❷ 정십이각형

02 ❶ 5, 30 ; 30 cm ❷ 10 cm

03 ❶ 20개 ❷ 9개
❸ 29개

04 ❶ 7, 14 ; 14 cm ❷ 8, 16 ; 16 cm
❸ 2 cm

풀이는 48쪽에

150~151쪽 풀이 과정을 직접 쓰는 서술형 평가

01 예 정다각형은 모든 변의 길이가 같으므로 변은 모두 $180\div9=20$(개)입니다.
⇨ 변이 20개인 정다각형은 정이십각형입니다.
; 정이십각형

02 예 가 도형은 정팔각형이고 8개의 변의 길이가 모두 같으므로
(가 도형의 모든 변의 길이의 합)
$=3\times8=24$ (cm)입니다.
⇨ 나 도형은 정육각형이고 6개의 변의 길이가 모두 같으므로
(나 도형의 한 변의 길이)
$=24\div6=4$ (cm)입니다. ; 4 cm

03 예 정오각형에 그을 수 있는 대각선은 5개이고, 정칠각형에 그을 수 있는 대각선은 14개입니다.
⇨ $5+14=19$(개) ; 19개

04 예 마름모는 한 대각선이 다른 대각선을 똑같이 둘로 나누므로 (선분 ㄱㅁ)=(선분 ㅁㄷ),
(선분 ㄴㅁ)=(선분 ㅁㄹ)입니다.
(선분 ㄱㄷ)$=9+9=18$ (cm),
(선분 ㄴㄹ)$=5+5=10$ (cm)
⇨ $18-10=8$ (cm) ; 8 cm

05 예 정오각형은 모든 변의 길이가 같고, 모든 각의 크기가 같습니다. 삼각형 ㄱㄴㄷ은 이등변삼각형이고 각 ㄱㄴㄷ의 크기는 108°입니다.
⇨ (각 ㄱㄷㄴ)=㉠이므로
㉠+㉠$=180°-108°=72°$,
㉠$=72°\div2=36°$; 36°

풀이는 48쪽에

152쪽 밀크티 성취도평가 오답 베스트 5

01 32 cm

02 540°

03 135°

04 9개

05 ④, ⑤

정답 및 풀이

1 분수의 덧셈과 뺄셈

3쪽 쪽지시험 1회

01 7, 1, 1 02 3, 2 03 $\frac{7}{9}$ 04 $1\frac{3}{8}(=\frac{11}{8})$

05 $\frac{3}{10}$ 06 $\frac{3}{5}$ 07 $1\frac{4}{11}(=\frac{15}{11})$

08 (선 잇기) 09 $>$ 10 $1\frac{4}{8}(=\frac{12}{8})$

06 $1-\frac{2}{5}=\frac{5}{5}-\frac{2}{5}=\frac{5-2}{5}=\frac{3}{5}$

08 $\frac{8}{9}-\frac{2}{9}=\frac{8-2}{9}=\frac{6}{9}$, $1-\frac{4}{9}=\frac{9}{9}-\frac{4}{9}=\frac{5}{9}$

09 $\frac{2}{7}+\frac{2}{7}=\frac{4}{7}$, $\frac{6}{7}-\frac{3}{7}=\frac{3}{7}$ ⇨ $\frac{4}{7}>\frac{3}{7}$

10 $\frac{5}{8}<\frac{6}{8}<\frac{7}{8}$ ⇨ $\frac{7}{8}+\frac{5}{8}=\frac{7+5}{8}=\frac{12}{8}=1\frac{4}{8}$

4쪽 쪽지시험 2회

01 2, 1, 3, 3, 3, 3 02 2, 3, 2, 2, 2, 2

03 $7\frac{2}{6}$ 04 $1\frac{3}{9}$

05 $1\frac{2}{8}+2\frac{3}{8}=\frac{10}{8}+\frac{19}{8}=\frac{29}{8}=3\frac{5}{8}$

06 $4\frac{2}{10}$ 07 $3\frac{3}{8}$ 08 ( )(○)

09 $3\frac{3}{13}$ 10 $4\frac{1}{7}$

07 $5\frac{7}{8}-2\frac{4}{8}=(5-2)+(\frac{7}{8}-\frac{4}{8})=3+\frac{3}{8}=3\frac{3}{8}$

08 $3\frac{5}{11}+1\frac{8}{11}=5\frac{2}{11}$, $7\frac{9}{11}-2\frac{5}{11}=5\frac{4}{11}$

⇨ $5\frac{2}{11}<5\frac{4}{11}$

09 $2\frac{4}{13}<3\frac{9}{13}<5\frac{7}{13}$ ⇨ $5\frac{7}{13}-2\frac{4}{13}=3\frac{3}{13}$

10 $1\frac{3}{7}+2\frac{5}{7}=(1+2)+(\frac{3}{7}+\frac{5}{7})=3+1\frac{1}{7}=4\frac{1}{7}$

5쪽 쪽지시험 3회

01 5, 1, 3 02 $4\frac{3}{7}$ 03 $\frac{1}{8}$

04 $2\frac{7}{9}$ 05 $5-2\frac{5}{8}=\frac{40}{8}-\frac{21}{8}=\frac{19}{8}=2\frac{3}{8}$

06 $5\frac{8}{11}$ 07 (선 잇기) 08 $<$

09 $5\frac{5}{7}$, $4\frac{2}{7}$ 10 (×)( )

01 자연수에서 1만큼을 가분수로 바꾸어 뺍니다.

06 $8-2\frac{3}{11}=7\frac{11}{11}-2\frac{3}{11}=5\frac{8}{11}$

08 $6-2\frac{5}{8}=3\frac{3}{8}$, $10\frac{7}{8}-6\frac{6}{8}=4\frac{1}{8}$ ⇨ $3\frac{3}{8}<4\frac{1}{8}$

09 $8-2\frac{2}{7}=7\frac{7}{7}-2\frac{2}{7}=5\frac{5}{7}$, $5\frac{5}{7}-1\frac{3}{7}=4\frac{2}{7}$

10 $5-3\frac{7}{13}=4\frac{13}{13}-3\frac{7}{13}=1\frac{6}{13}$

6쪽 쪽지시험 4회

01 2, 7 ; 7, 6, 1, 2 02 $2\frac{2}{3}$ 03 $3\frac{7}{9}$

04 $4\frac{7}{10}$ 05 $2\frac{5}{11}$ 06 $2\frac{5}{7}$

07 $4\frac{3}{8}-2\frac{7}{8}=\frac{35}{8}-\frac{23}{8}=\frac{12}{8}=1\frac{4}{8}$

08 ( )(○) 09 $4\frac{3}{9}$ 10 $2\frac{3}{5}$

05 $7\frac{2}{11}-4\frac{8}{11}=6\frac{13}{11}-4\frac{8}{11}=2\frac{5}{11}$

07 대분수를 가분수로 바꾸어 빼는 방법입니다.

08 $8\frac{7}{13}-4\frac{9}{13}=3\frac{11}{13}$, $9\frac{4}{13}-5\frac{7}{13}=3\frac{10}{13}$

⇨ $3\frac{11}{13}>3\frac{10}{13}$

09 $2\frac{8}{9}<4\frac{2}{9}<5\frac{4}{9}<7\frac{2}{9}$ ⇨ $7\frac{2}{9}-2\frac{8}{9}=4\frac{3}{9}$

10 $4\frac{2}{5}-1\frac{4}{5}=3\frac{7}{5}-1\frac{4}{5}=2\frac{3}{5}$ (kg)

7~9쪽 단원평가 1회 난이도 A

01 3, 1, 2, 2 **02** 2, 1, 3, 1

03 3, 11, 3, 11 **04** $4\frac{1}{3}$ **05** $\frac{5}{7}$

06 $\frac{7}{12}$ **07** $5\frac{9}{13}$ **08** $1\frac{2}{6}$

09 10, 7, 3 ; 10, 7, 3 **10** $18\frac{2}{5}$

11 $6\frac{8}{13}$ **12** ① **13** =

14 (위부터) $1\frac{4}{12}(=\frac{16}{12})$, $1\frac{1}{12}(=\frac{13}{12})$

15 $3\frac{5}{8}$, $3\frac{2}{8}$; $3\frac{2}{8}$ **16** $\frac{6}{11}$ **17** $1\frac{5}{9}$

18 $5\frac{11}{12}$ **19** $4\frac{1}{5}$ kg **20** $\frac{2}{3}$시간

01 자연수와 진분수의 뺄셈은 자연수에서 1만큼을 가분수로 바꾸어 뺍니다.

06 $1-\frac{5}{12}=\frac{12}{12}-\frac{5}{12}=\frac{7}{12}$

10 $10\frac{3}{5}+7\frac{4}{5}=17+1\frac{2}{5}=18\frac{2}{5}$

11 $9\frac{4}{13}-2\frac{9}{13}=8\frac{17}{13}-2\frac{9}{13}=6\frac{8}{13}$

12 $1\frac{4}{8}+1\frac{6}{8}=\frac{\boxed{12}}{8}+\frac{14}{8}=\frac{26}{8}=3\frac{\boxed{2}}{8}$이므로 ㉠=12, ㉡=2입니다. ⇨ ㉠+㉡=12+2=14

13 $\frac{3}{9}+\frac{6}{9}=\frac{9}{9}=1$, $\frac{4}{9}+\frac{5}{9}=\frac{9}{9}=1$

14 $\frac{9}{12}+\frac{7}{12}=\frac{16}{12}=1\frac{4}{12}$, $\frac{9}{12}+\frac{4}{12}=\frac{13}{12}=1\frac{1}{12}$

16 $\frac{3}{11}+\square=\frac{9}{11}$ ⇨ $\square=\frac{9}{11}-\frac{3}{11}=\frac{6}{11}$

17 $2\frac{4}{9}<3<3\frac{2}{9}<4$ ⇨ $4-2\frac{4}{9}=1\frac{5}{9}$

18 $10\frac{3}{12}-\square=4\frac{4}{12}$

⇨ $\square=10\frac{3}{12}-4\frac{4}{12}=9\frac{15}{12}-4\frac{4}{12}=5\frac{11}{12}$

19 $1\frac{2}{5}+2\frac{4}{5}=3+1\frac{1}{5}=4\frac{1}{5}$ (kg)

20 $2\frac{1}{3}-1\frac{2}{3}=1\frac{4}{3}-1\frac{2}{3}=\frac{2}{3}$(시간)

10~12쪽 단원평가 2회 난이도 A

01 5, 1, 1 **02** 11, 11, 3, 6, 3, 6

03 2, 1, 1, 8, 1 **04** 4 ; 6, 4, 1, 1

05 $\frac{1}{6}$ **06** $2\frac{4}{8}$ **07** $1\frac{5}{8}$

08 2, 3, 5 ; 3, 5 **09** $1\frac{2}{6}(=\frac{8}{6})$

10 $5\frac{1}{15}$, $5\frac{5}{15}$ **11** ( )(○)

12 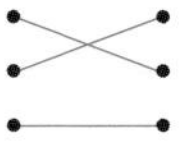 **13** $2\frac{6}{8}$ **14** 5

15 $3\frac{1}{5}$, $2\frac{3}{5}$ **16** ( )(○)

17 은혜 **18** $3\frac{5}{9}+2\frac{6}{9}=6\frac{2}{9}$; $6\frac{2}{9}$

19 $6\frac{2}{5}$ kg **20** $2\frac{4}{8}$ m

06 $3\frac{6}{8}-1\frac{2}{8}=(3-1)+(\frac{6}{8}-\frac{2}{8})=2+\frac{4}{8}=2\frac{4}{8}$

10 $4\frac{9}{15}+\frac{7}{15}=4+1\frac{1}{15}=5\frac{1}{15}$

$4\frac{9}{15}+\frac{11}{15}=4+1\frac{5}{15}=5\frac{5}{15}$

11 $\frac{5}{15}+\frac{12}{15}=1\frac{2}{15}$, $3\frac{5}{15}-1\frac{7}{15}=1\frac{13}{15}$

⇨ $1\frac{2}{15}<1\frac{13}{15}$

13 $5\frac{3}{8}-2\frac{5}{8}=4\frac{11}{8}-2\frac{5}{8}=2\frac{6}{8}$

14 $\frac{3}{9}+\frac{\square}{9}=\frac{3+\square}{9}=\frac{8}{9}$

⇨ 3+□=8, □=8−3=5

15 $2\frac{2}{5}+\frac{4}{5}=3\frac{1}{5}$, $3\frac{1}{5}-\frac{3}{5}=2\frac{6}{5}-\frac{3}{5}=2\frac{3}{5}$

16 • $1\frac{3}{5}+1\frac{4}{5}$는 1+1=2이고 $\frac{3}{5}+\frac{4}{5}=\frac{7}{5}$로 1보다 크기 때문에 3보다 큽니다.

• $2\frac{3}{7}+\frac{2}{7}$는 2와 $\frac{3}{7}+\frac{2}{7}=\frac{5}{7}$의 합이므로 2와 3 사이입니다.

17 영진: $\frac{4}{7}+\frac{2}{7}=\frac{4+2}{7}=\frac{6}{7}$

18 $1\frac{7}{9}<2\frac{6}{9}<3\frac{5}{9}$이고 계산 결과가 가장 큰 덧셈식을 만들려면 가장 큰 수와 둘째로 큰 수를 더합니다.

⇨ $3\frac{5}{9}+2\frac{6}{9}=5+1\frac{2}{9}=6\frac{2}{9}$

20 $5\frac{3}{8}-2\frac{7}{8}=4\frac{11}{8}-2\frac{7}{8}=2\frac{4}{8}$ (m)

13~15쪽 단원평가 3회 난이도 B

01 1, 2　02 2, 3, 1, 3, 1, 3　03 $7\frac{7}{8}$

04 $4\frac{3}{4}$　05 $2\frac{1}{5}$　06 6, 3, 3 ; 3

07 >　08 $1\frac{2}{6}(=\frac{8}{6})$

09 $1\frac{4}{6}+3\frac{5}{6}=\frac{10}{6}+\frac{23}{6}=\frac{33}{6}=5\frac{3}{6}$

10 (그림)　11 ③　12 ㉡

13 (위부터) $\frac{6}{16}$, $\frac{12}{16}$, $\frac{9}{16}$, $\frac{15}{16}$

14 $2\frac{3}{5}$, $1\frac{4}{5}$　15 ㉡, ㉢　16 $1\frac{3}{5}$

17 예 (현경이가 가지고 있는 끈의 길이)

=(빨간색 끈의 길이)+(파란색 끈의 길이)

$=\frac{8}{22}+\frac{5}{22}=\frac{13}{22}$ (m) ; $\frac{13}{22}$ m

18 2, 4 ; $6\frac{3}{7}$　19 $24\frac{2}{5}$ kg　20 $11\frac{1}{3}$ cm

07 $1\frac{3}{8}+2\frac{7}{8}=3+1\frac{2}{8}=4\frac{2}{8}$ ⇨ $4\frac{2}{8}>4$

11 $4-2\frac{3}{7}=3\frac{7}{7}-2\frac{3}{7}=1\frac{4}{7}=\frac{11}{7}$

⇨ $\frac{11}{7}$은 $\frac{1}{7}$이 11개인 수입니다.

12 ㉠ $1\frac{2}{8}+\frac{3}{8}=1\frac{5}{8}$, ㉡ $\frac{6}{8}+\frac{4}{8}=1\frac{2}{8}$,

㉢ $1\frac{5}{8}+1\frac{1}{8}=2\frac{6}{8}$

⇨ $1\frac{2}{8}<1\frac{5}{8}<2\frac{6}{8}$이므로 ㉡<㉠<㉢입니다.

15 ㉠ $3\frac{2}{4}-1\frac{1}{4}$은 $3-1=2$이고 $\frac{2}{4}$가 $\frac{1}{4}$보다 크므로 2보다 큽니다.

㉡ $4\frac{1}{7}-2\frac{3}{7}$은 $4-2=2$이고 $\frac{1}{7}$은 $\frac{3}{7}$보다 작으므로 1보다 크고 2보다 작습니다.

㉢ $\frac{4}{5}+\frac{3}{5}=\frac{7}{5}$이므로 1보다 크고 2보다 작습니다.

㉣ $1\frac{5}{6}+1\frac{2}{6}$는 $1+1=2$이고 $\frac{5}{6}+\frac{2}{6}=\frac{7}{6}$로 1보다 크므로 3보다 큽니다.

16 $2\frac{3}{5}+\square=4\frac{1}{5}$ ⇨ $\square=4\frac{1}{5}-2\frac{3}{5}=1\frac{3}{5}$

18 계산 결과가 가장 큰 뺄셈식은 자연수 부분에 가장 작은 수를, 분수 부분에 둘째로 작은 수를 써넣습니다.

⇨ $9-2\frac{4}{7}=8\frac{7}{7}-2\frac{4}{7}=6\frac{3}{7}$

20 (색 테이프 2장의 길이의 합)$=7+7=14$ (cm)

⇨ (이어 붙인 색 테이프의 전체 길이)

$=14-2\frac{2}{3}=11\frac{1}{3}$ (cm)

16~18쪽 단원평가 4회 난이도 B

01 1, 1　02 2, 2, 7, 3, 7, 3　03 $2\frac{2}{5}$

04 $\frac{6}{15}$　05 $2\frac{4}{11}$　06 $4\frac{13}{15}$

07 4, 2, 6 ; 6　08 ㉠　09 ④

10 7, $1\frac{10}{12}$　11 12개　12 13

13 (위부터) $\frac{7}{12}$, $1\frac{6}{12}(=\frac{18}{12})$, $1\frac{3}{12}(=\frac{15}{12})$, $\frac{10}{12}$

14 6　15 $\frac{4}{15}$, $\frac{4}{15}$　16 $1\frac{1}{4}$ L

17 예 $1\frac{3}{4}<2\frac{1}{4}$이므로 집에서 공원까지의 거리가

$2\frac{1}{4}-1\frac{3}{4}=1\frac{5}{4}-1\frac{3}{4}=\frac{2}{4}$ (km) 더 멉니다.

; 공원, $\frac{2}{4}$ km

18 $47\frac{4}{8}$ kg　19 3　20 5, 3 ; $\frac{1}{6}$

03 수직선에서 $3\frac{4}{5}$만큼 갔다가 $1\frac{2}{5}$만큼 되돌아오면 $2\frac{2}{5}$입니다.

05 $5-2\frac{7}{11}=4\frac{11}{11}-2\frac{7}{11}=2\frac{4}{11}$

06 $3\frac{4}{15}+1\frac{9}{15}=4+\frac{13}{15}=4\frac{13}{15}$

07 $\frac{4}{9}+\frac{2}{9}$는 $\frac{1}{9}$이 6개이므로 $\frac{6}{9}$입니다.

08 ㉠ $1\frac{3}{17}+1\frac{12}{17}=2\frac{15}{17}$, ㉡ $3\frac{1}{17}-\frac{7}{17}=2\frac{11}{17}$

⇨ ㉠>㉡

09 $2\frac{8}{9}$에서 $1\frac{6}{9}$만큼 ×로 지우고 남은 것은 $1\frac{2}{9}$입니다.

10 합: $2\frac{7}{12}+4\frac{5}{12}=6+\frac{12}{12}=7$

차: $4\frac{5}{12}-2\frac{7}{12}=3\frac{17}{12}-2\frac{7}{12}=1\frac{10}{12}$

11 $3\frac{3}{17}-2\frac{8}{17}=2\frac{20}{17}-2\frac{8}{17}=\frac{12}{17}$

⇨ $\frac{12}{17}$는 $\frac{1}{17}$이 12개인 수입니다.

12 $1\frac{4}{6}+3\frac{5}{6}=\frac{\boxed{10}}{6}+\frac{23}{6}=\frac{33}{6}=5\frac{\boxed{3}}{6}$

⇨ $10+3=13$

14 $\frac{2}{10}+\frac{\square}{10}=\frac{2+\square}{10}=\frac{8}{10}$

⇨ $2+\square=8$, $\square=8-2=6$

15 $\frac{3}{15}+\frac{1}{15}=\frac{4}{15}$,

$\frac{4}{15}+\square=\frac{8}{15}$, $\square=\frac{8}{15}-\frac{4}{15}=\frac{4}{15}$

19 $5\frac{1}{4}-2\frac{2}{4}$는 $5-2=3$이고 $\frac{1}{4}$이 $\frac{2}{4}$보다 작으므로 계산 결과는 3보다 작습니다.

⇨ $5\frac{1}{4}-2\frac{2}{4}=4\frac{5}{4}-2\frac{2}{4}=2\frac{3}{4}$

20 계산 결과 중 0이 아닌 가장 작은 값은 $\frac{1}{6}$입니다.

$5\frac{4}{6}-㉠\frac{㉡}{6}=\frac{1}{6}$, $㉠\frac{㉡}{6}=5\frac{4}{6}-\frac{1}{6}=5\frac{3}{6}$이므로

㉠=5, ㉡=3입니다.

19~21쪽 단원평가 **5회** 난이도 **C**

01 7 **02** 3, 4 **03** $8\frac{3}{14}$ **04** $1\frac{4}{8}$

05 $\frac{4}{11}$ **06** $2\frac{14}{17}$ **07** 3, 4, 7 ; 7, 1, 1

08 $5\frac{2}{13}$ **09** 5 **10** $1\frac{2}{6}(=\frac{8}{6})$

11 $2\frac{2}{8}$, $2\frac{4}{8}$ **12** ㉡ **13** $2\frac{9}{18}$

14 $1\frac{4}{5}$ cm **15** $\frac{4}{9}$ L **16** $1\frac{5}{8}$ m

17 예 (집~버스 정류장~우체국)

=(집~버스 정류장)+(버스 정류장~우체국)

$=\frac{3}{5}+1\frac{4}{5}=1+1\frac{2}{5}=2\frac{2}{5}$ (km) ; $2\frac{2}{5}$ km

18 $\frac{1}{7}$, $\frac{4}{7}$ **19** 3

20 예 어떤 수를 □라 하면

$\square+2\frac{3}{5}=4$, $\square=4-2\frac{3}{5}=3\frac{5}{5}-2\frac{3}{5}=1\frac{2}{5}$

⇨ 어떤 수는 $1\frac{2}{5}$입니다. ; $1\frac{2}{5}$

01 색칠한 부분은 모두 $\frac{7}{8}$이므로 $\frac{4}{8}+\frac{3}{8}=\frac{7}{8}$입니다.

03 $6\frac{8}{14}+1\frac{9}{14}=7+1\frac{3}{14}=8\frac{3}{14}$

04 $4-2\frac{4}{8}=3\frac{8}{8}-2\frac{4}{8}=1\frac{4}{8}$

05 $\frac{8}{11}-\frac{4}{11}=\frac{4}{11}$

06 $3\frac{7}{17}-\frac{10}{17}=2\frac{24}{17}-\frac{10}{17}=2\frac{14}{17}$

07 $\frac{3}{6}+\frac{4}{6}=\frac{3+4}{6}=\frac{7}{6}=1\frac{1}{6}$

08 $3\frac{8}{13}+1\frac{7}{13}=4+1\frac{2}{13}=5\frac{2}{13}$

09 $3\frac{1}{4}$에서 $2\frac{3}{4}$만큼 ×로 지우고 남은 것은 $\frac{2}{4}$입니다.

$3\frac{1}{4}-2\frac{\boxed{3}}{4}=\frac{\boxed{2}}{4}$이므로 ㉠=3, ㉡=2입니다.

⇨ ㉠+㉡=3+2=5

10 $\frac{3}{6}+\frac{5}{6}=\frac{8}{6}=1\frac{2}{6}$ (m)

11 $3\frac{1}{8}-\frac{7}{8}=2\frac{2}{8}$, $2\frac{2}{8}+\frac{2}{8}=2\frac{4}{8}$

12 ㉠ $\frac{10}{17}-\frac{8}{17}=\frac{2}{17}$

㉡ $\frac{9}{17}+\frac{11}{17}=\frac{20}{17}=1\frac{3}{17}$

㉢ $1\frac{2}{17}-\frac{15}{17}=\frac{19}{17}-\frac{15}{17}=\frac{4}{17}$

㉣ $\frac{13}{17}+\frac{6}{17}=\frac{19}{17}=1\frac{2}{17}$

⇨ ㉠<㉢<㉣<㉡

13 $6\frac{11}{18}-\square=4\frac{2}{18}$

⇨ $\square=6\frac{11}{18}-4\frac{2}{18}=2\frac{9}{18}$

14 $4\frac{2}{5}-2\frac{3}{5}=3\frac{7}{5}-2\frac{3}{5}=1\frac{4}{5}$ (cm)

15 $\frac{2}{9}+\frac{2}{9}=\frac{4}{9}$ (L)

16 (색 테이프 2장의 길이의 합)$=1\frac{2}{8}+\frac{6}{8}=2$ (m)

⇨ (이어 붙인 색 테이프의 전체 길이)

$=2-\frac{3}{8}=1\frac{8}{8}-\frac{3}{8}=1\frac{5}{8}$ (m)

18 진분수의 합과 차는 분모는 그대로 두고 분자끼리 계산하므로 분자가 될 수 있는 수 1, 2, 3, 4, 5, 6 중 합이 5, 차가 3인 두 수를 찾습니다.

⇨ 합이 5, 차가 3인 두 수는 1과 4이므로 두 진분수는 $\frac{1}{7}$, $\frac{4}{7}$입니다.

합: $\frac{1}{7}+\frac{4}{7}=\frac{5}{7}$, 차: $\frac{4}{7}-\frac{1}{7}=\frac{3}{7}$

19 $\frac{4}{7}+1\frac{\boxed{1}}{7}=1\frac{5}{7}<2\frac{1}{7}$, $\frac{4}{7}+1\frac{\boxed{2}}{7}=1\frac{6}{7}<2\frac{1}{7}$,

$\frac{4}{7}+1\frac{\boxed{3}}{7}=2<2\frac{1}{7}$, $\frac{4}{7}+1\frac{\boxed{4}}{7}=2\frac{1}{7}$

다른 풀이

$\frac{4}{7}+1\frac{\square}{7}=2\frac{1}{7}$에서 $2\frac{1}{7}-\frac{4}{7}=1\frac{\square}{7}$,

$2\frac{1}{7}-\frac{4}{7}=1\frac{8}{7}-\frac{4}{7}=1\frac{4}{7}$이므로 $\square=4$입니다.

⇨ □ 안에는 4보다 작은 수가 들어갈 수 있으므로 □ 안에 들어갈 수 있는 자연수 중에서 가장 큰 수는 3입니다.

22~23쪽 단계별로 연습하는 서술형 평가

01	❶ $1\frac{4}{7}$	❷ 혜수, $\frac{2}{7}$ m	
02	❶ 3, 5, 1, 2, 6, 2	❷ $1\frac{4}{5}$ km	
03	❶ 4, 4, 8, 1, 9	❷ $8\frac{3}{8}$ m	
04	❶ $\square+1\frac{7}{13}=5\frac{2}{13}$	❷ $3\frac{8}{13}$	❸ $2\frac{1}{13}$

01 ❷ $1\frac{4}{7}>1\frac{2}{7}$이므로 혜수가 $1\frac{4}{7}-1\frac{2}{7}=\frac{2}{7}$ (m) 더 멀리 뛰었습니다.

02 ❷ (집 ~ 학교)=(집 ~ 도서관)−(학교 ~ 도서관)

⇨ (집 ~ 학교)$=6\frac{2}{5}-4\frac{3}{5}=1\frac{4}{5}$ (km)

03 ❷ (이어 붙인 색 테이프의 전체 길이)

$=9-\frac{5}{8}=8\frac{8}{8}-\frac{5}{8}=8\frac{3}{8}$ (m)

04 ❷ $\square+1\frac{7}{13}=5\frac{2}{13}$

⇨ $\square=5\frac{2}{13}-1\frac{7}{13}=4\frac{15}{13}-1\frac{7}{13}=3\frac{8}{13}$

❸ 어떤 수는 $3\frac{8}{13}$이므로 바르게 계산하면

$3\frac{8}{13}-1\frac{7}{13}=2\frac{1}{13}$입니다.

24~25쪽 풀이 과정을 직접 쓰는 서술형 평가

01 예 $2\frac{3}{8}<3\frac{1}{8}$이므로 주원이가 우유를

$3\frac{1}{8}-2\frac{3}{8}=2\frac{9}{8}-2\frac{3}{8}=\frac{6}{8}$ (L) 더 많이 마셨습니다. ; 주원, $\frac{6}{8}$ L

02 예 민혁이네 집에서 도서관까지의 거리는

$4\frac{7}{10}+3\frac{5}{10}=(4+3)+(\frac{7}{10}+\frac{5}{10})=8\frac{2}{10}$ (km)

⇨ 민혁이네 집에서 공원까지의 거리는

$8\frac{2}{10}-5\frac{8}{10}=7\frac{12}{10}-5\frac{8}{10}=2\frac{4}{10}$ (km)입니다.

; $2\frac{4}{10}$ km

03 ㉵ (색 테이프 2장의 길이의 합)

$=5\frac{3}{6}+5\frac{3}{6}=11\,(\mathrm{m})$

⇨ (이어 붙인 색 테이프의 전체 길이)

$=11-\frac{4}{6}=10\frac{6}{6}-\frac{4}{6}=10\frac{2}{6}\,(\mathrm{m})$

; $10\frac{2}{6}$ m

04 ㉵ 어떤 수를 □라 하면 $\square-2\frac{5}{11}=1\frac{8}{11}$입니다.

$\square-2\frac{5}{11}=1\frac{8}{11}$ ⇨ $\square=1\frac{8}{11}+2\frac{5}{11}=4\frac{2}{11}$

⇨ 바르게 계산하면 $4\frac{2}{11}+2\frac{5}{11}=6\frac{7}{11}$입니다.

; $6\frac{7}{11}$

05 ㉵ 만들 수 있는 가장 큰 진분수는 $\frac{8}{9}$, 가장 작은 진분수는 $\frac{3}{9}$입니다.

⇨ $\frac{8}{9}+\frac{3}{9}=\frac{11}{9}=1\frac{2}{9}$

; $1\frac{2}{9}(=\frac{11}{9})$

01

배점	채점기준
상	마신 우유의 양을 바르게 비교하여 분수의 뺄셈을 이용해 답을 바르게 구함
중	풀이 과정이 부족하나 답은 맞음
하	문제를 전혀 해결하지 못함

02

배점	채점기준
상	민혁이네 집에서 도서관까지의 거리를 구하여 답을 바르게 구함
중	풀이 과정이 부족하나 답은 맞음
하	문제를 전혀 해결하지 못함

인정답안
공원에서 학교까지의 거리를 구하여 민혁이네 집에서 공원까지의 거리를 구한 경우도 답으로 인정합니다.

03

배점	채점기준
상	색 테이프 2장의 길이의 합을 구하여 답을 바르게 구함
중	풀이 과정이 부족하나 답은 맞음
하	문제를 전혀 해결하지 못함

05

배점	채점기준
상	가장 큰 진분수와 가장 작은 진분수를 만들어 답을 바르게 구함
중	풀이 과정이 부족하나 답은 맞음
하	문제를 전혀 해결하지 못함

26쪽 밀크티 성취도평가 오답 베스트 5

01 $6\frac{2}{7}$　**02** ③　**03** 2개

04 $>$　**05** $8\frac{3}{5}$ cm

01 어떤 수를 □라고 하면 $\square-\frac{11}{7}=4\frac{5}{7}$입니다.

⇨ $\square=4\frac{5}{7}+\frac{11}{7}=\frac{33}{7}+\frac{11}{7}=\frac{44}{7}=6\frac{2}{7}$

02 $\frac{8}{12}-\frac{\boxed{1}}{12}=\frac{7}{12}>\frac{5}{12}$, $\frac{8}{12}-\frac{\boxed{2}}{12}=\frac{6}{12}>\frac{5}{12}$

$\frac{8}{12}-\frac{\boxed{3}}{12}=\frac{5}{12}=\frac{5}{12}$, $\frac{8}{12}-\frac{\boxed{4}}{12}=\frac{4}{12}<\frac{5}{12}$

03 $\frac{4}{5}+\frac{3}{5}=\frac{7}{5}=1\frac{2}{5}$ ⇨ $1\frac{2}{5}<1\frac{\square}{5}<2$

따라서 □ 안에 들어갈 수 있는 자연수는 3, 4이므로 모두 2개입니다.

04 $2\frac{9}{10}+1\frac{3}{10}=(2+1)+(\frac{9}{10}+\frac{3}{10})$

$=3+\frac{12}{10}=3+1\frac{2}{10}=4\frac{2}{10}$

⇨ $4\frac{2}{10}>3\frac{1}{10}$

05 $3+3+3-\frac{1}{5}-\frac{1}{5}=9-\frac{1}{5}-\frac{1}{5}$

$=8\frac{4}{5}-\frac{1}{5}=8\frac{3}{5}\,(\mathrm{cm})$

2 - 삼각형

29쪽 쪽지시험 1회

01 ( )(○)( ) 02 ( )( )(○)
03 5 04 8 05 50 06 60, 60
07 예 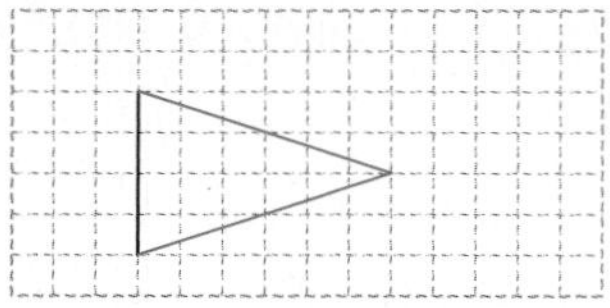
08 30°
09 120°
10 110°

05 이등변삼각형에서 길이가 같은 두 변에 있는 두 각의 크기가 같습니다.

08 이등변삼각형에서 길이가 같은 두 변에 있는 두 각의 크기가 같으므로 ㉠=㉡=30°입니다.

09 정삼각형은 세 각의 크기가 60°로 모두 같습니다.
⇨ ㉠+㉡=60°+60°=120°

10 이등변삼각형이므로 길이가 같은 두 변에 있는 두 각의 크기가 35°로 같습니다.
⇨ ㉠=180°−35°−35°=110°

30쪽 쪽지시험 2회

01 ( )(○)( ) 02 ( )(○)
03 나, 마, 바 04 다, 라
05 이등변삼각형 06 둔각삼각형
07 가, 라 ; 나, 마 ; 다, 바
08 (위부터) 가, 마, 다 ; 라, 나, 바
09 ( )(○) 10 다, 마

05 두 변의 길이가 같으므로 이등변삼각형입니다.

06 한 각이 둔각이므로 둔각삼각형입니다.

07 • 예각삼각형: 세 각이 모두 예각인 삼각형
• 둔각삼각형: 한 각이 둔각인 삼각형
• 직각삼각형: 한 각이 직각인 삼각형

09 세 각이 모두 예각인 삼각형에 ○표 합니다.

10 한 각이 둔각인 삼각형을 모두 찾습니다.

31~33쪽 단원평가 1회 난이도 A

01 ( )(○)( ) 02 나
03 세에 ○표, 정삼각형에 ○표 04 14
05 60, 60 06 나, 바 07 나, 라, 바
08 45° 09 24 cm 10 9 11 ㉡
12 (×) (○) 13 25, 25 14 70, 12 15 51 cm
16 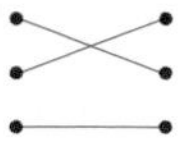 17 바, 나, 다 18 이등변삼각형
19 이등변삼각형에 ○표, 정삼각형에 ○표, 예각삼각형에 ○표
20 64 cm

08 이등변삼각형에서 길이가 같은 두 변에 있는 두 각의 크기가 같으므로 ㉠=45°입니다.

13 이등변삼각형이므로 나머지 두 각의 크기는 같고 그 합은 180°−130°=50°입니다.
⇨ □ 안에 알맞은 수는 50÷2=25입니다.

14 왼쪽 삼각형은 두 변의 길이가 같으므로 이등변삼각형입니다. ⇨ ㉠=70
오른쪽 삼각형은 두 각의 크기가 같으므로 이등변삼각형입니다. ⇨ ㉡=12

15 나머지 한 각의 크기가 180°−60°−60°=60°이므로 정삼각형입니다.
⇨ 17×3=51 (cm)

16 나머지 한 각의 크기를 구하여 알아봅니다.
180°−35°−30°=115°(둔각삼각형)
180°−60°−55°=65°(예각삼각형)
180°−65°−25°=90°(직각삼각형)

18 6 cm, 8 cm, 6 cm인 막대로 만들 수 있는 삼각형은 두 변의 길이가 같은 이등변삼각형입니다.

19 • 세 변의 길이가 모두 같으므로 정삼각형입니다.
⇨ 정삼각형은 이등변삼각형이라고 할 수 있습니다.
• 세 각이 모두 예각이므로 예각삼각형입니다.

20 정삼각형은 세 변의 길이가 모두 같으므로 굵은 선의 길이는 8 cm인 변 8개와 같습니다.
⇨ 8×8=64 (cm)

34~36쪽 단원평가 2회 난이도 A

01 세에 ○표, 예각 02 한에 ○표, 둔각
03 가, 라 04 05 12

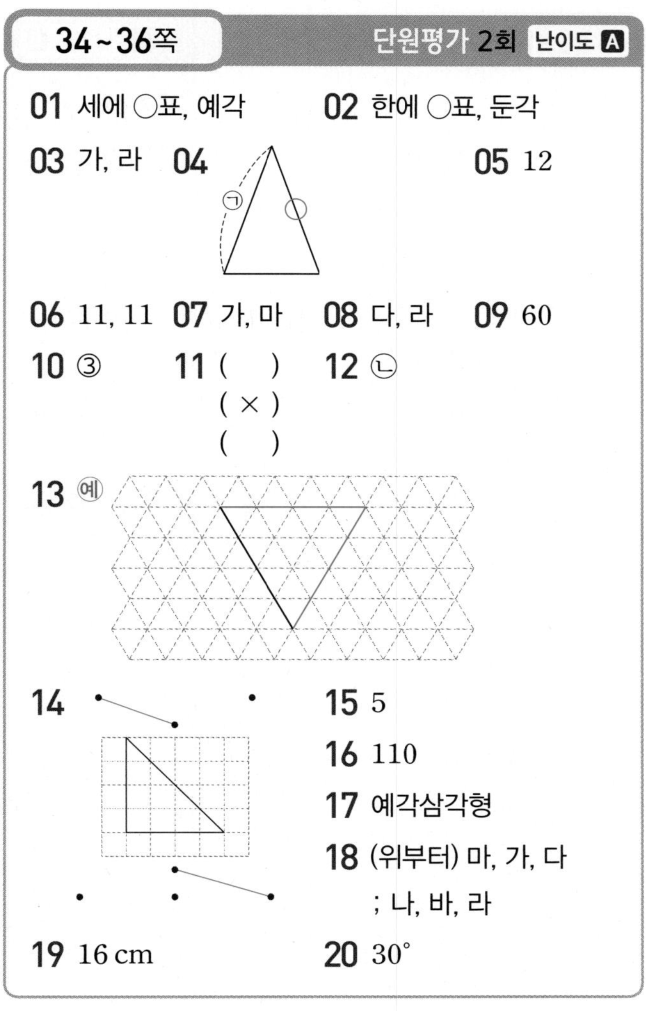

06 11, 11 07 가, 마 08 다, 라 09 60
10 ③ 11 ( ) (×) ( ) 12 ㉡
13 예
14
15 5
16 110
17 예각삼각형
18 (위부터) 마, 가, 다 ; 나, 바, 라
19 16 cm 20 30°

01 예각삼각형은 세 각이 모두 예각인 삼각형입니다.

02 둔각삼각형은 한 각이 둔각인 삼각형입니다.

03 세 변의 길이가 같은 삼각형을 찾습니다.

04 이등변삼각형이므로 두 변의 길이가 같습니다.

06 정삼각형은 세 변의 길이가 같습니다.

07 한 각이 둔각인 삼각형을 모두 찾습니다.

08 예각삼각형은 나, 다, 라이고, 이 중에서 이등변삼각형은 다, 라입니다.
바는 이등변삼각형이지만 직각삼각형입니다.

09 세 변의 길이가 같으므로 정삼각형입니다. 정삼각형은 세 각의 크기가 60°로 모두 같습니다.

10 이등변삼각형이므로 ㉠=13 cm입니다.
삼각형의 세 각의 크기의 합은 180°입니다.
⇨ ㉡$=180°-70°-70°=40°$

12 한 각이 둔각인 삼각형을 찾습니다.

13 한 변의 길이가 모눈 눈금 4칸인 정삼각형을 그려 봅니다.

14 • 두 변의 길이가 같으므로 이등변삼각형입니다.
• 한 각이 직각이므로 직각삼각형입니다.

15 나머지 한 각의 크기가 $180°-60°-60°=60°$이므로 세 각의 크기가 모두 같은 정삼각형입니다.
⇨ 정삼각형은 세 변의 길이가 같으므로 □=5입니다.

16 두 변의 길이가 같은 이등변삼각형이므로 길이가 같은 두 변에 있는 두 각의 크기가 같습니다.
⇨ □°$=180°-35°-35°=110°$

17 나머지 한 각의 크기는 $180°-40°-55°=85°$
⇨ 세 각이 모두 예각이므로 예각삼각형입니다.

19 정삼각형은 세 변의 길이가 같으므로 한 변을 $48÷3=16$ (cm)로 만들어야 합니다.

20 (각 ㄱㄴㄷ)$=180°-150°=30°$
⇨ 삼각형 ㄱㄴㄷ은 이등변삼각형이므로
(각 ㄱㄷㄴ)=(각 ㄱㄴㄷ)=30°입니다.

37~39쪽 단원평가 3회 난이도 B

01 ④ 02 다, 마, 사 03 나, 라
04 7, 7 05 10 06 45
07 60 08 18 cm 09 (○) (×)
10 이등변삼각형에 ○표 11 ④
12 2개 13 ㉠, ㉢ 14 ㄱ 55° 55° ㄴ
15 이등변삼각형, 직각삼각형 16 ㉣
17 예 삼각형의 세 각의 크기가 60°로 모두 같으므로 정삼각형입니다. 정삼각형은 세 변의 길이가 같으므로 한 변은 $27÷3=9$ (cm)입니다. 따라서 □ 안에 알맞은 수는 9입니다. ; 9
18 정삼각형 또는 예각삼각형 또는 이등변삼각형
19 10 cm 20 120°

01 두 변의 길이가 같은 삼각형을 찾습니다.

02 세 각이 모두 예각인 삼각형을 찾습니다.

03 한 각이 둔각인 삼각형을 찾습니다.

05 이등변삼각형은 두 변의 길이가 같습니다.

06 이등변삼각형에서 길이가 같은 두 변에 있는 두 각의 크기가 같습니다.

07 정삼각형은 세 각의 크기가 모두 같습니다.

08 정삼각형은 세 변의 길이가 같습니다.
⇨ $6 \times 3 = 18$ (cm)

09 이등변삼각형의 세 각의 크기의 합은 180°입니다.

10 두 변의 길이가 같으므로 이등변삼각형입니다.

11 정삼각형은 세 각의 크기가 60°로 모두 같습니다.

12 세 각이 모두 예각인 삼각형은 나, 라입니다.
⇨ 2개

13 • 두 변의 길이가 같으므로 이등변삼각형입니다.
• 세 각이 모두 예각이므로 예각삼각형입니다.

14 선분 ㄱㄴ의 양 끝에 각각 55°인 각을 그리고 두 각의 변이 만나는 점을 찾아 삼각형을 그립니다.

15 • 두 변의 길이가 같으므로 이등변삼각형입니다.
• 한 각이 직각이므로 직각삼각형입니다.

16 나머지 한 각의 크기를 구하여 알아봅니다.
㉠ 90° ㉡ 85° ㉢ 65° ㉣ 120°
⇨ ㉠: 직각삼각형
㉡, ㉢: 예각삼각형
㉣: 둔각삼각형

18 길이가 같은 빨대 3개로 만들 수 있는 삼각형은 정삼각형입니다.
정삼각형은 예각삼각형이므로 예각삼각형이라고 써도 정답으로 인정합니다. 또, 정삼각형은 이등변삼각형이기도 하므로 이등변삼각형이라고 써도 정답으로 인정합니다.

19 이등변삼각형은 두 변의 길이가 같으므로
$35 - 15 = 20$ (cm), $20 \div 2 = 10$ (cm)입니다.

20 세 변의 길이가 같으므로 정삼각형이고, 정삼각형은 세 각의 크기가 60°로 모두 같습니다.
⇨ ㉠$= 180° - 60° = 120°$

40~42쪽 단원평가 4회 난이도 B

01 (○)( )( ) **02** ③ **03** ㉠
04 8 **05** 15, 15 **06** 70 **07** 60°, 60°
08 38 cm **09** ㉠ **10** 30
11 예

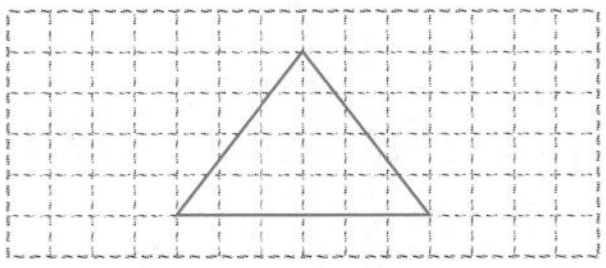

12 ②, ⑤
13 예각 **14** ④ **15** ㉠ **16** 6 cm
17 예 나머지 한 각의 크기가 $180° - 60° - 70° = 50°$이므로 크기가 같은 두 각이 없습니다. 따라서 이등변삼각형이 아닙니다.
18 6 cm **19** 95° **20** 6개

08 이등변삼각형은 두 변의 길이가 같습니다.
⇨ $10 + 10 + 18 = 38$ (cm)

09 ㉡, ㉣과 이으면 직각삼각형이 되고, ㉢과 이으면 예각삼각형이 됩니다.

10 이등변삼각형에서 길이가 같은 두 변에 있는 두 각의 크기가 같으므로
□$= 180° - 75° - 75° = 30°$입니다.

11 세 각이 모두 예각인 삼각형을 그립니다.

12 두 변의 길이가 같으므로 이등변삼각형이고, 한 각이 둔각이므로 둔각삼각형입니다.

13 (나머지 한 각의 크기)$= 180° - 60° - 35° = 85°$
⇨ 세 각이 모두 예각이므로 예각삼각형입니다.

15 나머지 한 각의 크기를 구하여 두 각의 크기가 같은 것을 찾습니다.
㉠ $180° - 40° - 100° = 40°$(이등변삼각형)
㉡ $180° - 60° - 55° = 65°$

16 정삼각형의 세 변의 길이가 같으므로
(정삼각형의 세 변의 길이의 합)
$= 13 \times 3 = 39$ (cm)
⇨ (남은 철사의 길이)$= 45 - 39 = 6$ (cm)

18 이등변삼각형은 두 변의 길이가 같으므로
(변 ㄱㄴ)=(변 ㄱㄷ)=9 cm입니다.
⇨ (변 ㄴㄷ)$= 24 - 9 - 9 = 6$ (cm)

19 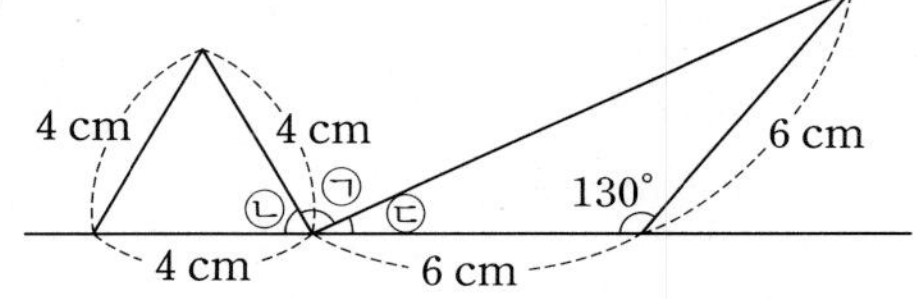

왼쪽 삼각형은 정삼각형이므로 ㉡=60°입니다.
오른쪽 삼각형은 이등변삼각형이므로 나머지 두 각의 크기의 합은 180°−130°=50°이므로 ㉢=50°÷2=25°입니다.
⇨ ㉠=180°−60°−25°=95°

20 삼각형 1개짜리: ⇨ 4개

삼각형 4개짜리: 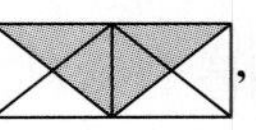,  ⇨ 2개

43~45쪽 **단원평가 5회** 난이도 C

01 이등변삼각형 **02** 나, 바 **03** 가, 마
04 14 **05** 8 **06** 60° **07** 25, 6
08 45 cm **09** 나, 라, 바 **10** ③
11 ②, ④ **12** 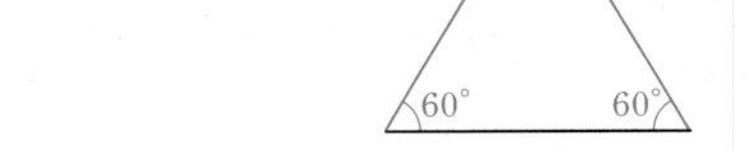

13 ㉢
14 예 세 각의 크기가 모두 60°로 같습니다. ; 예 세 삼각형의 한 변의 길이가 서로 다릅니다.
15 120° **16** 40
17 예 삼각형의 세 각의 크기의 합은 180°이므로 나머지 한 각의 크기는 180°−45°−70°=65°입니다.
⇨ 세 각이 모두 예각인 삼각형이므로 예각삼각형입니다. ; 예각삼각형
18 이등변삼각형 또는 둔각삼각형
19 150 **20** ㉣

05 이등변삼각형은 두 변의 길이가 같습니다.

06 정삼각형은 세 각의 크기가 모두 같으므로 한 각의 크기는 180°÷3=60°입니다.

08 정삼각형은 세 변의 길이가 같으므로
(세 변의 길이의 합)=15×3=45 (cm)입니다.

11 ① 세 변의 길이가 같으므로 정삼각형입니다.
③ 정삼각형은 세 각의 크기가 60°로 모두 같으므로 세 각이 모두 예각입니다.
따라서 예각삼각형입니다.
⑤ 정삼각형은 두 변의 길이가 같으므로 이등변삼각형이라고 할 수 있습니다.

12 정삼각형의 세 각의 크기는 모두 60°이므로 주어진 선분의 양 끝에 각각 60°인 각을 그리고 두 각의 변이 만나는 점을 찾아 정삼각형을 그립니다.

15 삼각형 ㄱㄴㄷ과 삼각형 ㄱㄷㄹ은 정삼각형이므로
(각 ㄴㄷㄱ)=(각 ㄱㄷㄹ)=60°
⇨ (각 ㄴㄷㄹ)=(각 ㄴㄷㄱ)+(각 ㄱㄷㄹ)
=60°+60°=120°

16 (각 ㄱㄴㄷ)=180°−110°=70°
⇨ □°=180°−70°−70°=40°

18 (나머지 한 각의 크기)=180°−30°−120°=30°
⇨ 두 각의 크기가 같으므로 이등변삼각형입니다.
또한 한 각이 둔각이므로 둔각삼각형입니다.

19 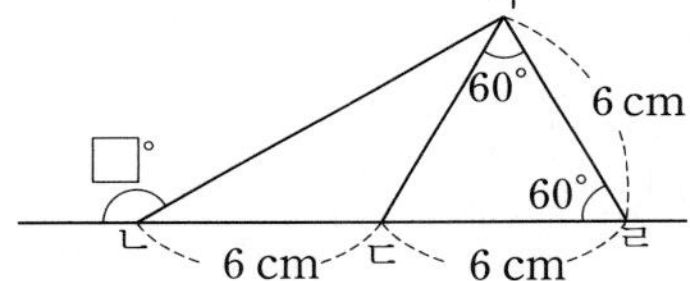

삼각형 ㄱㄷㄹ은 정삼각형이므로
(각 ㄱㄷㄹ)=60°,
(각 ㄱㄷㄴ)=180°−60°=120°
삼각형 ㄱㄴㄷ은 이등변삼각형이므로
(각 ㄱㄴㄷ)+(각 ㄴㄱㄷ)=180°−120°=60°,
(각 ㄱㄴㄷ)=60°÷2=30°
⇨ □°=180°−30°=150°

20 ① 길이가 같은 두 변의 길이가 각각 20 cm일 때 나머지 한 변의 길이는
56−20−20=16 (cm)입니다.
⇨ 16 cm, 20 cm, 20 cm
② 한 변의 길이가 20 cm이고, 나머지 두 변의 길이가 같은 경우에 나머지 두 변의 길이의 합은 56−20=36 (cm)입니다.
36÷2=18이므로 변의 길이가 같은 두 변은 각각 18 cm입니다.
⇨ 18 cm, 18 cm, 20 cm

46~47쪽 단계별로 연습하는 서술형 평가

01 ❶ 35, 35° ❷ 35, 110 ; 110°
02 ❶ 24, 24 cm ❷ 24 ❸ 8 cm
03 ❶ 이등변삼각형, 예각삼각형 ❷ ㉠, ㉢
04 ❶ 105°, 45° ❷ 둔각삼각형, 예각삼각형
❸ 나은

02 ❸ $24 \div 3 = 8$ (cm)
04 ❶ ㉠$=180°-45°-30°=105°$
㉡$=180°-60°-75°=45°$
❷ 주원: 45°, 30°, 105°로 한 각이 둔각이므로 둔각삼각형입니다.
나은: 60°, 75°, 45°로 세 각이 모두 예각이므로 예각삼각형입니다.

48~49쪽 풀이 과정을 직접 쓰는 서술형 평가

01 예 이등변삼각형이므로 길이가 같은 두 변에 있는 두 각의 크기가 65°로 같습니다.
⇨ ㉠$=180°-65°-65°=50°$; 50°
02 예 (이등변삼각형의 세 변의 길이의 합)
$=12+12+6=30$ (cm)
⇨ (정삼각형의 한 변의 길이)
$=30 \div 3=10$ (cm) ; 10 cm
03 예 세 각의 크기가 모두 같으므로 정삼각형이고, 정삼각형은 이등변삼각형이라고 할 수 있습니다.
세 각이 모두 예각이므로 예각삼각형입니다.
; 이등변삼각형, 정삼각형, 예각삼각형
04 예 유미: (나머지 한 각의 크기)
$=180°-50°-40°=90°$
⇨ 50°, 40°, 90°(직각삼각형)
지후: (나머지 한 각의 크기)
$=180°-45°-25°=110°$
⇨ 45°, 25°, 110°(둔각삼각형)
⇨ 둔각삼각형을 그린 사람은 지후입니다.
; 지후

02

배점	채점기준
상	정삼각형은 세 변의 길이가 같음을 알고 답을 바르게 구함
중	풀이 과정이 부족하나 답은 맞음
하	문제를 전혀 해결하지 못함

03

배점	채점기준
상	삼각형을 변의 길이와 각의 크기에 따라 바르게 분류하여 답을 바르게 구함
중	풀이 과정이 부족하나 답은 맞음
하	문제를 전혀 해결하지 못함

04

배점	채점기준
상	삼각형의 나머지 한 각의 크기를 구하여 답을 바르게 구함
중	풀이 과정이 부족하나 답은 맞음
하	문제를 전혀 해결하지 못함

50쪽 밀크티 성취도평가 오답 베스트 5

01 42° 02 ①, ③ 03 ㉡
04 2개 05 ④

03 ㉠ 95°, 40°, 45° ⇨ 이등변삼각형이 아닙니다.
㉡ 75°, 30°, 75° ⇨ 이등변삼각형입니다.
㉢ 50°, 60°, 70° ⇨ 이등변삼각형이 아닙니다.
04 세 각이 모두 예각인 삼각형은 나, 라이므로 모두 2개입니다.
05
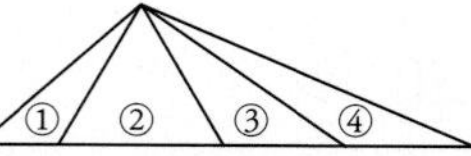

삼각형 1개짜리: ①, ③, ④ ⇨ 3개
삼각형 2개짜리: ③+④ ⇨ 1개
삼각형 3개짜리: ①+②+③, ②+③+④ ⇨ 2개
삼각형 4개짜리: ①+②+③+④ ⇨ 1개
따라서 크고 작은 둔각삼각형은 모두
$3+1+2+1=7$(개)입니다.

3 소수의 덧셈과 뺄셈

53쪽 쪽지시험 1회

01 0.43　02 영 점 팔이
03 일 점 오사삼　04 1.48　05 2.307
06 일 ; 소수 첫째, 0.4 ; 소수 둘째, 0.07
07 0.484　08 0.6　09 0.006　10 ㉢

01 작은 모눈 1칸의 크기는 0.01을 나타내고 43칸에 색칠되어 있으므로 0.43입니다.

07 수직선의 작은 눈금 한 칸의 크기는 0.001을 나타내므로 0.48에서 0.004만큼 더 간 곳은 0.484입니다.

08 6은 소수 첫째 자리 숫자이므로 0.6을 나타냅니다.

09 6은 소수 셋째 자리 숫자이므로 0.006을 나타냅니다.

10 각 소수의 소수 둘째 자리 숫자를 찾아 봅니다.
㉠ 5　㉡ 7　㉢ 3　㉣ 1

54쪽 쪽지시험 2회

01 >　02 =　03 <
04 0.01 ; 0.005, 50　05 0.08, 0.008
06 1.45, 14.5　07 0.54　08 ㉢
09 ㉢, ㉣　10 0.972, 5.821, 5.83

04 • $\frac{1}{10}$은 소수점을 기준으로 수가 오른쪽으로 한 자리 이동합니다.
• 10배는 소수점을 기준으로 수가 왼쪽으로 한 자리 이동합니다.

07 0.537 < 0.54 (3<4)

08 ㉠ 0.136의 10배 ⇨ 1.36, ㉡ 13.6의 $\frac{1}{10}$ ⇨ 1.36,
㉢ 1.36의 100배 ⇨ 136

09 ㉠ 3.8의 10배 ⇨ 38, ㉡ 0.38의 $\frac{1}{10}$ ⇨ 0.038,
㉢ 0.038의 100배 ⇨ 3.8, ㉣ 38의 $\frac{1}{10}$ ⇨ 3.8

10 0.972 < 5.821 < 5.83 (0<5, 2<3)

55쪽 쪽지시험 3회

01 0.8　02 3, 10, 4 ; 3, 10, 2, 4
03 2.2　04 4.3　05 1.3　06 7.2
07 5.6　08 (그림 생략)　09 8.8　10 <

01 오른쪽으로 0.3만큼 간 다음 0.5만큼 더 가면 0.8 됩니다.

06 $\begin{array}{r} \scriptstyle 1 \\ 5.9 \\ +1.3 \\ \hline 7.2 \end{array}$　07 $\begin{array}{r} \scriptstyle 8\ 10 \\ \not{9}.4 \\ -3.8 \\ \hline 5.6 \end{array}$

08 0.8+0.9=1.7, 1.2+0.4=1.6, 0.6+0.7=1.3

09 15.7−6.9=8.8

10 2.2−1.6=0.6, 2.4−1.5=0.9 ⇨ 0.6<0.9

56쪽 쪽지시험 4회

01 0.37　02 624, 259, 883, 8.83
03 0.86　04 7.55　05 2.54
06 7.35　07 2.79　08 14.08
09 $\begin{array}{r} \scriptstyle 6\ 10\ \ \\ \not{7}.4\,8 \\ -3.6\ \ \\ \hline 3.8\,8 \end{array}$　10 0.69

06 $\begin{array}{r} \scriptstyle 1\ \ \ \ \\ 4.5\,3 \\ +2.8\,2 \\ \hline 7.3\,5 \end{array}$　07 $\begin{array}{r} \scriptstyle 7\ 16\ 10\ \ \\ \not{8}.\not{7}\,4 \\ -5.9\,5 \\ \hline 2.7\,9 \end{array}$

09 소수의 뺄셈을 계산할 때 소수점끼리 맞추어 세로로 쓰고 같은 자리 수끼리 뺍니다.

10 0.72+□=1.41 ⇨ □=1.41−0.72=0.69

57~59쪽 단원평가 1회 난이도 A

01 0.21, 영 점 이일 02 (선 잇기)
03 7, 1, 3, 6
04 8.407 05 0.26 06 < 07 0.7, 70
08 0.15, 0.47 09 ③ 10 3.4
11 1.6 12 0.4 13 1.57, 0.157
14 ㉠ 15 현지 16 0.18 17 3개
18 1.1 m 19 3.93 kg 20 1.77 L

01 $\frac{■▲}{100}$=0.■▲

02 0.602(영 점 육영이), 1.372(일 점 삼칠이), 0.028(영 점 영이팔)

05 수직선의 작은 눈금 한 칸의 크기는 0.01을 나타내므로 0.2에서 0.06만큼 간 곳은 0.26입니다.

06 0.462 < 0.467 (2<7)

07 소수를 10배, 100배 하면 소수점을 기준으로 수가 왼쪽으로 한 자리, 두 자리 이동하고, 소수의 $\frac{1}{10}$, $\frac{1}{100}$은 소수점을 기준으로 수가 오른쪽으로 한 자리, 두 자리 이동합니다.

08 작은 모눈 한 칸의 크기는 0.01을 나타내고 ×표 하고 남은 작은 모눈의 칸수를 세어 보면 47칸입니다.
⇨ 0.62−0.15=0.47

09 3.95 > 3.928 > 3.896 > 3.68 > 3.564
(5>2, 9>8, 8>6, 6>5)

13 15.7의 $\frac{1}{10}$은 소수점을 기준으로 수가 오른쪽으로 한 자리 이동하고, $\frac{1}{100}$은 소수점을 기준으로 수가 오른쪽으로 두 자리 이동합니다.

14 ㉠ 2.8+1.5=4.3
㉡ 5.82−1.54=4.28
㉢ 1.71+2.45=4.16
⇨ ㉢ 4.16<㉡ 4.28<㉠ 4.3

15 민규: 2.81 → 0.8, 현지: 6.048 → 0.008

16 0.61−□=0.43 ⇨ □=0.61−0.43=0.18

17 0.8−0.4=0.4이므로 □ 안에 들어갈 수 있는 숫자는 4보다 작은 1, 2, 3입니다. ⇨ 3개

18 (오늘 잰 강낭콩의 길이)=0.4+0.7=1.1 (m)

19 (아버지가 딴 포도의 양)
=2.38+1.55=3.93 (kg)

20 (물통에 남은 물의 양)=3.27−1.5=1.77 (L)

60~62쪽 단원평가 2회 난이도 A

01 $\frac{57}{100}$, 0.57 02 0.387, 영 점 삼팔칠
03 5.286 04 27.54 05 0.045
06 0.65에 ○표 07 < 08 0.9
09 0.93 10 4.42 11 ㉠, ㉢, ㉡, ㉣
12 (선 잇기) 13 0.81
14 1.79
15 > 16 0.4, 0.04 17 ㉡
18 1.6 L 19 11.88 km 20 6.72 kg

02 $\frac{387}{1000}$은 $\frac{1}{1000}$이 387개, 즉 0.001이 387개이므로 0.387이라 쓰고 영 점 삼팔칠이라고 읽습니다.

03 1이 5개 → 5
0.1이 2개 → 0.2
0.01이 8개 → 0.08
0.001이 6개 → 0.006
5.286

04 2.754를 10배 하면 소수점을 기준으로 수가 왼쪽으로 한 자리 이동하므로 27.54가 됩니다.

05 0.45의 $\frac{1}{10}$은 소수점을 기준으로 수가 오른쪽으로 한 자리 이동하므로 0.045가 됩니다.

06 각 소수의 소수 첫째 자리 숫자를 알아봅니다.
2.16 ⇨ 1, 0.65 ⇨ 6, 6.27 ⇨ 2

08 오른쪽으로 0.6만큼 간 다음 오른쪽으로 0.3만큼 더 가면 0.9가 됩니다.

11 자연수 부분을 먼저 비교하면 5<6으로 ㉠이 가장 작습니다.
㉡, ㉢, ㉣은 자연수와 소수 첫째 자리 수가 같으므로 소수 둘째 자리 수를 비교하면 3<7로 ㉢이 둘째로 작습니다.
㉡, ㉣의 소수 셋째 자리 수를 비교하면 5<6으로 ㉣이 가장 큽니다.

14 $\begin{array}{r} \overset{6\,11\,10}{7.28} \\ -5.49 \\ \hline 1.79 \end{array}$

15 $0.7+1.4=2.1$, $2.5-0.9=1.6$ ⇨ $2.1>1.6$

16 5.47 ⇨ 소수 첫째 자리 숫자, 0.4
0.248 ⇨ 소수 둘째 자리 숫자, 0.04

17 ㉠ 12.36의 $\frac{1}{10}$ ⇨ 1.236
㉡ 1.236의 10배 ⇨ 12.36
㉢ 123.6의 $\frac{1}{100}$ ⇨ 1.236

18 (남은 식용유의 양)$=2.4-0.8=1.6$ (L)

19 (이틀 동안 걸은 거리)
$=6.3+5.58=11.88$ (km)

20 (남은 고구마의 양)$=9.5-2.78=6.72$ (kg)

63~65쪽 단원평가 3회 난이도 B

01 0.07　02 $2+0.5+0.07+0.003$
03 5 ; 소수 첫째, 0.4 ; 소수 둘째, 0.08
04 <　05 0.9　06 0.3
07 5.47 ; 183, 364, 547　08 1.14
09 0.6, 0.06　10 혜민　11 (선 잇기 그림)
12 4.6, 5.48　13 3.5 km　14 3.69 kg
15 110　16 놀이터, 학교, 우체국
17 예 수직선의 작은 눈금 한 칸의 크기는 0.01을 나타냅니다.
㉠: 1.05, ㉡: 1.16
⇨ ㉠+㉡$=1.05+1.16=2.21$; 2.21
18 0.06 m　19 28.2 cm　20 5.94

01 $\frac{7}{100}=0.07$

03 5.48
일의 자리 숫자, 5
소수 첫째 자리 숫자, 0.4
소수 둘째 자리 숫자, 0.08

04 $0.175<0.179$ ($5<9$)

05 오른쪽으로 0.5만큼 간 다음 오른쪽으로 0.4만큼 더 가면 0.9가 됩니다.

06 $\begin{array}{r} 0.9 \\ -0.6 \\ \hline 0.3 \end{array}$

08 $\begin{array}{r} \overset{1}{0.44} \\ +0.7 \\ \hline 1.14 \end{array}$

09 1.607 ⇨ 소수 첫째 자리 숫자, 0.6
4.765 ⇨ 소수 둘째 자리 숫자, 0.06

10 지혜: 127.3의 $\frac{1}{100}$ ⇨ 1.273
지후: 12.73의 $\frac{1}{10}$ ⇨ 1.273
혜민: 1.273의 100배 ⇨ 127.3

12 $\begin{array}{r} \overset{4\,10}{5.3} \\ -0.7 \\ \hline 4.6 \end{array}$, $\begin{array}{r} \overset{5\,10}{6.18} \\ -0.7 \\ \hline 5.48 \end{array}$

13 (집~버스 정류장)$=1.58+1.92=3.5$ (km)

14 (밤의 무게)$=4.57-0.88=3.69$ (kg)

15 0.018의 100배(㉠) → 1.8, 1.536의 10배(㉡) → 15.36
⇨ $100+10=110$

16 집~우체국: 1140 m$=$1.140 km
⇨ $0.253<0.742<1.14$

18 6 m 13 cm$=$6.13 m, 6 m 7 cm$=$6.07 m
⇨ $6.13-6.07=0.06$ (m)

19 (정삼각형의 세 변의 길이의 합)
$=9.4+9.4+9.4=18.8+9.4=28.2$ (cm)

20 가장 큰 소수 두 자리 수: 7.31
가장 작은 소수 두 자리 수: 1.37
⇨ $7.31-1.37=5.94$

66~68쪽 단원평가 4회 난이도 B

01 오 점 팔영칠　02 3, 0.03
03 1, 3 ; 1, 2, 3　04 4.63, 4.67
05 <　06 ( ) (○)　07 5.8~~0~~, 17.24~~0~~
08 3.108, 3108　09 1.02　10 1.09
11 (선 잇기)　12 2.16
13 $\begin{array}{r} \scriptstyle 1 \\ 0.4\ 2 \\ +0.7 \\ \hline 1.1\ 2 \end{array}$　14 5.54
15 7, 8, 9　16 1000배
17 예 (감 한 상자의 무게)
=(귤 한 상자의 무게)+3.82
=7.48+3.82=11.3 (kg) ; 11.3 kg
18 0.8 kg　19 9, 1　20 0.6 km

01 5 . 8 0 7
↓ ↓ ↓ ↓ ↓
오 점 팔 영 칠

02 5.73의 소수 둘째 자리 숫자는 3이고 3은 0.03을 나타냅니다.

03 소수점끼리 맞추어 세로로 쓰고 같은 자리 수끼리 더합니다.

04 4.6과 4.7을 똑같이 10으로 나눈 것이므로 수직선의 작은 눈금 한 칸의 크기는 0.01을 나타냅니다.

05 5.036<5.24
└0<2┘

06 7.52의 10배: 75.2, 752의 $\frac{1}{1000}$: 0.752

07 소수에서 필요한 경우 오른쪽 끝자리에 0을 붙여 나타낼 수 있으므로 오른쪽 끝자리에 있는 0을 생략할 수 있습니다.
⇨ 5.8~~0~~=5.8, 17.24~~0~~=17.24

09 $\begin{array}{r} \scriptstyle 1 \\ 0.4\ 2 \\ +0.6 \\ \hline 1.0\ 2 \end{array}$

12 3.64−1.48=2.16

13 소수의 덧셈을 계산할 때 소수점끼리 맞추어 세로로 쓰고 같은 자리 수끼리 더합니다.

15 자연수와 소수 첫째 자리 수가 같고, 소수 셋째 자리 수에서 7>3이므로 소수 둘째 자리 수에서 6<□입니다. 따라서 □ 안에 들어갈 수 있는 숫자는 7, 8, 9입니다.

16 ㉠이 나타내는 수: 6, ㉡이 나타내는 수: 0.006
⇨ 6은 0.006의 1000배입니다.

18 (주스의 무게)=1.2−0.4=0.8 (kg)

19 $\begin{array}{r} \scriptstyle 1 \\ 2.㉡\ 8 \\ +6.\ 2\ ㉠ \\ \hline 9.\ 1\ \ 9 \end{array}$
• 8+㉠=9 ⇨ ㉠=9−8=1
• ㉡+2=11 ⇨ ㉡=11−2=9

20 (걸어간 거리)=2.76−1.26−0.9=0.6 (km)

69~71쪽 단원평가 5회 난이도 C

01 $\frac{37}{100}$, 0.37　02 (선 잇기)　03 9.37
04 2.373, 2.377　05 0.83　06 8.76
07 민수, 사 점 영일칠　08 >　09 ㉠, ㉢
10 (위부터) 3.52, 4.55, 16.94, 8.87
11 <　12 0.84　13 0.92
14 예 0.71은 0.01이 71개인 수이고, 0.8은 0.01이 80개인 수이기 때문이야.
15 5.4 L　16 ④
17 예 980 g=0.98 kg입니다.
(쇠고기의 무게)+(돼지고기의 무게)
=0.98+0.67=1.65 (kg) ; 1.65 kg
18 5.027　19 9.3　20 11.04 cm

02 $\frac{□△☆}{100}$=□.△☆

04 2.37과 2.38 사이를 똑같이 10으로 나누었으므로 수직선의 작은 눈금 한 칸의 크기는 0.001을 나타냅니다.

09 ㉠ 0.207의 100배 ⇨ 20.7
㉡ 20.7의 10배 ⇨ 207
㉢ 2070의 $\frac{1}{100}$ ⇨ 20.70
㉣ 20.7의 $\frac{1}{10}$ ⇨ 2.07

12 가장 큰 수: 3.91, 가장 작은 수: 3.07
⇨ 3.91−3.07=0.84

13 □−0.56=0.36 ⇨ □=0.36+0.56=0.92

15 2.5+2.9=5.4 (L)

16
```
   1  1
  3.[6] 2
+ 2. 5 [9]
---------
  6. 2  1
```
⇨ ㉠=6, ㉡=9

18 • ㉠, ㉡에서 조건을 만족하는 소수는 5.□△○입니다.
• ㉢에서 5.□△○=5.027입니다.

19 은채: 0.1이 36개 ⇨ 3.6
민제: 일의 자리 숫자가 5, 소수 첫째 자리 숫자가 7인 수 ⇨ 5.7
⇨ 3.6+5.7=9.3

20 파랑 주머니에 2번:
$110.4 \xrightarrow[1번]{\frac{1}{10}} 11.04 \xrightarrow[1번]{\frac{1}{10}} 1.104$
빨강 주머니에 1번: $1.104 \xrightarrow[1번]{10배} 11.04$

72~73쪽 단계별로 연습하는 서술형 평가

01	❶ >	❷ 공원, 0.18 km	
02	❶ 2	❷ 0.02	❸ 100배
03	❶ □+2.38=7.64	❷ 5.26	❸ 2.88
04	❶ 8.52	❷ 2.58	❸ 5.94

01 ❷ 1.47−1.29=0.18이므로 공원이 집에서 0.18 km 더 가깝습니다.

02 ❸ 2는 0.02의 100배입니다.

03 ❷ □+2.38=7.64 ⇨ □=7.64−2.38=5.26
❸ 5.26−2.38=2.88

04 ❸ 8.52−2.58=5.94

74~75쪽 풀이 과정을 직접 쓰는 서술형 평가

01 예 2.58>1.89이므로 공원이 집에서 2.58−1.89=0.69 (km) 더 가깝습니다.
; 공원, 0.69 km

02 예 ㉠은 일의 자리 숫자이므로 나타내는 수는 4이고, ㉡은 소수 셋째 자리 숫자이므로 나타내는 수는 0.004입니다.
⇨ 4는 0.004의 1000배입니다. ; 1000배

03 예 어떤 수를 □라 하면 □−3.26=4.51입니다.
□−3.26=4.51 ⇨ □=4.51+3.26=7.77
바르게 계산하면 7.77+3.26=11.03입니다.
; 11.03

04 예 가장 큰 소수 두 자리 수: 7.63
가장 작은 소수 두 자리 수: 3.67
⇨ 7.63+3.67=11.3 ; 11.3

05 예 정삼각형은 세 변의 길이가 모두 같으므로 세 변의 길이의 합은
1.64+1.64+1.64=3.28+1.64=4.92 (cm)
입니다. ; 4.92 cm

01

배점	채점기준
상	유미네 집에서 공원과 우체국까지의 거리를 바르게 비교하여 소수의 뺄셈을 이용해 답을 바르게 구함
중	풀이 과정이 부족하나 답은 맞음
하	문제를 전혀 해결하지 못함

02

배점	채점기준
상	㉠과 ㉡이 나타내는 수를 찾아 답을 바르게 구함
중	풀이 과정이 부족하나 답은 맞음
하	문제를 전혀 해결하지 못함

03

배점	채점기준
상	어떤 수를 구하여 답을 바르게 구함
중	풀이 과정이 부족하나 답은 맞음
하	문제를 전혀 해결하지 못함

04

배점	채점기준
상	가장 큰 소수 두 자리 수와 가장 작은 소수 두 자리 수를 바르게 만들어 답을 바르게 구함
중	풀이 과정이 부족하나 답은 맞음
하	문제를 전혀 해결하지 못함

05

배점	채점기준
상	정삼각형은 세 변의 길이가 모두 같음을 알고 답을 바르게 구함
중	풀이 과정이 부족하나 답은 맞음
하	문제를 전혀 해결하지 못함

76쪽 밀크티 성취도평가 **오답 베스트 5**

01 0.38, 38, 380 **02** ㉢
03 0.73, 6.63 **04** 10.29 **05** 2.15

01 3.8의 $\frac{1}{10}$은 0.38입니다.
3.8의 10배는 38이고, 38의 10배는 380입니다.

02 ㉠ 730의 $\frac{1}{100}$ ⇨ 7.3, ㉡ 0.73의 10배 ⇨ 7.3,
㉢ 7.3의 $\frac{1}{10}$ ⇨ 0.73

03 $2.4-1.67=0.73$, $0.73+5.9=6.63$

04 만들 수 있는 가장 큰 소수 두 자리 수: 8.61
만들 수 있는 가장 작은 소수 두 자리 수: 1.68
따라서 두 수의 합은 $8.61+1.68=10.29$입니다.

05 $5.67-1.38=4.29$이므로 $2.14+$㉠$=4.29$입니다.
따라서 ㉠$=4.29-2.14=2.15$입니다.

4 사각형

79쪽 쪽지시험 1회

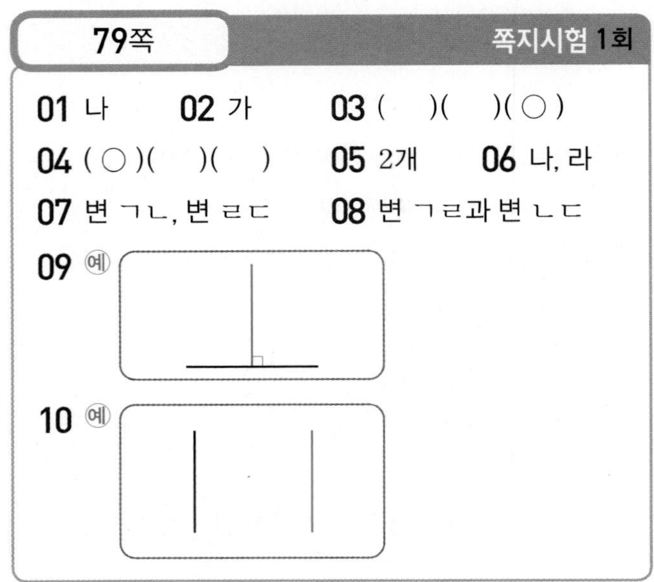

01 나 **02** 가 **03** ( )( )(○)
04 (○)( )( ) **05** 2개 **06** 나, 라
07 변 ㄱㄴ, 변 ㄹㄷ **08** 변 ㄱㄹ과 변 ㄴㄷ
09 예
10 예

06 직선 가와 직선 나는 직선 마에 수직이므로 서로 평행합니다. 직선 다와 직선 라는 아무리 늘여도 서로 만나지 않으므로 서로 평행합니다.

08 변 ㄱㄹ과 변 ㄴㄷ은 변 ㄱㄴ에 수직이므로 서로 평행합니다.

09 삼각자의 직각 부분을 이용하여 수선을 긋습니다.

10 한 삼각자를 고정하고 다른 삼각자를 움직여 평행한 직선을 긋습니다.

80쪽 쪽지시험 2회

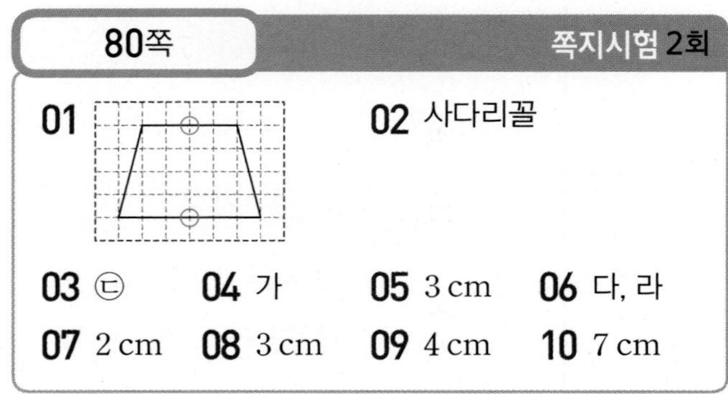

01 **02** 사다리꼴
03 ㉢ **04** 가 **05** 3 cm **06** 다, 라
07 2 cm **08** 3 cm **09** 4 cm **10** 7 cm

06 다, 라는 평행한 변이 없습니다.

09 위와 아래의 변이 서로 평행하므로 평행선 사이의 거리는 4 cm입니다.

10 왼쪽과 오른쪽의 변이 서로 평행하므로 평행선 사이의 거리는 7 cm입니다.

81쪽 쪽지시험 3회

01 나, 다 02 가, 라 03 변 ㄹㄷ
04 5 cm 05 40°
06 (위부터) 7, 5
07 130, 50 08 7, 7
09 (왼쪽부터) 120, 60 10 26 cm

03 마름모는 마주 보는 두 변끼리 서로 평행합니다.
06 평행사변형은 마주 보는 두 변의 길이가 같습니다.
07 평행사변형은 마주 보는 두 각의 크기가 같습니다.
08 마름모는 네 변의 길이가 모두 같습니다.
09 마름모는 마주 보는 두 각의 크기가 같습니다.
10 평행사변형은 마주 보는 두 변의 길이가 같으므로 네 변의 길이의 합은 $8+5+8+5=26$ (cm)입니다.

82쪽 쪽지시험 4회

01 가, 다, 라, 바 02 라, 바
03 다, 라, 바 04 라, 바
05 할 수 있습니다. 06 (위부터) 90, 6, 10
07 (위부터) 90, 8, 90
08 사다리꼴에 ○표, 평행사변형에 ○표, 직사각형에 ○표
09 × 10 ○

05 정사각형은 네 각이 모두 직각이므로 직사각형이라고 할 수 있습니다.
07 정사각형은 네 변의 길이가 모두 같고 네 각이 모두 직각입니다.
08 • 마주 보는 두 쌍의 변이 서로 평행합니다.
⇨ 사다리꼴, 평행사변형
• 네 각이 모두 직각입니다. ⇨ 직사각형
09 직사각형은 네 변의 길이가 같지 않은 경우가 있으므로 마름모가 아닙니다.
10 평행사변형은 마주 보는 두 쌍의 변이 서로 평행하므로 사다리꼴이라고 할 수 있습니다.

83~85쪽 단원평가 1회 난이도 A

01 수선 02 직선 나 03 가, 다, 라, 마, 바
04 가, 라, 마, 바 05 ③
06 변 ㄱㄹ, 변 ㄴㄷ 07 2쌍
08 ㉡ 09 2 cm
10 ( )(○) 11 120, 60
12 14, 12 13 ⑤
14 (위부터) 7, 70 15 12 cm
16 예

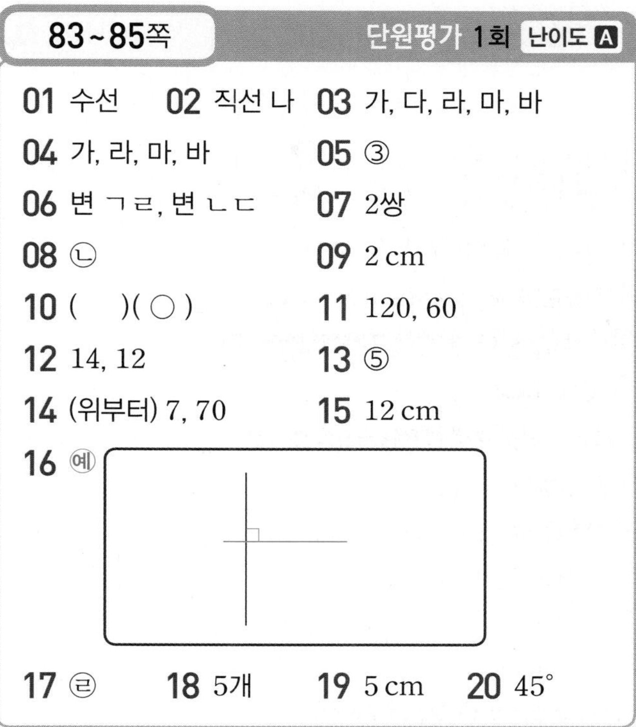

17 ㉣ 18 5개 19 5 cm 20 45°

05 각도기에서 90°가 되는 눈금과 점 ㄱ을 직선으로 이어야 직선 가와 수직이 되므로 점 ㄱ과 ③을 이으면 직선 가에 대한 수선이 됩니다.
06 변 ㄱㄴ과 만나서 이루는 각이 직각인 변은 변 ㄱㄹ, 변 ㄴㄷ입니다.
07 서로 평행한 두 직선은 직선 가와 직선 나, 직선 마와 직선 바로 모두 2쌍입니다.
10 삼각자에서 직각을 낀 변 중 한 변을 직선에 맞추고 다른 삼각자를 사용하여 평행선을 긋습니다.
13 한 직선과 평행한 직선은 셀 수 없이 많이 그을 수 있습니다.
17 ㉣ 정사각형은 네 각이 모두 직각이므로 직사각형입니다.
18 직사각형 모양의 종이띠에서 위와 아래의 변이 서로 평행하므로 잘라낸 도형들은 모두 사다리꼴입니다.
19 변 ㄷㄹ의 길이를 □cm라고 하면 평행사변형은 마주 보는 두 변의 길이가 같으므로
$9+□+9+□=28$, $□+□=10$, $□=5$입니다.
20 선분 ㄴㅁ은 선분 ㅁㄷ에 대한 수선이므로
(각 ㄴㅁㄷ)$=90°$입니다.
⇨ (각 ㄴㅁㄱ)$=180°-90°-45°=45°$

86~88쪽 단원평가 2회 난이도 A

01 ④ 02 수직 03 평행 04 가
05 가, 다, 라, 마 06 가, 라
07 가, 라, 마 ; 가, 라 08 직선 다 09 2쌍
10 ㉢ 11 변 ㄱㄹ과 변 ㄴㄷ
12 (위부터) 10, 15 13 (위부터) 60, 9
14 ⑤ 15 10 cm 16 예
17
2 cm
18 32 cm 19 정사각형 20 변 ㅂㅁ, 변 ㄹㄷ

05 마주 보는 두 쌍의 변이 서로 평행한 사각형은 가, 다, 라, 마입니다.
06 네 변의 길이가 모두 같은 사각형은 가, 라입니다.
07 • 직사각형: 네 각이 모두 직각인 사각형은 가, 라, 마입니다.
• 정사각형: 네 각이 모두 직각이고 네 변의 길이가 모두 같은 사각형은 가, 라입니다.
08 직선 가와 만나서 이루는 각이 직각인 것은 직선 다입니다.
09 직선 가와 직선 나, 직선 다와 직선 라 ⇨ 2쌍
13 마름모는 네 변의 길이가 모두 같고 마주 보는 두 각의 크기가 같습니다.
14 ⑤ 각 ㄱㄴㄷ과 각 ㄴㄷㄹ의 크기는 같지 않습니다. 평행사변형은 마주 보는 두 각의 크기가 같습니다.
16 한 꼭짓점을 옮겨서 마주 보는 두 쌍의 변이 서로 평행하도록 만듭니다.
17 주어진 직선에 수선을 그은 다음 수선 위에 주어진 직선에서 2 cm 떨어진 곳에 점을 찍고, 그 점을 지나고 주어진 직선에 평행한 직선을 긋습니다.
19 평행사변형 중에서 네 각의 크기가 모두 같은 사각형은 직사각형입니다.
직사각형 중에서 네 변의 길이가 모두 같은 사각형은 정사각형입니다.
20 변 ㄱㄴ과 평행한 변은 변 ㅂㅁ, 변 ㄹㄷ입니다.

89~91쪽 단원평가 3회 난이도 B

01 ① 02 직선 라 03 직선 가와 직선 나
04 나, 다 05 나, 라, 바 ; 나, 라, 마, 바 ; 바
06 90° 07 2, 2 08 (○)( )
09 (왼쪽부터) 7, 10, 40 10 5 cm
11 ④ 12 (×)
(○)
(×)
13 사다리꼴에 ○표, 직사각형에 ○표
14 9 cm 15 115°
16
ㄱ 가
17 예 평행선은 직선 나와 직선 다, 직선 라와 직선 아, 직선 마와 직선 바입니다.
⇨ 평행선은 모두 3쌍입니다. ; 3쌍
18 있습니다에 ○표 ; 예 도형의 네 변의 길이가 모두 같기 때문에 마름모라고 할 수 있습니다.
19 90 cm 20 30°

06 직선 가에 대한 수선이 직선 나이므로 직선 가와 직선 나가 만나서 이루는 각은 직각(90°)입니다.
11 주어진 도형은 평행사변형입니다.
④ 평행사변형의 이웃한 두 각의 크기의 합은 180°입니다.
12 • 직사각형은 네 변의 길이가 같지 않은 경우가 있으므로 마름모가 아닙니다.
• 사다리꼴은 마주 보는 한 쌍의 변이 서로 평행하므로 평행사변형이 아닙니다.

13 서로 평행한 변이 있으므로 사다리꼴이고 네 각이 모두 직각이므로 직사각형입니다. 직사각형은 사다리꼴이라고 할 수 있습니다.

15 마름모는 이웃하는 두 각의 크기의 합이 180°입니다.
⇨ 65°+㉠=180°, ㉠=180°−65°=115°

16 삼각자에서 직각을 낀 변 중 한 변을 직선 가에, 다른 한 변을 점 ㄱ에 맞추고 점 ㄱ에서 직선 가에 수직인 직선을 긋습니다.

19 마름모는 네 변의 길이가 모두 같으므로 굵은 선의 길이는 마름모 한 변의 6배와 같습니다.
⇨ 15×6=90 (cm)

20 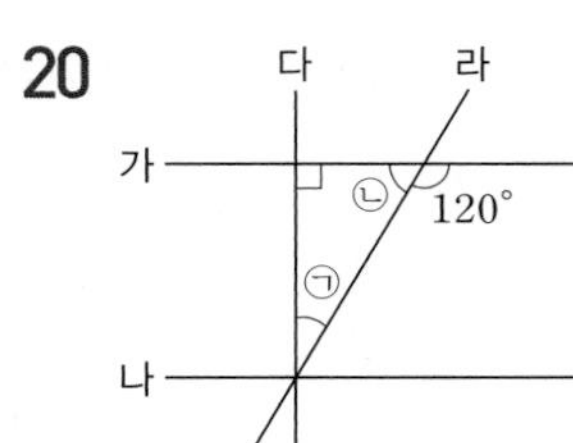

㉡=180°−120°=60°,
90°+㉠+60°=180°
⇨ ㉠=180°−90°−60°
=30°

92~94쪽 단원평가 4회 난이도 B

01 직선 나, 직선 라 **02** 2쌍
03 ( )(○)( )(○) **04** 변 ㄱㄹ
05 선분 ㄴㄷ **06** (위부터) 65, 115
07 ⑤ **08** 4 cm **09** 효주
10 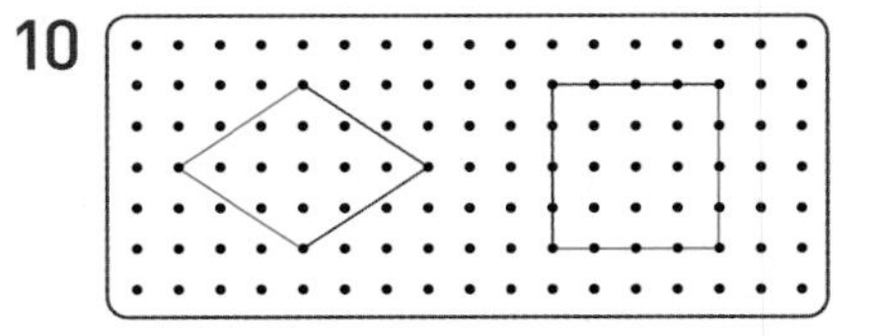
11 ②
12 직사각형에 ○표
13 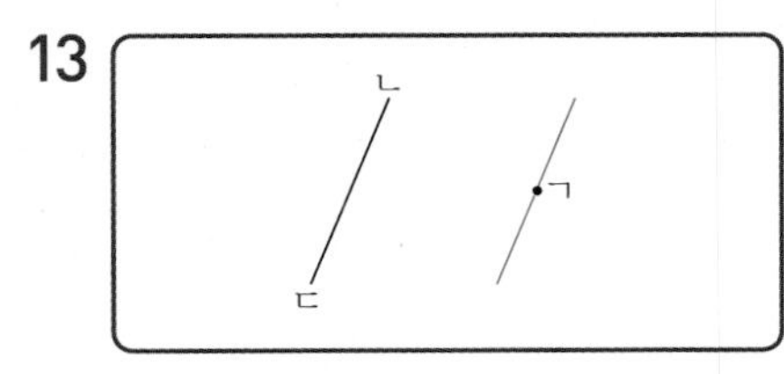

14 80°
15 9개
16 예 네 각이 모두 직각이 아닙니다.
17 예 서로 수직인 직선 가와 직선 나가 만나서 이루는 각이 90°이므로 ㉠=90°−55°=35°입니다.
; 35°
18 9 cm **19** 18 cm **20** 55°

08 평행선 사이에 수직인 선분을 긋고 그 선분의 길이를 재어 봅니다.

09 두 직선이 만나서 이루는 각이 직각(90°)일 때 두 직선은 서로 수직이라고 합니다.

11 ② 직사각형의 네 변의 길이가 항상 같지는 않습니다.

12 • 네 각이 모두 직각이므로 직사각형입니다.
• 정사각형은 직사각형이라고 할 수 있습니다.

13 점 ㄱ을 지나고 직선 ㄴㄷ과 만나지 않도록 삼각자를 사용하여 평행한 직선을 긋습니다.

14 평행사변형은 이웃한 두 각의 크기의 합이 180°입니다.
⇨ 100°+㉠=180°, ㉠=180°−100°=80°

15 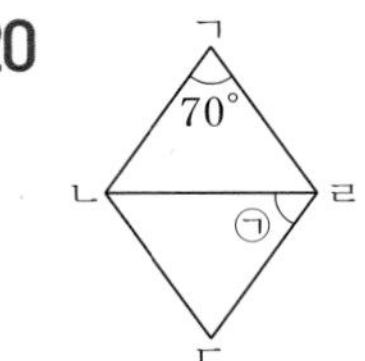

1개짜리: ①, ②, ③, ④
2개짜리: ①+②, ③+④,
①+③, ②+④
4개짜리: ①+②+③+④
⇨ 4+4+1=9(개)

16 정사각형은 마름모라고 할 수 있지만 마름모는 네 각이 항상 직각인 것은 아니므로 정사각형이라고 할 수 없습니다.

18 평행선 사이의 수선의 길이를 구합니다.
⇨ (변 ㄱㄴ)+(변 ㄷㄹ)=4+5=9 (cm)

19 평행사변형은 마주 보는 두 변의 길이가 같으므로 (변 ㄱㄴ)=(변 ㄹㄷ)=14 cm입니다.
(변 ㄱㄹ)+(변 ㄴㄷ)=64−14−14=36 (cm)
⇨ (변 ㄱㄹ)=36÷2=18 (cm)

20

ㄱ
70°
ㄴ ㄹ
㉠
ㄷ

마름모는 네 변의 길이가 모두 같으므로 삼각형 ㄴㄷㄹ은 이등변삼각형입니다.
→ (각 ㄷㄴㄹ)=㉠
마름모는 마주 보는 두 각의 크기가 같으므로
(각 ㄴㄷㄹ)=70°입니다.
(각 ㄷㄴㄹ)+㉠=180°−70°=110°
⇨ ㉠=110°÷2=55°

95~97쪽 단원평가 5회 난이도 C

01 직선 나 02 직선 라 03 가, 다
04 선분 ㄱㄷ과 선분 ㄴㄹ 05 변 ㄱㄹ과 변 ㄴㄷ
06 선분 ㄱㄷ 07 나, 라, 마 ; 마
08 24 09 1개 10 ⑤
11 변 ㄱㄴ, 변 ㄷㄹ, 변 ㅁㅂ
12 이등변삼각형 13 3 cm
14 예 마름모는 네 변의 길이가 모두 같으므로 네 변의 길이의 합은 $12 \times 4 = 48$ (cm)입니다.
직사각형은 마주 보는 두 변의 길이가 같으므로
⇨ $48-8-8=32$, ㉠$=32 \div 2=16$입니다.
; 16
15 60° 16 8 cm
17 예 직선 가와 직선 다 사이의 거리는 직선 가와 직선 나, 직선 나와 직선 다 사이의 거리의 합과 같습니다.
⇨ 직선 나와 직선 다 사이의 거리는
$20-9=11$ (cm)입니다. ; 11 cm
18 7 cm 19 70° 20 80°

02 직선 나와 수직으로 만나는 직선은 직선 라입니다.
03 두 변이 만나서 이루는 각 중에서 직각이 있는 도형은 가, 다입니다.
04 만나서 이루는 각이 직각인 두 선분은 선분 ㄱㄷ과 선분 ㄴㄹ입니다.
05 변 ㄱㄴ에 수직인 변 ㄱㄹ과 변 ㄴㄷ은 서로 평행합니다.
06 평행선인 직선 가와 직선 나 사이의 수직인 선분을 찾습니다.
07 • 평행사변형: 마주 보는 두 쌍의 변이 서로 평행한 사각형
• 마름모: 네 변의 길이가 모두 같은 사각형
08 평행사변형은 마주 보는 두 변의 길이가 같으므로 ㉠$=10$, ㉡$=14$입니다.
⇨ ㉠+㉡$=10+14=24$
09 한 점을 지나고 한 직선에 대한 수선은 1개뿐입니다.
10 ⑤ 마주 보는 두 쌍의 변이 서로 평행하지 않으므로 평행사변형이 아닙니다.
12 마름모는 네 변의 길이가 모두 같으므로 점선을 따라 잘라서 생긴 삼각형은 두 변의 길이가 같습니다. 따라서 이등변삼각형이 됩니다.
13 변 ㄱㄴ과 변 ㄹㅁ이 서로 평행하므로 두 선분 사이에 수직인 선분을 긋고 길이를 재면 3 cm입니다.
15 마름모는 이웃한 두 각의 크기의 합이 180°이므로 (각 ㄱㄴㄷ)$+120°=180°$입니다.
⇨ (각 ㄱㄴㄷ)$=180°-120°=60°$
16 평행선 사이의 거리는 평행선 사이의 수선의 길이이므로
(선분 ㄱㄴ)+(선분 ㅁㄹ)$=4+4=8$ (cm)입니다.
18 (선분 ㄴㅁ)=(선분 ㄱㄹ)=9 cm
⇨ (선분 ㅁㄷ)=(선분 ㄴㄷ)−(선분 ㄴㅁ)
$=16-9=7$ (cm)
19 (각 ㄱㄴㄷ)=(각 ㄷㄹㄱ)=80°
삼각형 ㄱㄴㄷ의 세 각의 크기의 합이 180°이므로
(각 ㄴㄱㄷ)$=180°-80°-30°=70°$
20
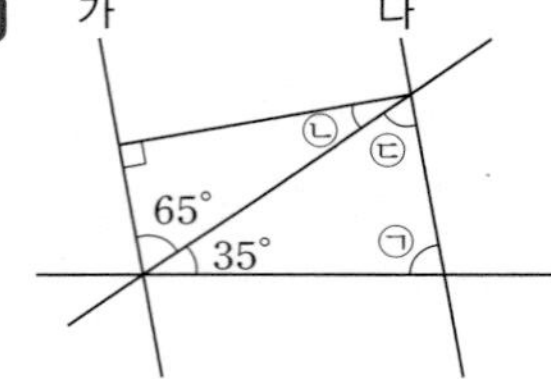

직선 가와 직선 나에 수선을 그어
$90°+65°+$㉡$=180°$, ㉡$=25°$
㉢$=90°-25°=65°$
㉠$=180°-65°-35°=80°$

98~99쪽 단계별로 연습하는 서술형 평가

01 ❶ 가, 나, 라, 마 ❷ 나, 다, 라, 마
❸ 3개
02 ❶ 변 ㄴㄷ과 변 ㅁㄹ ❷ 선분 ㄴㅁ
❸ 10 cm
03 ❶ 44 cm ❷ 44 cm ❸ 11 cm
04 ❶ ㄹㄷ, 8 ; 8 cm ❷ 8, 24 ; 24 cm
❸ 12 cm

01 ❶ 두 변이 만나서 이루는 각 중에서 직각이 있는 도형은 가, 나, 라, 마입니다.
❷ 평행한 두 변이 있는 도형은 나, 다, 라, 마입니다.
❸ ❶, ❷에서 공통으로 포함되는 도형은 나, 라, 마로 모두 3개입니다.

02 ❷ 변 ㄴㄷ과 변 ㅁㄹ이 서로 평행하므로 선분 ㄴㅁ이 평행선 사이의 거리입니다.
❸ 선분 ㄴㅁ의 길이는 10 cm입니다.

03 ❶ $15+7+15+7=44$ (cm)
❸ $44\div4=11$ (cm)

04 ❶ 평행사변형은 마주 보는 두 변의 길이가 같습니다.
❸ 변 ㄱㄹ과 변 ㄴㄷ의 길이가 같으므로 (변 ㄴㄷ)$=24\div2=12$ (cm)입니다.

100~101쪽 풀이 과정을 직접 쓰는 서술형 평가

01 예 수선이 있는 도형: 나, 라, 마
평행선이 있는 도형: 가, 다, 라, 마
⇨ 수선도 있고 평행선도 있는 도형은 라, 마로 모두 2개입니다. ; 2개

02 예 변 ㄱㅁ과 변 ㄷㄹ이 서로 평행하므로 평행선 사이의 거리는 12 cm입니다. ; 12 cm

03 예 평행사변형은 마주 보는 두 변의 길이가 같으므로
(평행사변형 ㄱㄴㄷㄹ의 네 변의 길이의 합)
$=14+6+14+6=40$ (cm)
⇨ 마름모는 네 변의 길이가 모두 같으므로
(마름모 ㅁㅂㅅㅇ의 한 변의 길이)
$=40\div4=10$ (cm) ; 10 cm

04 예 평행사변형은 마주 보는 두 변의 길이가 같습니다.
(변 ㄱㄹ)=(변 ㄴㄷ)=16 cm이므로
(변 ㄱㄴ)+(변 ㄹㄷ)$=52-16-16=20$ (cm)입니다.
⇨ (변 ㄱㄴ)$=20\div2=10$ (cm) ; 10 cm

01

배점	채점기준
상	수선이 있는 도형과 평행선이 있는 도형을 각각 찾아 답을 바르게 구함
중	풀이 과정이 부족하나 답은 맞음
하	문제를 전혀 해결하지 못함

02

배점	채점기준
상	평행선을 찾아 답을 바르게 구함
중	풀이 과정이 부족하나 답은 맞음
하	문제를 전혀 해결하지 못함

03

배점	채점기준
상	마름모의 네 변의 길이가 모두 같음을 알고 평행사변형 ㄱㄴㄷㄹ의 네 변의 길이의 합을 구하여 답을 바르게 구함
중	풀이 과정이 부족하나 답은 맞음
하	문제를 전혀 해결하지 못함

04

배점	채점기준
상	평행사변형은 마주 보는 두 변의 길이가 같음을 알고 답을 바르게 구함
중	풀이 과정이 부족하나 답은 맞음
하	문제를 전혀 해결하지 못함

102쪽 밀크티 성취도평가 오답 베스트 5

01 7, 65　02 ㉡　03 3개
04 ㉠　05 45°, 135°

04 ㉠ 직사각형은 네 변의 길이가 항상 같은 것은 아니므로 마름모라고 할 수 없습니다.
㉡ 평행사변형은 마주 보는 두 쌍의 변이 서로 평행하므로 사다리꼴이라고 할 수 있습니다.
㉢ 마름모는 마주 보는 두 쌍의 변이 서로 평행하므로 사다리꼴이라고 할 수 있습니다.

05 마름모는 마주 보는 두 각의 크기가 같으므로 ㉡=(각 ㄱㄴㄷ)=135°입니다.
마름모의 이웃한 두 각의 크기의 합은 180°이므로 135°+㉠=180°, ㉠=45°입니다.

5 꺾은선그래프

106쪽 쪽지시험 1회

01 꺾은선그래프 02 날짜 03 키
04 1 cm 05 고구마 싹의 키
06 시각, 온도 07 9 ℃ 08 오후 1시
09 오전 10시 10 오후 1시

01 수량을 점으로 표시하고, 그 점들을 선분으로 이어 그린 그래프를 꺾은선그래프라고 합니다.

04 세로 눈금 5칸이 5 cm를 나타내므로 세로 눈금 한 칸은 1 cm를 나타냅니다.

10 그래프의 선이 오른쪽 위로 가장 많이 기울어진 때가 온도가 가장 많이 오른 때이므로 오후 1시입니다.

107쪽 쪽지시험 2회

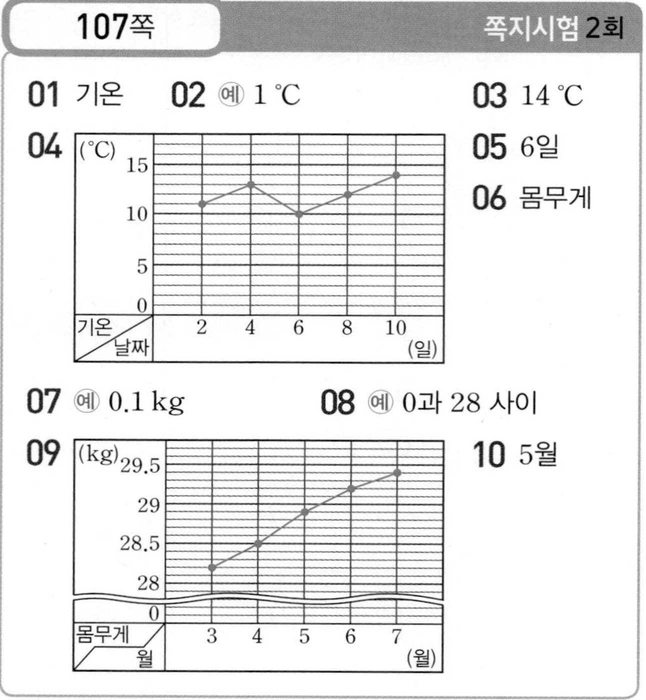
01 기온 02 예 1 ℃ 03 14 ℃
04

05 6일
06 몸무게
07 예 0.1 kg 08 예 0과 28 사이
09

10 5월

03 기온이 가장 높은 때가 14 ℃이므로 적어도 14 ℃까지는 나타낼 수 있어야 합니다.

04 가로 눈금과 세로 눈금이 만나는 자리에 점을 찍고, 점들을 차례로 선분으로 잇습니다.

05 **04**의 그래프에서 점이 가장 낮은 때는 6일입니다.

06 가로에 월을 쓰면 세로에는 몸무게를 나타냅니다.

07 몸무게를 0.1 kg 단위로 재었으므로 세로 눈금 한 칸을 0.1 kg으로 나타냅니다.

08 0과 28 사이에 자료값이 없으므로 물결선을 0과 28 사이에 넣으면 좋습니다.

10 그래프의 선이 오른쪽 위로 가장 많이 기울어진 때가 몸무게가 가장 많이 늘어난 때이므로 5월입니다.

108쪽 쪽지시험 3회

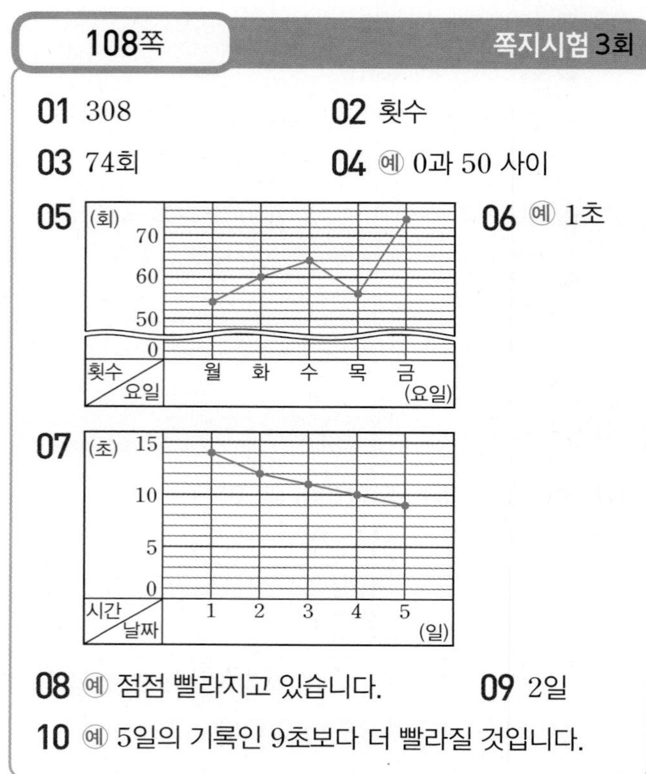
01 308 02 횟수
03 74회 04 예 0과 50 사이
05

06 예 1초
07

08 예 점점 빨라지고 있습니다. 09 2일
10 예 5일의 기록인 9초보다 더 빨라질 것입니다.

03 횟수가 가장 많은 때가 74회이므로 적어도 74회까지 나타낼 수 있어야 합니다.

04 0과 50 사이에 자료값이 없으므로 물결선을 0과 50 사이에 넣으면 좋습니다.

08 14초, 12초, 11초, 10초, 9초로 기록이 점점 빨라지고 있습니다.

09 그래프의 선이 오른쪽 아래로 가장 많이 기울어진 때가 달리기 기록이 가장 많이 빨라진 때이므로 2일입니다.

10 1일부터 5일까지 미주의 50 m 달리기 기록이 빨라지고 있으므로 6일에는 5일의 기록인 9초보다 더 빨라질 것입니다.

109~111쪽 단원평가 1회 난이도 A

01 꺾은선그래프 02 1 ℃ 03 19 ℃
04 28 ℃ 05 횟수 06 예 1회
07
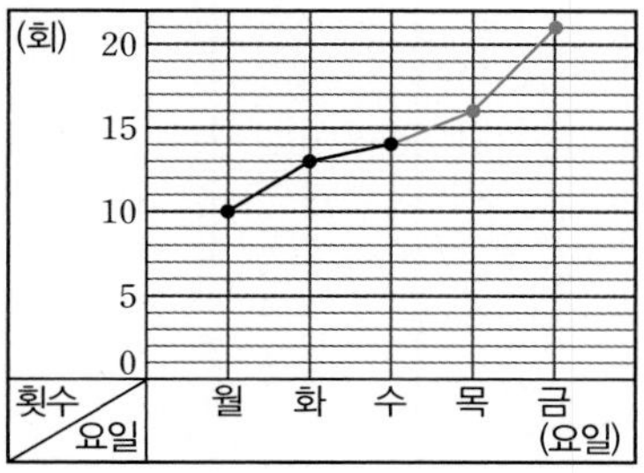

08 2 cm
09 474 cm
10 6월
11 월
12 예 0과 200 사이
13
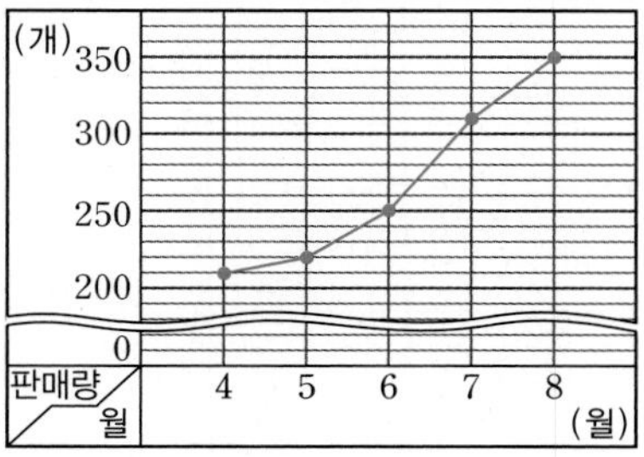

14 7월
15 ㉤, ㉠, ㉢, ㉣ 16 막대그래프에 ○표
17 꺾은선그래프에 ○표
18
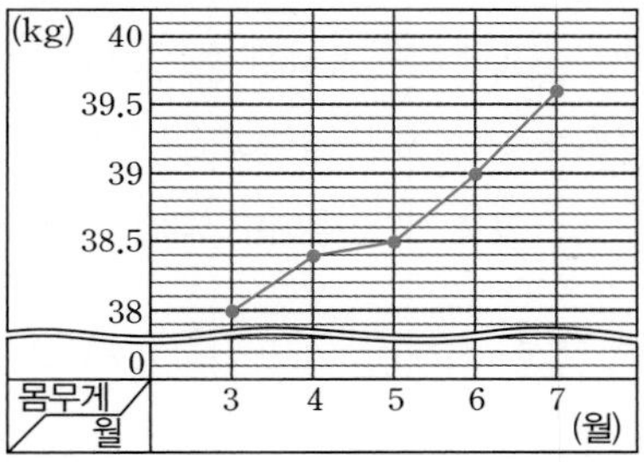

19 예 몸무게가 늘어나고 있습니다.
20 예 7월의 몸무게인 39.6 kg보다 늘어날 것입니다.

07 가로 눈금과 세로 눈금이 만나는 자리에 점을 찍고, 점들을 차례로 선분으로 잇습니다.

08 세로 눈금 5칸이 10 cm를 나타내므로 세로 눈금 한 칸은 2 cm를 나타냅니다.

10 그래프의 선이 가장 많이 기울어진 때가 키가 가장 많이 변한 때이므로 6월입니다.

12 0과 200 사이에 자료값이 없으므로 물결선을 0과 200 사이에 넣으면 좋습니다.

14 그래프의 선이 오른쪽 위로 가장 많이 기울어진 때를 찾으면 7월입니다.

15 • 꺾은선그래프를 그리는 방법
① 가로와 세로 중 어느 쪽에 조사한 수를 나타낼지 정합니다.
② 세로 눈금 한 칸의 크기를 정합니다.
③ 가로 눈금과 세로 눈금이 만나는 자리에 점을 찍습니다.
④ 점들을 선분으로 잇습니다.
⑤ 꺾은선그래프의 제목을 붙입니다.

16 각 항목별 수량의 많고 적음을 비교하려면 막대그래프가 더 좋습니다.

17 시간에 따른 변화를 알아보려면 꺾은선그래프가 더 좋습니다.

19 18의 그래프의 선이 오른쪽 위로 기울어져 있으므로 몸무게가 점점 늘어나고 있습니다.

20 매월 몸무게가 늘어나고 있으므로 8월에도 7월의 몸무게인 39.6 kg보다 늘어날 것입니다.

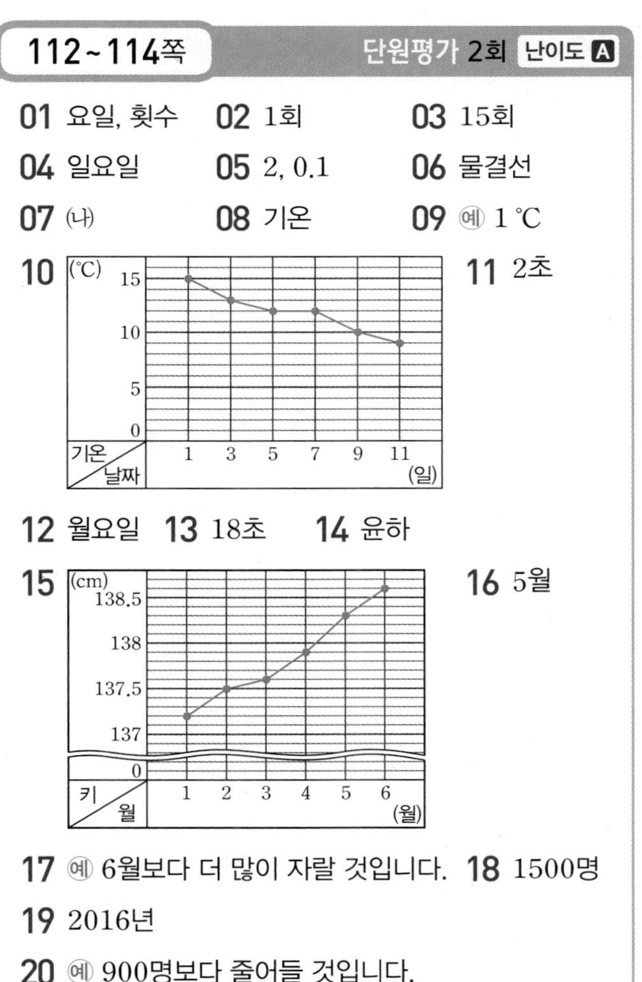

112~114쪽 단원평가 2회 난이도 A

01 요일, 횟수 02 1회 03 15회
04 일요일 05 2, 0.1 06 물결선
07 ㈏ 08 기온 09 예 1 ℃
10
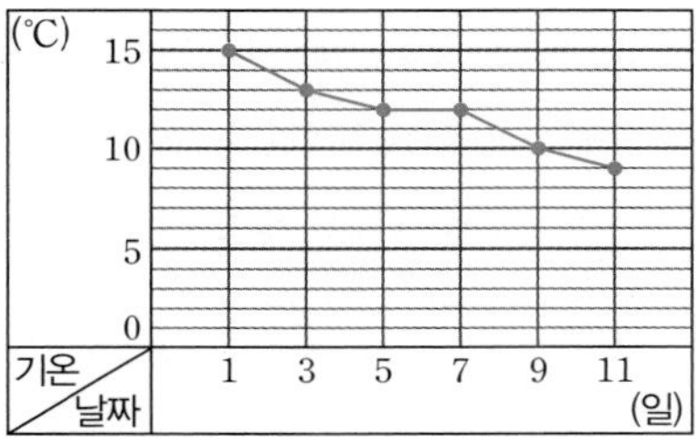

11 2초
12 월요일 13 18초 14 윤하
15
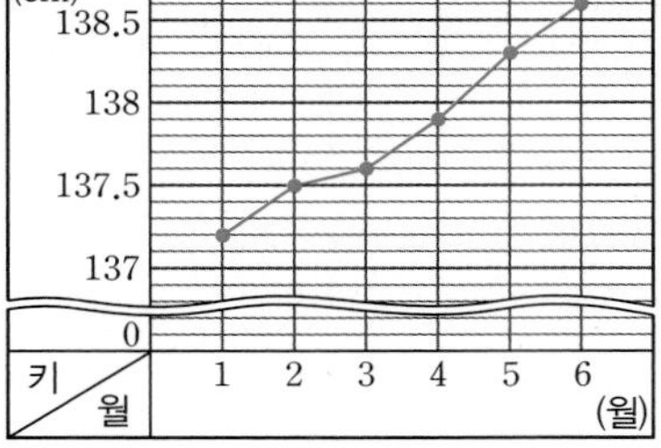

16 5월
17 예 6월보다 더 많이 자랄 것입니다. 18 1500명
19 2016년
20 예 900명보다 줄어들 것입니다.

02 세로 눈금 5칸이 5회를 나타내므로 세로 눈금 한 칸은 1회를 나타냅니다.

04 점이 가장 높은 때는 일요일입니다.

05 (가): 세로 눈금 5칸이 10 ℃를 나타내므로 세로 눈금 한 칸은 2 ℃를 나타냅니다.
(나): 세로 눈금 5칸이 0.5 ℃를 나타내므로 세로 눈금 한 칸은 0.1 ℃를 나타냅니다.

06 물결선은 필요 없는 부분을 줄여서 나타낼 때 사용합니다.

07 물결선을 사용한 (나) 그래프가 체온의 변화를 더 뚜렷하게 알 수 있습니다.

09 기온을 1 ℃ 단위로 조사했으므로 세로 눈금 한 칸을 1 ℃로 나타냅니다.

10 가로 눈금과 세로 눈금이 만나는 자리에 점을 찍고, 점들을 차례로 선분으로 잇습니다.

11 세로 눈금 5칸이 10초를 나타내므로 세로 눈금 한 칸은 2초를 나타냅니다.

12 점이 24초보다 높은 때는 월요일입니다.

13 점이 가장 낮은 때인 금요일의 기록이 18초로 가장 빠릅니다.

14 시간에 따라 연속적으로 변화하는 것은 꺾은선그래프로 나타내는 것이 좋습니다.

15 가로 눈금과 세로 눈금이 만나는 자리에 점을 찍고, 점들을 차례로 선분으로 잇습니다.

16 그래프의 선이 오른쪽 위로 가장 많이 기울어진 때가 키가 가장 많이 자란 때이므로 5월입니다.

17 그래프의 선이 오른쪽 위로 계속 기울어져 있으므로 7월에도 6월보다 그래프의 선이 오른쪽 위로 기울어져 있을 것입니다. 따라서 7월에 선경이의 키는 6월보다 더 많이 자랄 것입니다.

18 2014년의 가로 눈금과 만나는 세로 눈금은 1500명이므로 2014년의 소라네 학교의 학생은 1500명입니다.

19 그래프의 선이 가장 많이 기울어진 때가 학생 수가 가장 많이 변한 때이므로 2016년입니다.

20 2015년 이후 그래프의 선이 계속 아래로 기울어져 있으므로 2018년의 학생 수는 2017년의 학생 수보다 줄어들 것입니다.

115~117쪽 단원평가 3회 난이도 B

01 날짜, 키 02 5일 03 8 cm 04 17 cm

05 온도 06

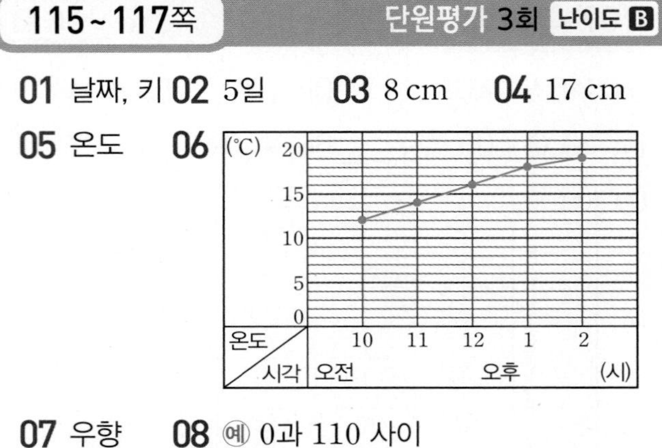

07 우향 08 예 0과 110 사이

09

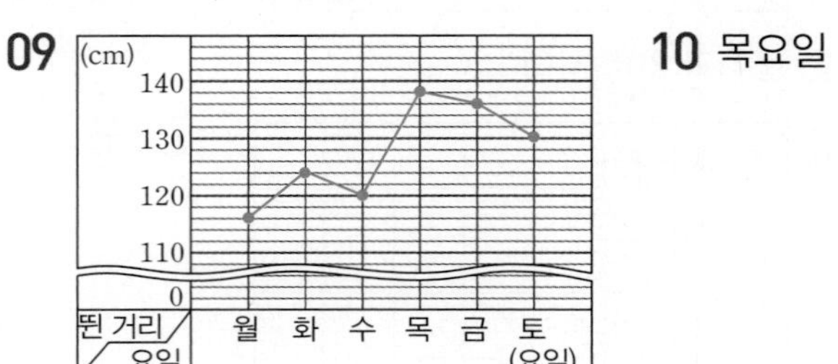

10 목요일

11 2600, 2400, 1900, 900

12 1800병 13 10500병 14 7월

15 2017년 16 2015년, 2016년

17 예 세로 눈금 한 칸은 1명을 나타냅니다.
2012년과 2013년의 자원봉사자 수는 세로 눈금이 2칸만큼 차이나므로 2명이 늘어났습니다. ; 2명

18 예 30 kg 19 예 점점 늘어나고 있습니다.

20 예 37 kg

01 가로는 날짜를, 세로는 키를 나타냅니다.

03 4일과 만나는 세로 눈금을 읽습니다. ⇨ 8 cm

04 3일: 5 cm, 7일: 22 cm
⇨ 22−5=17 (cm)

05 가로에 시각을 쓰면 세로에는 온도를 나타냅니다.

07 현우: 그림그래프의 특징입니다.
지섭: 표의 특징입니다.
소윤: 막대그래프의 특징입니다.

08 0과 110 사이에 자료값이 없으므로 물결선을 0과 110 사이에 넣으면 좋습니다.

10 점이 가장 높은 때는 목요일입니다.

11 세로 눈금 5칸이 500병을 나타내므로 세로 눈금 한 칸은 100병을 나타냅니다.

12 가장 많은 때: 3월(2700병)
가장 적은 때: 7월(900병)
⇨ 2700－900＝1800(병)

14 그래프의 선이 오른쪽 아래로 가장 많이 기울어진 때를 찾으면 7월입니다.

15 점이 가장 높은 때는 2017년입니다.

16 그래프의 선이 가장 적게 기울어진 때를 찾으면 2015년과 2016년 사이입니다.

18 2015년 1월부터 2016년 1월까지 몸무게가 1년 동안 2 kg만큼 늘었으므로 6개월 동안 1 kg씩 늘어서 2015년 7월에는 30 kg이었을 것입니다.

19 24 kg, 27 kg, 29 kg, 31 kg, 33 kg, 35 kg으로 몸무게가 점점 늘어나고 있습니다.

20 몸무게가 2014년부터 매년 2 kg씩 늘어나고 있으므로 2019년에는 2018년보다 2 kg 늘어나 37 kg이 될 것입니다.

118~120쪽 단원평가 4회 난이도 B

01 꺾은선그래프 **02** 14 ℃
03 오후 1시 **04** 오전 9시
05 0.1 kg **06** 28.1 kg
07 3일 **08** 2 kg, 0.1 kg
09 ㉠ **10** 꺾은선그래프
11 예 0.2 cm **12** 예 143 cm

13
(cm)
146
145
144
143
0
키
월
1 2 3 4 5
(월)

14 4월

15 2일 **16** 102개

17 예 3일에 판매한 햄버거는 30개이므로 햄버거의 판매 금액은 모두 1300×30＝39000(원)입니다.
; 39000원

18 37.5 ℃ **19** 0.7 ℃ **20** 예 38.5 ℃

01 온도의 변화를 한눈에 쉽게 알 수 있는 것은 꺾은선그래프입니다.

02 가로 눈금 11시와 만나는 세로 눈금은 14 ℃입니다.

03 점이 가장 높은 때는 오후 1시입니다.

04 점이 가장 낮은 때는 오전 9시입니다.

05 세로 눈금 5칸이 0.5 kg을 나타내므로 세로 눈금 한 칸은 0.1 kg을 나타냅니다.

06 점이 가장 낮은 때인 3일이 28.1 kg으로 몸무게가 가장 적게 나갑니다.

07 그래프의 선이 가장 많이 기울어진 때를 찾으면 3일입니다.

08 ㈎: 세로 눈금 5칸이 10 kg을 나타내므로 세로 눈금 한 칸은 2 kg을 나타냅니다.
㈏: 세로 눈금 5칸이 0.5 kg을 나타내므로 세로 눈금 한 칸은 0.1 kg을 나타냅니다.

09 ㉠ 그래프 ㈎와 ㈏의 몸무게 변화는 같습니다.

10 시간에 따라 연속적으로 변화하는 것은 꺾은선그래프로 나타내는 것이 좋습니다.

11 정한이의 키를 0.2 cm 단위로 조사하였으므로 세로 눈금 한 칸을 0.2 cm로 나타냅니다.

12 가장 작은 값인 143.2 cm보다 작은 값에 물결선으로 나타내야 하므로 세로 눈금의 시작은 143 cm에서 하는 것이 좋습니다.

13 가로 눈금과 세로 눈금이 만나는 자리에 점을 찍고, 점들을 차례로 선분으로 잇습니다.

14 그래프의 선이 오른쪽 위로 가장 많이 기울어진 때는 4월입니다.

15 점이 가장 높은 때는 2일입니다.

16 1일: 18개, 2일: 38개, 3일: 30개, 4일: 16개
⇨ 18＋38＋30＋16＝102(개)

18 월요일과 만나는 세로 눈금은 37.5 ℃입니다.

19 월요일: 37.5 ℃, 수요일: 38.2 ℃
⇨ 38.2－37.5＝0.7 (℃)

20 목요일부터 토요일까지 체온이 이틀 동안 0.8 ℃만큼 낮아졌으므로 하루 동안 0.4 ℃씩 낮아져서 38.5 ℃였을 것입니다.

121~123쪽 단원평가 5회 난이도 C

01 온도 **02** 오후 2시

03 예 23 ℃ **04** 13 ℃ **05** 횟수

06 예 1회 **07** (회) 15, 10, 5, 0 / 횟수/요일: 월 화 수 목 금 토 일 (요일)

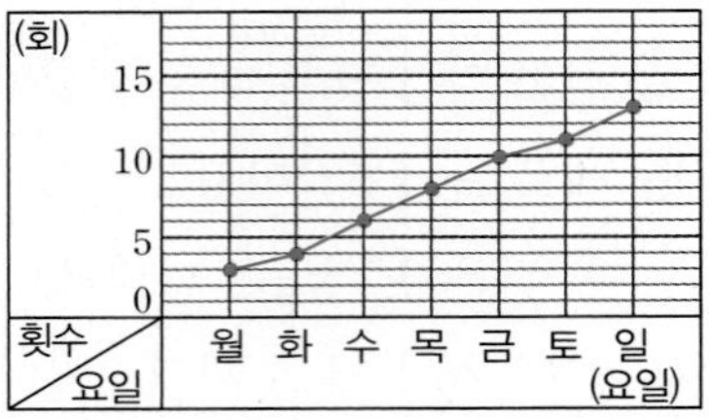

08 예 2500명 **09** (명) 4000, 3500, 3000, 2500, 0 / 입장객수/월: 4 5 6 7 (월)

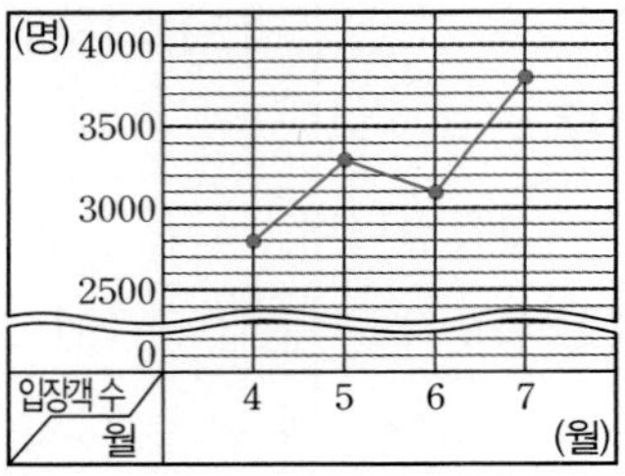

10 6월 **11** 20억 달러 **12** 2012년

13 예 2014년: 1280억 달러, 2016년: 1260억 달러

⇨ (2014년과 2016년의 수출액)

$=1280+1260=2540$(억 달러)

; 2540억 달러

14 오후 2시, 오후 4시 **15** 오후 2시

16 예 15 ℃ **17** 예 10 ℃보다 낮아질 것입니다.

18 나 식물 **19** 다 식물

20 가 식물 ; 예 그래프의 선이 4일에서 6일 사이에 변하지 않고 6일에서 8일 사이에 다시 오른쪽 아래로 기울어져 있기 때문입니다.

03 낮 12시부터 오후 1시까지 온도가 1시간 동안 4 ℃만큼 높아졌으므로 30분 동안 2 ℃씩 높아져서 12시 30분에는 23 ℃였을 것입니다.

04 가장 높은 때: 26 ℃, 가장 낮은 때: 13 ℃

⇨ $26-13=13$ (℃)

06 횟수를 1회 단위로 나타내었으므로 세로 눈금 한 칸을 1회로 나타냅니다.

07 가로 눈금과 세로 눈금이 만나는 자리에 점을 찍고, 점들을 차례로 선분으로 잇습니다.

08 가장 작은 값인 2800명보다 작은 값에 물결선으로 나타내야 하므로 세로 눈금의 시작은 2500명으로 하는 것이 좋습니다.

10 그래프에서 선이 오른쪽 아래로 기울어진 때는 6월입니다.

11 세로 눈금 5칸이 100억 달러를 나타내므로 세로 눈금 한 칸은 20억 달러를 나타냅니다.

14 그래프에서 선이 가장 많이 기울어진 때는 오후 2시와 오후 4시 사이입니다.

15 그래프에서 선이 오른쪽 아래로 기울어지기 시작한 시각은 오후 2시부터입니다.

16 오후 2시부터 오후 4시까지 온도가 2시간 동안 4 ℃만큼 낮아졌으므로 1시간 동안 2 ℃씩 낮아져서 오후 3시에는 15 ℃였을 것입니다.

17 땅의 온도가 점점 낮아지고 있으므로 오후 8시에는 10 ℃보다 낮아질 것입니다.

18 그래프의 선의 기울기가 점점 커지는 것은 나 식물입니다.

19 그래프의 선의 기울기가 점점 작아지는 것은 다 식물입니다.

124~125쪽 단계별로 연습하는 서술형 평가

01 ❶ 1회 ❷ 목요일 ❸ 16회

02 ❶ 오후 1시, 오후 2시 ❷ 오후 2시

03 ❶ 20개 ❷ 3140개, 3260개 ❸ 120개

04 ❶ 600권 ❷ 440권 ❸ 160권

01 ❶ 세로 눈금 5칸이 5회를 나타내므로 세로 눈금 1칸은 1회를 나타냅니다.

❸ 그래프에서 점이 가장 높은 때인 목요일에 윗몸일으키기를 가장 많이 하였고 목요일과 만나는 세로 눈금을 읽으면 16회입니다.

02 ❷ 그래프에서 선이 오른쪽 위로 가장 많이 기울어진 때를 찾으면 오후 2시입니다.

03 ❶ 세로 눈금 5칸이 100개를 나타내므로 세로 눈금 한 칸은 20개를 나타냅니다.

❸ $3260-3140=120$(개)

04 ❸ $600-440=160$(권)

126~127쪽 풀이 과정을 직접 쓰는 서술형 평가

01 ㉠ 팔 굽혀펴기를 가장 많이 한 요일은 점이 가장 높은 때인 목요일이고 목요일에 한 팔 굽혀펴기 횟수는 15회입니다.
; 15회

02 ㉠ 온도가 가장 많이 오른 때는 그래프에서 선이 오른쪽 위로 가장 많이 기울어진 오전 9시와 10시 사이이므로 전시각에 비해 온도가 가장 많이 오른 때는 오전 10시입니다.
; 오전 10시

03 ㉠ 2월의 자전거 생산량은 1040대이고, 6월의 자전거 생산량은 1220대입니다.
⇨ 1220－1040＝180(대) ; 180대

04 ㉠ 가장 많이 팔린 때는 그래프의 점이 가장 높은 때인 7월로 224병이고, 가장 적게 팔린 때는 그래프의 점이 가장 낮은 때인 4월로 202병입니다.
⇨ 224－202＝22(병) ; 22병

01

배점	채점기준
상	팔 굽혀펴기를 가장 많이 한 때는 그래프에서 점이 가장 높은 때임을 알고 답을 바르게 구함
중	풀이 과정이 부족하나 답은 맞음
하	문제를 전혀 해결하지 못함

02

배점	채점기준
상	선의 기울어진 정도를 비교하여 답을 바르게 구함
중	풀이 과정이 부족하나 답은 맞음
하	문제를 전혀 해결하지 못함

03

배점	채점기준
상	2월과 6월의 자전거 생산량을 각각 구하여 답을 바르게 구함
중	풀이 과정이 부족하나 답은 맞음
하	문제를 전혀 해결하지 못함

인정답안

2월과 6월의 자전거 생산량의 눈금의 칸수의 차를 이용하여 구한 경우도 답으로 인정합니다.

04

배점	채점기준
상	가장 많이 팔린 때와 가장 적게 팔린 때의 음료수 판매량을 각각 구하여 답을 바르게 구함
중	풀이 과정이 부족하나 답은 맞음
하	문제를 전혀 해결하지 못함

인정답안

가장 많이 팔린 때와 가장 적게 팔린 때의 음료수 판매량의 눈금의 칸수의 차를 이용하여 구한 경우도 답으로 인정합니다.

128쪽 밀크티 성취도평가 오답 베스트 5

01 150가구 **02** ② **03** ①
04 30 t **05** 1880개

01 세로 눈금 5칸의 크기가 10가구이므로 세로 눈금 한칸의 크기는 10÷5＝2(가구)입니다.
꺾은선이 가장 낮은 곳을 찾으면 2017년이고 그 때의 농사를 짓는 가구 수는 150가구입니다.

02 오후 3시의 땅의 온도는 16 ℃이고, 오후 5시의 땅의 온도는 12 ℃입니다. 오후 4시의 땅의 온도는 오후 3시와 5시의 중간인 약 14 ℃입니다.

04 세로 눈금 5칸의 크기가 50 t이므로 세로 눈금 한 칸의 크기는 10 t입니다. 3월과 4월은 세로 눈금이 3칸 차이가 나므로 음식물 쓰레기 배출량이 30 t 더 많습니다.

05 세로 눈금 5칸의 크기가 50개이므로 세로 눈금 한 칸의 크기는 10개입니다. 판매한 사과의 개수를 알아보면 1주에 420개, 2주에 490개, 3주에 460개, 4주에 510개입니다. 따라서 1주부터 4주까지 판매한 사과는 모두
420＋490＋460＋510＝1880(개)입니다.

6 다각형

131쪽 쪽지시험 1회

01 (×)(○)(×) 02 (○)(×)(×)
03 오각형 04 칠각형 05 정육각형
06 마 07 가, 나, 라 08 라
09 8 10 120

05 변이 6개인 정다각형이므로 정육각형입니다.
07 변의 길이가 모두 같고, 각의 크기가 모두 같은 다각형을 찾습니다.
08 변의 길이가 모두 같고, 각의 크기가 모두 같은 다각형 중에서 변이 8개인 것을 찾습니다.
09 정다각형이므로 변의 길이가 모두 같습니다.
10 정다각형이므로 각의 크기가 모두 같습니다.

132쪽 쪽지시험 2회

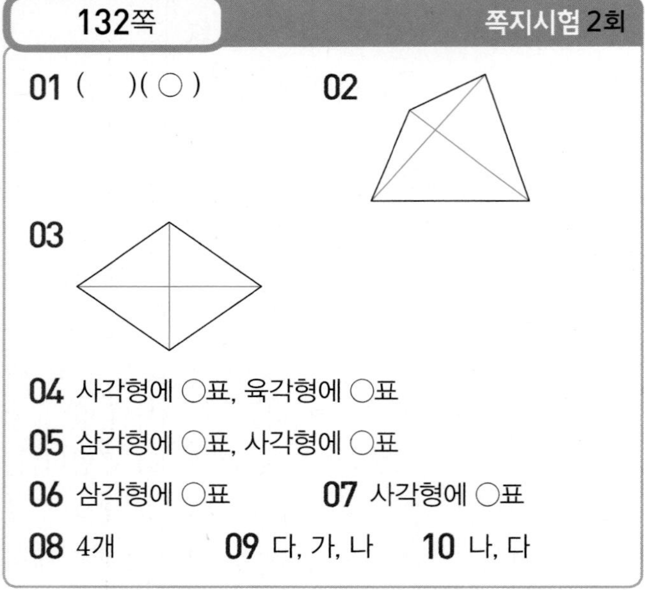

01 ( )(○)
02
03
04 사각형에 ○표, 육각형에 ○표
05 삼각형에 ○표, 사각형에 ○표
06 삼각형에 ○표 07 사각형에 ○표
08 4개 09 다, 가, 나 10 나, 다

02 서로 이웃하지 않는 두 꼭짓점을 이어 대각선을 긋습니다.
06 삼각형 8개로 겹치지 않게 빈틈없이 채워 꾸민 모양입니다.
09 가: 2개, 나: 0개, 다: 5개 ⇨ $5>2>0$
10 두 대각선이 서로 수직으로 만나는 사각형은 마름모와 정사각형이므로 나, 다입니다.

133~135쪽 단원평가 1회 난이도 A

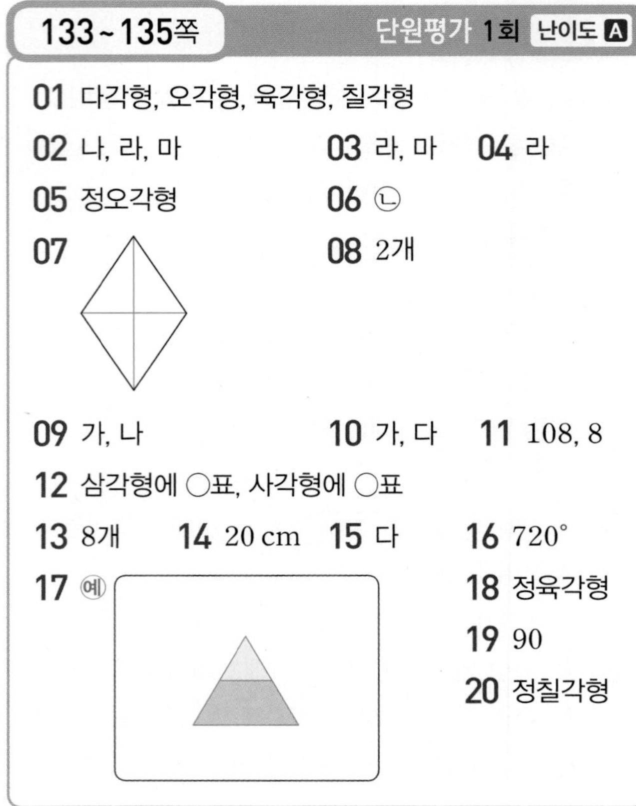

01 다각형, 오각형, 육각형, 칠각형
02 나, 라, 마 03 라, 마 04 라
05 정오각형 06 ㉡
07 08 2개
09 가, 나 10 가, 다 11 108, 8
12 삼각형에 ○표, 사각형에 ○표
13 8개 14 20 cm 15 다 16 720°
17 예
18 정육각형
19 90
20 정칠각형

06 ㉡은 서로 이웃하지 않는 두 꼭짓점을 이은 선분이 아닙니다.
09 두 대각선의 길이가 같은 사각형은 가(정사각형), 나(직사각형)입니다.
10 두 대각선이 서로 수직으로 만나는 사각형은 가(정사각형), 다(마름모)입니다.
11 정오각형이므로 5개의 각의 크기는 108°로 모두 같고, 변의 길이는 8 cm로 모두 같습니다.
14 정오각형의 5개의 변의 길이는 모두 같습니다.
⇨ (모든 변의 길이의 합)$=4\times5=20$ (cm)
15 가: 2개, 나: 5개, 다: 9개 ⇨ $9>5>2$
16 정육각형은 모든 각의 크기가 같으므로 (모든 각의 크기의 합)$=120°\times6=720°$입니다.
17 여러 가지 방법으로 다각형을 만들 수 있습니다.
18 6개의 선분으로 둘러싸인 도형은 육각형이고, 변의 길이와 각의 크기가 모두 같으므로 정육각형입니다.
19 마름모는 두 대각선이 서로 수직으로 만납니다.
20 정다각형은 변의 길이가 모두 같으므로 변은 $42\div6=7$(개)입니다. ⇨ 정칠각형

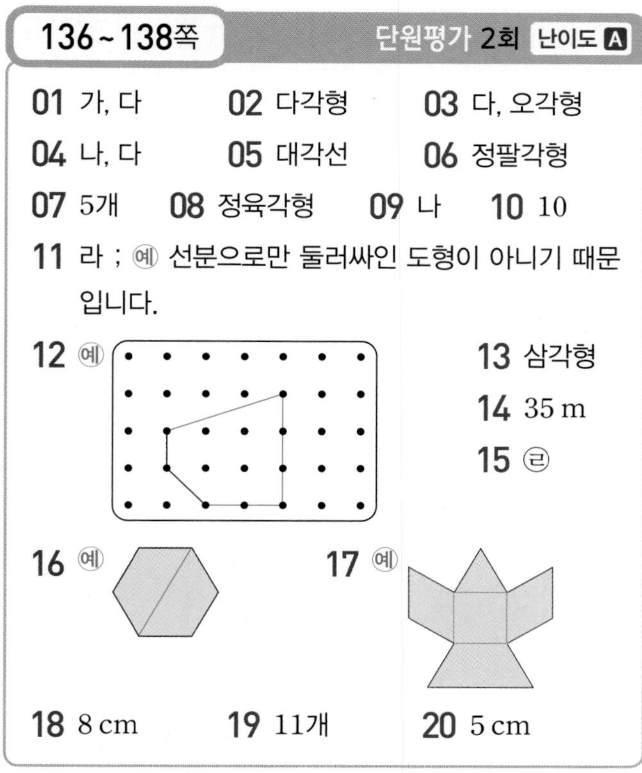

136~138쪽 단원평가 2회 난이도 A

01 가, 다 02 다각형 03 다, 오각형

04 나, 다 05 대각선 06 정팔각형

07 5개 08 정육각형 09 나 10 10

11 라 ; 예 선분으로만 둘러싸인 도형이 아니기 때문입니다.

12 예 (도형 그림)

13 삼각형

14 35 m

15 ㄹ

16 예 (도형 그림)

17 예 (도형 그림)

18 8 cm 19 11개 20 5 cm

139~141쪽 단원평가 3회 난이도 B

01 ①, ④ 02 ( )(○)( ) 03 다

04 육각형 05 5개 06 6개 07 정팔각형

08 가, 라 09 6개 10 540°

11 예 변의 길이가 모두 같지 않고, 각의 크기도 모두 같지 않으므로 정다각형이 아닙니다.

12 90° 13 6개 14 ㄴ

15 예 (도형 그림) 16 예 (도형 그림)

17 6 cm 18 정십이각형 19 10

20 예 변의 길이가 모두 같고, 각의 크기가 모두 같은 도형은 정다각형입니다.
⇨ 5개의 선분으로 둘러싸인 정다각형은 정오각형입니다. ; 정오각형

05 다각형에서 서로 이웃하지 않는 두 꼭짓점을 이은 선분을 대각선이라고 합니다.

07 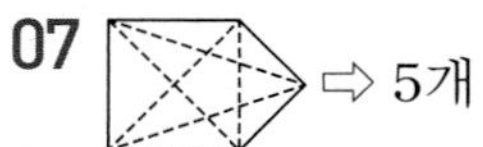 ⇨ 5개

08 변의 길이와 각의 크기가 각각 모두 같고, 6개의 선분으로 둘러싸인 도형은 정육각형입니다.

09 두 대각선의 길이가 같고, 두 대각선이 서로 수직으로 만나는 사각형은 정사각형이므로 나입니다.

10 정팔각형은 모든 변의 길이가 같습니다.

12 5개의 선분으로 둘러싸인 다각형을 그립니다.

14 울타리는 정칠각형 모양이므로 울타리의 길이는 $5\times7=35$ (m)입니다.

15 직사각형과 정사각형의 두 대각선의 길이는 같습니다.

18 정육각형은 6개의 변의 길이가 모두 같습니다.
⇨ (정육각형의 한 변의 길이)$=48\div6=8$ (cm)

19 사각형에 그을 수 있는 대각선의 수: 2개
육각형에 그을 수 있는 대각선의 수: 9개
⇨ $2+9=11$(개)

20 (가 도형의 모든 변의 길이의 합)$=3\times5=15$ (cm)
⇨ (나 도형의 한 변의 길이)$=15\div3=5$ (cm)

01 정다각형은 변의 길이가 모두 같고, 각의 크기가 모두 같습니다.
⇨ ① 정삼각형 ④ 정육각형

05 서로 이웃하지 않는 두 꼭짓점을 이어 대각선을 그어 봅니다.

06 한 꼭짓점에서 서로 이웃하지 않는 꼭짓점은 6개이므로 대각선은 6개를 그을 수 있습니다.

07 변이 8개인 정다각형이므로 정팔각형입니다.

08 두 대각선의 길이가 같은 사각형은 가(직사각형), 라(정사각형)입니다.

10 정오각형은 모든 각의 크기가 같습니다.
⇨ (모든 각의 크기의 합)$=108°\times5=540°$

12 선경이가 만든 도형은 마름모이고, 마름모의 두 대각선은 서로 수직으로 만나므로 ㉠$=90°$입니다.

14 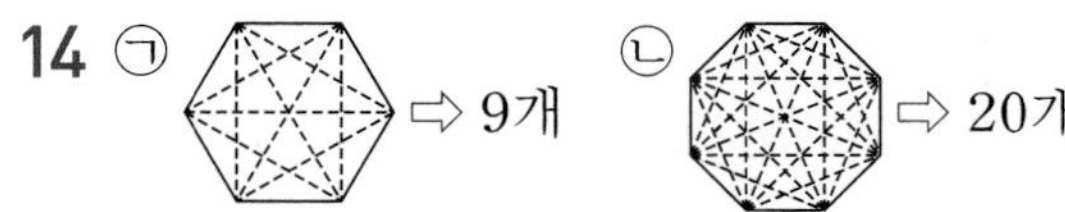

참고
(대각선의 수)
=(한 꼭짓점에서 그을 수 있는 대각선의 수)
×(꼭짓점의 수)÷2

17 정사각형은 두 대각선의 길이가 같고, 한 대각선이 다른 대각선을 똑같이 둘로 나눕니다.
(선분 ㄱㄷ)=(선분 ㄴㄹ)=12 cm
⇨ (선분 ㄴㅁ)=12÷2=6 (cm)

18 정다각형은 변의 길이가 모두 같으므로 변은 60÷5=12(개)입니다.
변이 12개인 정다각형은 정십이각형입니다.

19 • 팔각형의 변은 8개입니다. → ㉠=8
• 직사각형에 그을 수 있는 대각선은 2개입니다. → ㉡=2
⇨ ㉠+㉡=8+2=10

142~144쪽 단원평가 4회 난이도 B

01 ③
02 오각형에 ○표
03 (그림)
04 (그림), 9개
05 나
06 칠각형
07 삼각형에 ○표, 사각형에 ○표
08 ③
09 120, 7
10 90
11 6개
12 3개
13 8 cm
14 예 (그림)
15 15 cm
16 예 (그림)

라
나
라
라
가
다
나
라
바

17 예 서로 이웃하지 않는 두 꼭짓점을 이어 대각선을 그어 봅니다.
가: 5개, 나: 2개 ⇨ 5+2=7(개)
; 7개
18 정사각형
19 108°
20 45°

01 ③ 곡선인 부분이 있으므로 다각형이 아닙니다.

02 변이 5개인 다각형이므로 오각형입니다.

03 정삼각형과 정육각형에 색칠합니다.

05 삼각형은 서로 이웃하지 않는 꼭짓점이 없으므로 대각선을 그을 수 없습니다.

06 변이 7개이면 칠각형이라고 합니다.

07 삼각형 1개, 사각형 1개로 만든 모양입니다.

08 ③ 마름모는 두 대각선이 서로 수직으로 만납니다.

09 정다각형은 변의 길이가 모두 같고, 각의 크기가 모두 같습니다.

10 정사각형은 두 대각선이 서로 수직으로 만나므로 각 ㄹㅇㄷ의 크기는 90°입니다.

12 ㉠ 정십각형의 각의 수: 10개
㉡ 정칠각형의 변의 수: 7개
⇨ 10−7=3(개)

13 정팔각형은 변의 길이가 모두 같습니다.
⇨ (정팔각형의 한 변)=64÷8=8 (cm)

15 직사각형은 두 대각선의 길이가 같으므로
(선분 ㄴㄹ)=(선분 ㄱㄷ)=15 cm입니다.

18 • 한 대각선이 다른 대각선을 똑같이 둘로 나눕니다.
→ 평행사변형, 직사각형, 마름모, 정사각형
• 두 대각선의 길이가 같습니다.
→ 직사각형, 정사각형
• 두 대각선이 서로 수직입니다.
→ 마름모, 정사각형
⇨ 모두 만족하는 사각형은 정사각형입니다.

19 정오각형은 삼각형 3개로 나눌 수 있으므로
(정오각형의 모든 각의 크기의 합)
=180°×3=540°
⇨ (정오각형의 한 각의 크기)=540°÷5=108°

20 정사각형은 두 대각선의 길이가 같고, 한 대각선이 다른 대각선을 똑같이 둘로 나누므로 삼각형 ㅁㄴㄷ은 이등변삼각형입니다.
정사각형은 두 대각선이 서로 수직으로 만나므로
(각 ㄴㅁㄷ)=90°입니다.
⇨ ㉠+(각 ㅁㄷㄴ)=180°−90°=90°,
㉠=90°÷2=45°

145~147쪽 단원평가 5회 난이도 C

01 (그림) 02 정칠각형

03 (○)( )( )(○) 04 구각형

05 14개 06 육각형 07 ㉠

08 나, 라 09 가, 나 10 나

11 예 선분으로 되어 있지만 둘러 싸여 있지 않으므로 다각형이 아닙니다.

12 42 cm 13 10개

14 예 정사각형은 두 대각선의 길이가 같으므로 두 대각선의 길이의 합은 $10+10=20$ (cm)입니다.
; 20 cm

15 예 (그림)

16 18 cm

17 예 (나 도형의 모든 변의 길이의 합)
$=12\times4=48$ (cm)
⇨ (가 도형의 한 변의 길이)$=48\div6=8$ (cm)
; 8 cm

18 30° 19 55° 20 24 cm

01 변이 5개이면 오각형, 6개이면 육각형, 8개이면 팔각형이라고 합니다.

02 7개의 변의 길이가 모두 같고, 7개의 각의 크기가 모두 같은 정다각형은 정칠각형입니다.

03 5개의 변의 길이가 모두 같고, 5개의 각의 크기가 모두 같은 다각형을 찾습니다.

05 서로 이웃하지 않는 두 꼭짓점을 이으면 대각선은 모두 14개 그을 수 있습니다.

06 선분으로만 둘러싸인 도형은 다각형이고 다각형 중에서 변이 6개인 것은 육각형입니다.

07 ㉡ 길이가 같은 변끼리 이어 붙였습니다.
㉢ 서로 겹치지 않게 이어 붙였습니다.

08 정사각형과 마름모는 두 대각선이 서로 수직으로 만납니다.

09 직사각형과 정사각형은 두 대각선의 길이가 같습니다.

10 정사각형은 두 대각선이 서로 수직으로 만나고, 두 대각선의 길이가 같습니다.

12 정육각형은 6개의 변의 길이가 모두 같으므로 $7\times6=42$ (cm)입니다.

16 마름모는 한 대각선이 다른 대각선을 똑같이 둘로 나누므로 (선분 ㄴㅁ)=(선분 ㄹㅁ)=9 cm입니다.
⇨ (선분 ㄴㄹ)$=9+9=18$ (cm)

18 정육각형은 모든 변의 길이가 같고, 모든 각의 크기가 같으므로 (각 ㅁㄹㄷ)=120°입니다.
삼각형 ㄷㄹㅁ은 이등변삼각형이므로
(각 ㅁㄷㄹ)=㉠입니다.
⇨ ㉠+㉠=180°−120°=60°, ㉠=60°÷2=30°

19 (각 ㄱㅁㄴ)=180°−110°=70°
직사각형의 두 대각선의 길이는 서로 같고, 한 대각선은 다른 대각선을 똑같이 둘로 나누므로 선분 ㄱㅁ 과 선분 ㄴㅁ의 길이는 같습니다.
삼각형 ㄱㅁㄴ은 이등변삼각형이므로
(각 ㄴㄱㅁ)=(각 ㄱㄴㅁ),
(각 ㄴㄱㅁ)+(각 ㄱㄴㅁ)=180°−70°=110°입니다.
⇨ (각 ㄱㄴㅁ)=110°÷2=55°

20 직사각형은 마주 보는 두 변의 길이가 같고, 두 대각선의 길이가 같습니다.
(변 ㄴㄷ)=(변 ㄱㄹ)=8 cm,
(변 ㄱㄴ)=(변 ㄹㄷ)=6 cm,
(선분 ㄱㄷ)=(선분 ㄹㄴ)=10 cm
⇨ (삼각형 ㄱㄴㄷ의 세 변의 길이의 합)
$=6+8+10=24$ (cm)

148~149쪽 단계별로 연습하는 서술형 평가

01 ❶ 7, 12 ; 12개 ❷ 정십이각형

02 ❶ 5, 30 ; 30 cm ❷ 10 cm

03 ❶ 20개 ❷ 9개 ❸ 29개

04 ❶ 7, 14 ; 14 cm
❷ 8, 16 ; 16 cm ❸ 2 cm

03 ❸ $20+9=29$(개)

04 ❸ $16-14=2$ (cm)

150~151쪽 풀이 과정을 직접 쓰는 서술형 평가

01 예 정다각형은 모든 변의 길이가 같으므로 변은 모두 $180\div9=20$(개)입니다.
⇨ 변이 20개인 정다각형은 정이십각형입니다.
; 정이십각형

02 예 가 도형은 정팔각형이고 8개의 변의 길이가 모두 같으므로
(가 도형의 모든 변의 길이의 합)
$=3\times8=24$ (cm)입니다.
⇨ 나 도형은 정육각형이고 6개의 변의 길이가 모두 같으므로
(나 도형의 한 변의 길이)$=24\div6=4$ (cm)입니다. ; 4 cm

03 예 정오각형에 그을 수 있는 대각선은 5개이고, 정칠각형에 그을 수 있는 대각선은 14개입니다.
⇨ $5+14=19$(개) ; 19개

04 예 마름모는 한 대각선이 다른 대각선을 똑같이 둘로 나누므로 (선분 ㄱㅁ)=(선분 ㅁㄷ), (선분 ㄴㅁ)=(선분 ㅁㄹ)입니다.
(선분 ㄱㄷ)$=9+9=18$ (cm),
(선분 ㄴㄹ)$=5+5=10$ (cm)
⇨ $18-10=8$ (cm) ; 8 cm

05 예 정오각형은 모든 변의 길이가 같고, 모든 각의 크기가 같습니다. 삼각형 ㄱㄴㄷ은 이등변삼각형이고 각 ㄱㄴㄷ의 크기는 108°입니다.
⇨ (각 ㄱㄷㄴ)=㉠이므로
㉠+㉠$=180°-108°=72°$,
㉠$=72°\div2=36°$; 36°

01

배점	채점기준
상	정다각형은 모든 변의 길이가 같음을 알고 변의 수를 구하여 답을 바르게 구함
중	풀이 과정이 부족하나 답은 맞음
하	문제를 전혀 해결하지 못함

02

배점	채점기준
상	가 도형의 모든 변의 길이의 합을 구하여 답을 바르게 구함
중	풀이 과정이 부족하나 답은 맞음
하	문제를 전혀 해결하지 못함

03

인정답안
(대각선의 수) =(한 꼭짓점에서 그을 수 있는 대각선의 수) ×(꼭짓점의 수)÷2의 계산식을 이용하여 구한 경우도 답으로 인정합니다.

04

배점	채점기준
상	두 대각선의 길이를 각각 구하여 답을 바르게 구함
중	풀이 과정이 부족하나 답은 맞음
하	문제를 전혀 해결하지 못함

05

배점	채점기준
상	정오각형은 모든 각의 크기가 같음을 알고 답을 바르게 구함
중	풀이 과정이 부족하나 답은 맞음
하	문제를 전혀 해결하지 못함

152쪽 밀크티 성취도평가 오답 베스트 5

01 32 cm　02 540°　03 135°
04 9개　05 ④, ⑤

01 빨간 선의 길이는 정사각형의 한 변의 길이의 8배와 같으므로 $4\times8=32$ (cm)입니다.

02 $108°\times5=540°$

03 $1080°\div8=135°$

04
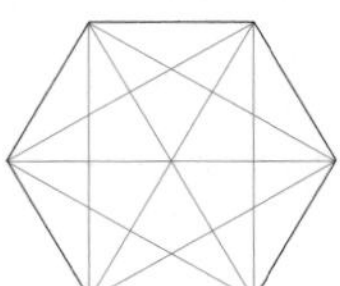
⇨ 대각선은 모두 9개 그을 수 있습니다.

05 두 대각선의 길이가 서로 같은 사각형은 직사각형과 정사각형입니다.

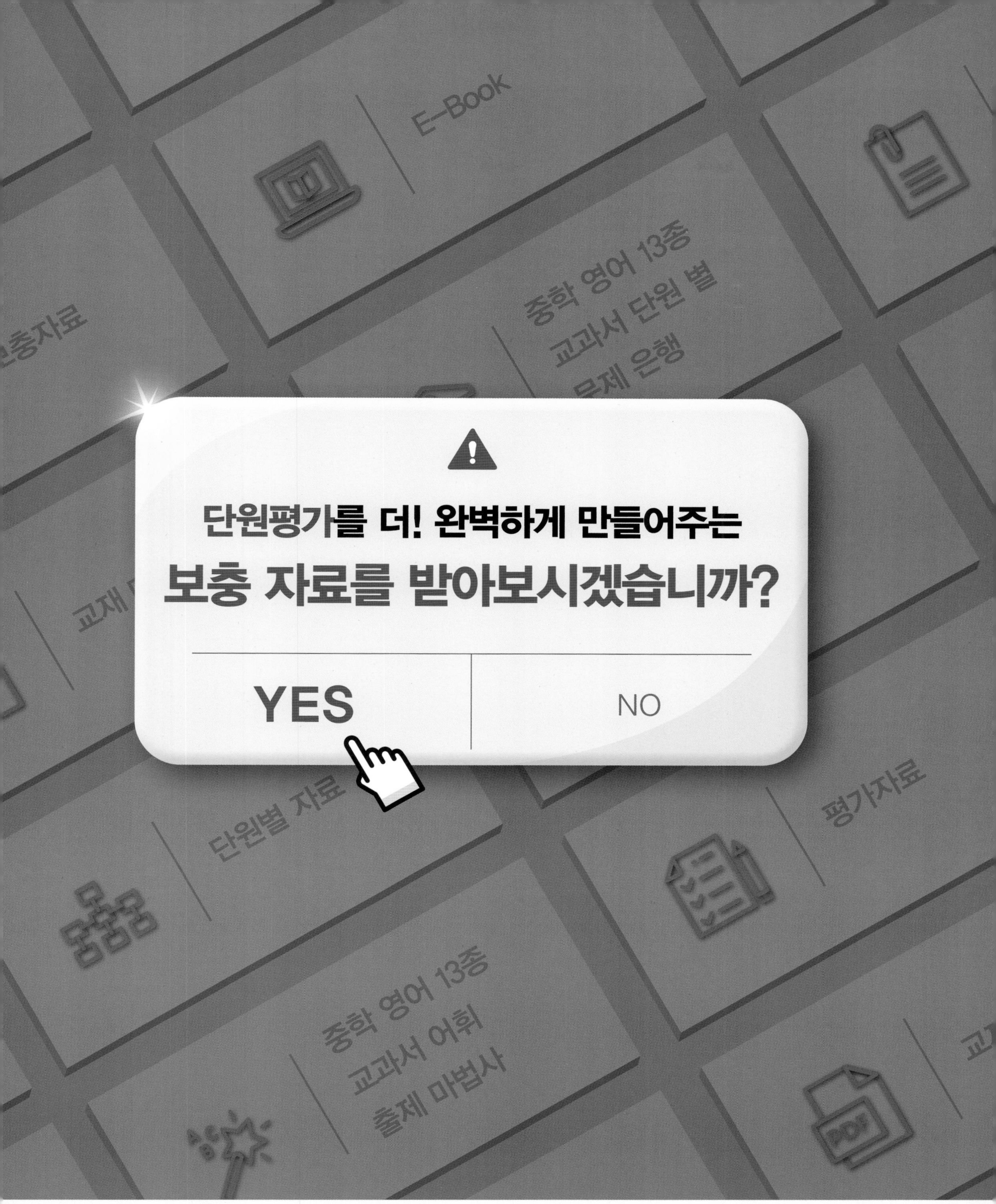

정답은
이안에
있어!

주의 책 모서리에 다칠 수 있으니 주의하시기 바랍니다.
부주의로 인한 사고의 경우 책임지지 않습니다.

초등학교	학년	반	번
이름			